PIĘKNA
KATASTROFA

JAMIE McGUIRE

PIĘKNA KATASTROFA

Z angielskiego przełożyła
AGATA KAROLAK

Tytuł oryginału:
BEAUTIFUL DISASTER

Redakcja: Julita Wroniak-Mirkowicz

Zdjęcia na okładce: © Stefan Nyka Activa Studio, © suns07butterfly/Fotolia.com

Projekt graficzny okładki: Stefan Nyka Activa Studio

Skład: Laguna

ISBN 978-83-7885-849-2

Książka dostępna także jako e-book

Dystrybutor

Firma Księgarska Olesiejuk sp. z o.o. sp. j.
Poznańska 91, 05-850 Ożarów Mazowiecki
tel. (22) 721 30 00, faks (22) 721 30 01
www.olesiejuk.pl

Sprzedaż wysyłkowa – księgarnie internetowe

www.merlin.pl
www.fabryka.pl
www.empik.com

Wydawca

WYDAWNICTWO ALBATROS ANDRZEJ KURYŁOWICZ S.C.
Hlonda 2A/25, 02-972 Warszawa
www.wydawnictwoalbatros.com

2014. Wydanie I
Druk: WZDZ – Drukarnia Lega, Opole

Dla moich fanów
których upodobanie do ciekawych
historii przeobraziło się
w tę oto opowieść

Rozdział pierwszy

Pierwsze ostrzeżenie

Wszystko wokół zdawało się krzyczeć, że to nie jest miejsce dla mnie. Rozchwiane schody, zgraja wrzaskliwych mężczyzn o wyglądzie chuliganów, smród potu, krwi i pleśni. Chór niewyraźnych głosów wykrzykiwał liczby i nazwiska, ludzie wymachiwali rękami, przekazując sobie nawzajem pieniądze i komunikując się na migi pośród zgiełku. Przecisnęłam się przez tłum, uczepiona swojej najlepszej przyjaciółki.

— Uważaj na portfel, Abby! — zawołała do mnie America. W półmroku jej uśmiechnięta twarz jaśniała.

— Trzymajcie się blisko mnie! Kiedy zaczną, zrobi się naprawdę gorąco! — Shepley starał się przekrzyczeć hałas.

America chwyciła za ręce jego i mnie, po czym Shepley poprowadził nas przez morze ludzi.

Zadymione powietrze przeszył nagły ryk megafonu. Wystraszona, aż podskoczyłam i rozejrzałam się. Na drewnianym krześle stał mężczyzna; w jednej ręce trzymał plik banknotów, w drugiej megafon. Przyłożył go do ust.

— Witajcie! Za chwilę odbędzie się tu krwawa jatka! Jeśli

interesuje was kurs z ekonomii, to trafiliście pod niewłaściwy adres! Jeśli szukacie Kręgu, to odnaleźliście Mekkę! Mam na imię Adam. To ja ustalam zasady i wywołuję zawodników. Obstawianie kończy się, kiedy przeciwnicy stają do walki. Nie wolno ich dotykać, pomagać im, nie wolno zmieniać zakładów i wbiegać na ring. Kto złamie zasady, dostaje wpierdol i wypieprza stąd bez pieniędzy! Także wy, drogie panie! Chłopcy, nie namawiajcie swoich laseczek do żadnych przekrętów!

Shepley pokręcił głową.

— Jezu, Adam! — zawołał, najwidoczniej zniesmaczony słownictwem kolegi.

Serce mi waliło. W różowym swetrze z kaszmiru i kolczykach z perłami czułam się jak belferka na plażach Normandii. Obiecałam Mare — tak zdrabnialiśmy imię America — że cokolwiek się stanie, dzielnie to zniosę, ale teraz, na poziomie zero, miałam ochotę obiema rękami wczepić się w jej chude ramię. Oczywiście nie naraziłaby mnie na niebezpieczeństwo, jednak gdy znalazłam się w piwnicy w towarzystwie pięćdziesięciu paru podpitych studentów żądnych krwi i pieniędzy, nie byłam pewna, czy wyjdziemy z tego cało.

Odkąd America poznała Shepleya na kursie wprowadzającym dla studentów pierwszego roku, często towarzyszyła mu na tych imprezach organizowanych potajemnie w podziemiach Uniwersytetu Eastern. Każda odbywała się w innej piwnicy, a gdzie dokładnie, zdradzano dopiero godzinę przed walką.

Jako że na co dzień obracałam się w gronie nieco grzeczniejszych studentów, zaskoczyło mnie istnienie tego podziemnego świata, ale Shepley wiedział o nim, zanim jeszcze zapisał się na studia. Travis, jego kuzyn i współlokator, stoczył swoją pierwszą walkę siedem miesięcy wcześniej. Już na pierwszym roku zyskał sławę najbardziej niebezpiecznego zawodnika, jakiego Adam oglądał w ciągu ostatnich trzech lat, odkąd stworzył tak zwany Krąg. Na początku drugiego roku Travis był niepokonany. Z wygranych on i Shepley bez trudu opłacali czynsz i inne rachunki.

Adam znów przytknął megafon do ust. Podniósł się nieopisany wrzask.

— Dziś wieczorem wystąpi nowy zawodnik! Gwiazda reprezentacji Uniwersytetu Eastern, zapaśnik Marek Young!

Głośno wiwatując, tłum rozstąpił się niczym Morze Czerwone. Marek wkroczył do sali.

Wokół niego utworzył się krąg. Publiczność gwizdała, buczała, szydziła z zapaśnika. Young podskakiwał i potrząsał głową, poważny i skupiony. Wrzawa, cichnąc stopniowo, przeszła w jednostajny pomruk. Kiedy z potężnych głośników w drugim końcu sali buchnęła muzyka, zasłoniłam dłońmi uszy.

— Drugiego z zawodników nie muszę przedstawiać, ale to zrobię, bo przeraża mnie jak cholera! Drżyjcie, panowie, panie, żarty się skończyły! Przed wami: Travis „Wściekły Pies" Maddox!

Znów podniósł się ogłuszający wrzask. Travis stanął w drzwiach. Wiedział, jak zrobić efektowne wejście — z nagim torsem, zrelaksowany, swobodny, wkroczył wolnym krokiem do kręgu, jakby zwyczajnie przyszedł do pracy. Smukłe mięśnie rozciągnęły się pod wytatuowaną skórą, gdy stuknął pięściami w knykcie Marka. Nachylił się i szepnął mu coś do ucha. Zapaśnik starał się zachować groźną minę. Stanęli, patrząc obie prosto w oczy. Twarz Marka miała morderczy wyraz, podczas gdy Travis wydawał się lekko rozbawiony.

Gdy cofnęli się o parę kroków, Adam zadął w tubę megafonu. Marek przyjął postawę obronną, Travis zaatakował. Kiedy zasłonił ich tłum, stanęłam na palcach, przechylając się na boki, żeby lepiej widzieć. Pomalutku prześlizgiwałam się przez rozkrzyczaną zgraję. Ktoś dźgał mnie łokciem, ktoś inny potrącił ramieniem; odbijałam się od nich jak kulka we flipperze. Udało mi się dostrzec czubki głów zawodników, więc dalej przeciskałam się przez tłum.

W końcu przepchnęłam się na sam przód. Marek pochwycił Travisa grubymi ramionami i próbował obalić go na ziemię. Kiedy się nad nim nachylił, ten rąbnął go w twarz kolanem. Zanim Marek zdołał odparować cios, Travis natarł na niego, okładając pięściami.

W moim ramieniu ktoś zatopił pięć palców. Obróciłam się gwałtownie.

— Abby, co ty wyprawiasz, do jasnej cholery? — spytał Shepley.

— Z tyłu nic nie widziałam! — odkrzyknęłam.

Marek wymierzył potężny cios. Travis zakręcił się na pięcie. Przez chwilę myślałam, że się uchyla, ale gdy wykonał pełny obrót, uderzył przeciwnika łokciem prosto w nos. Krew obryzgała mi twarz i sweterek. Marek upadł ciężko na betonową podłogę i na moment zaległa kompletna cisza.

Adam przykrył bezwładne ciało kawałkiem szkarłatnego materiału i w tej samej chwili tłum eksplodował. Pieniądze znów wędrowały z rąk do rąk pośród okrzyków triumfu i pomruków frustracji.

Ludzie napierali na mnie ze wszystkich stron. Gdzieś z drugiego końca sali usłyszałam głos Mare. Wpatrywałam się jak zahipnotyzowana w smużkę czerwieni znaczącą przód mojego swetra.

Potem moją uwagę przykuł widok ciężkich czarnych butów na podłodze. Powędrowałam wzrokiem ku górze. Poplamione krwią dżinsy, pięknie wyrzeźbione mięśnie brzucha, nagi, spocony tors pokryty tatuażami, wreszcie ciepłe brązowe oczy. Ktoś potrącił mnie od tyłu, ale Travis złapał mnie za ramię, zanim upadłam na twarz.

— Hej! Odsuń się od niej! — zawołał i zaczął odpychać każdego, kto się do mnie zbliżył. Na widok mojego swetra jego surową minę zastąpił uśmiech. Delikatnie przetarł mi twarz ręcznikiem. — Wybacz, Gołąbku.

Adam poklepał go po głowie.

— Chodź, Wściekły Psie. Czeka na ciebie niezły szmal.

Travis wciąż mi się przyglądał.

— Cholera, szkoda tego sweterka. Ładnie ci w nim. — Już po chwili porwał go tłum fanów i zniknął równie nagle, jak się pojawił.

— Coś ty sobie myślała, idiotko?! — wrzasnęła America, szarpiąc mnie za ramię.

— W końcu przyszłam tu po to, żeby obejrzeć walkę — odparłam z uśmiechem.

— W ogóle nie powinno cię tu być — burknął Shepley.

— A America? — spytałam niewinnie.

— Przynajmniej nie pcha się na ring! — Zmarszczył czoło. — Chodźmy stąd.

America uśmiechnęła się do mnie i otarła mi twarz.

— Abby? Jesteś nie do wytrzymania. Boże, uwielbiam cię!

Objęła mnie i razem weszłyśmy po schodach na górę.

W pokoju w akademiku zastałyśmy moją współlokatorkę Karę. America posłała jej szyderczy uśmiech, a ja od razu zdjęłam zakrwawiony sweterek i wrzuciłam go do kosza na brudną bieliznę.

— Obrzydlistwo. — Kara się skrzywiła. — Gdzieś ty była?

Spojrzałam na Mare; wzruszyła ramionami.

— Krwotok z nosa. Abby z nich słynie.

Kara poprawiła okulary, kręcąc głową.

— Jeszcze nieraz to zobaczysz. — America puściła do mnie oko, po czym zamknęła za sobą drzwi.

Nie minęła nawet minuta, gdy zabrzęczała komórka. Jak zwykle moja przyjaciółka wysłała mi wiadomość chwilę po tym, jak się rozstałyśmy: *zostaję na noc u shepa do zo jutro królowo ringu.*

Zerknęłam na Karę, która najwyraźniej spodziewała się, że za chwilę dostanę kolejnego krwotoku.

— Żartowała — uspokoiłam ją.

Obojętnie pokiwała głową, po czym wróciła do sterty książek na łóżku.

— Wezmę prysznic — oznajmiłam, sięgając po ręcznik i kosmetyczkę.

— Powiadomię media — mruknęła Kara z kamienną twarzą, nie podnosząc wzroku.

❦

Następnego dnia America i Shepley postanowili zjeść ze mną lunch. Nie miałam ochoty na towarzystwo, ale z każdą minutą stołówka wypełniała się znajomymi Shepa i członkami drużyny futbolowej. Niektórzy musieli widzieć mnie wczoraj przy ringu, ale żaden o tym nie wspomniał.

— Shep.

Shepley skinął głową. Na drugim końcu stołu zasiadł Travis w towarzystwie dwóch ponętnych blondynek, ubranych w koszulki stowarzyszenia Sigma Kappa. Jedna usiadła mu na kolanach, druga głaskała rękaw jego koszuli.

— Zaraz się porzygam — mruknęła America.

Blondynka siedząca Travisowi na kolanach odwróciła się do niej.

— Słyszałam, zdziro.

America złapała bułkę i rzuciła nią przez stół. Mało brakowało, a trafiłaby dziewczynę w twarz. Zanim tamta zdążyła coś powiedzieć, Travis rozchylił kolana i blondynka upadła na podłogę.

— Au! — zapiszczała, patrząc na niego z wyrzutem.

— America jest moją przyjaciółką. Znajdź sobie inne kolana, Lex.

— Travis! — jęknęła, zrywając się na równe nogi.

Skupił wzrok na talerzu, wyraźnie ją ignorując. Naburmuszona dziewczyna spojrzała na koleżankę z Sigma Kappa, po czym obie odeszły, trzymając się za ręce.

Travis mrugnął do Mare i jakby nigdy nic włożył do ust kolejny kęs. Dopiero wtedy spostrzegłam niewielkie rozcięcie na jego łuku brwiowym. Wymienili spojrzenia z Shepleyem i zaczęli gawędzić z chłopakiem z drużyny futbolowej.

Gdy stołówka nieco opustoszała, America, Shepley i ja postanowiliśmy omówić plany na najbliższy weekend. Travis wstał i już miał odejść, ale przystanął obok nas.

— Co? — spytał głośno Shepley, przykładając dłoń do ucha.

Dotąd starałam się nie zwracać na Travisa uwagi, lecz kiedy podniosłam wzrok, zauważyłam, że on bacznie mi się przygląda.

— Poznałeś ją, Trav. To najlepsza przyjaciółka Mare. Była z nami wczoraj wieczorem — powiedział Shepley.

Travis obdarzył mnie zniewalającym uśmiechem. Z nastroszonymi ciemnymi włosami i tatuażami na przedramionach emanował seksem i buntowniczością. Wydęłam usta. Najwyraźniej próbował mnie sobą zauroczyć.

— Od kiedy masz najlepszą przyjaciółkę, Mare? — spytał.

— Od szkoły średniej. — America uśmiechnęła się do mnie. — Nie pamiętasz, Travis? Zniszczyłeś jej sweter.

— Zniszczyłem wiele swetrów.

— Jezu — mruknęłam.

Odsunął puste krzesło obok mnie, usiadł i oparł ręce na stole.

— A więc to ty jesteś Gołąbkiem?

— Nie — odburknęłam. — Mam imię.

Spojrzał na mnie rozbawiony, co rozzłościło mnie jeszcze bardziej.

— No więc? Jak ci na imię? — spytał.

Postanowiłam zignorować pytanie i wzięłam do ust ostatni kawałek jabłka ze swojego talerza.

— Czyli jednak Gołąbek. — Wzruszył ramionami.

Zerknęłam na Mare, po czym zwróciłam się do niego:

— Chciałabym zjeść w spokoju.

— Jestem Travis. Travis Maddox.

— Wiem — odparłam, przewracając oczami.

— Wiesz? — Uniósł skaleczoną brew.

— Nie pochlebiaj sobie. Trudno nie zapamiętać. Pięćdziesięciu pijaków skandowało wczoraj twoje imię.

Wyprostował się na krześle.

— Faktycznie, to się często zdarza.

Znów przewróciłam oczami i się roześmiał.

— Masz tik?

— Co takiego?

— Tik. Dziwnie poruszasz oczami. — Znów się roześmiał, kiedy spiorunowałam go wzrokiem. — Swoją drogą, to niezwykłe oczy. — Nachylił się do mnie. — Właściwie jaki mają kolor? Szary?

Zagapiłam się w talerz w nadziei, że rozdzieli nas zasłona opadających mi na twarz długich kosmyków w odcieniu karmelu. Czułam się nieswojo, kiedy był tak blisko, i wcale mi się to nie podobało. Nie miałam ochoty być jak setki innych dziewczyn, które w jego obecności oblewały się rumieńcem. Nie chciałam, żeby tak na mnie działał.

— Nawet o tym nie myśl, Travis. Abby jest dla mnie jak siostra — przestrzegła go America.

— Kochanie — zwrócił się do mnie Shepley. — Właśnie powiedziałaś mu „nie". Teraz nie odpuści.

— Nie jesteś w jej typie — rzuciła Mare.

— Jak możesz! — zawołał Travis, udając obrażonego.

Zerknęłam na niego i uśmiechnęłam się.

— Ach! Uśmiech. Jednak nie jestem podłym skurwielem. — Puścił do mnie oko. — Miło mi było cię poznać, Gołąbku. — Obszedł stół dookoła i nachylił się do ucha Mare.

Shepley rzucił w niego frytką.

— Trzymaj się z dala od mojej dziewczyny, Trav!

— Próbuję tylko nawiązać kontakty. — Travis podniósł ręce, udając niewiniątko.

Ruszył do wyjścia, a za nim grupka dziewcząt. Chichotały i przeczesywały dłońmi włosy, żeby zwrócić na siebie jego uwagę. Kiedy przytrzymał im drzwi, zapiszczały z zachwytu.

America się roześmiała.

— No tak. Masz kłopot, Abby.

— Co ci powiedział? — spytałam pełna złych przeczuć.

— Chce, żebyś ją do nas przyprowadziła, tak? — domyślił się Shepley. Gdy America przytaknęła, pokręcił głową. — Abby, bystra z ciebie dziewczyna. Posłuchaj, jeśli dasz się nabrać na te jego sztuczki, a potem będziesz się na niego wściekać, nie wyżywaj się na nas, dobrze?

Uśmiechnęłam się.

— Nie dam się nabrać, Shep. Czy wyglądam jak bliźniaczka Barbie?

— Nie da się nabrać — potwierdziła America, muskając jego ramię.

— Dla mnie to nie pierwsza taka jazda, Mare. Wiesz, ile razy wszystko schrzanił, zaciągając do łóżka najlepszą przyjaciółkę mojej dziewczyny? Potem ze mną zrywały, bo dalsze spotykanie się oznaczało bratanie się z wrogiem. Abby — spojrzał na mnie — proszę, nie mów Mare, że nie wolno jej więcej się ze mną widywać tylko dlatego, że dałaś sobie wcisnąć kit. Pamiętaj, że cię ostrzegałem.

— Niepotrzebnie, ale dziękuję — powiedziałam. Chciałam

jakoś go uspokoić, chociaż jego pesymizm wydawał się uzasadniony wieloletnim doświadczeniem.

America pomachała mi na pożegnanie. Razem z Shepleyem wyszli ze stołówki, tymczasem ja udałam się na popołudniowe zajęcia. Zmrużyłam oczy w jaskrawym świetle słońca, ściągając paski plecaka. Uniwersytet Eastern okazał się dokładnie taki, jak go sobie wyobrażałam — niewielkie sale, nieznajome twarze. Dla mnie oznaczało to nowy początek. Wreszcie mogłam przechadzać się swobodnie wśród ludzi, którzy nie szeptali o mojej przeszłości, bo nic o niej nie wiedzieli. Byłam równie anonimowa, jak pozostali studenci pierwszego roku: z wybałuszonymi oczami, osiągający wyniki lepsze od oczekiwanych. Nikt się na mnie nie gapił, nie plotkował, nie współczuł, nie osądzał. Świat, zgodnie z moim życzeniem, widział we mnie ubraną w kaszmirowe sweterki, rzeczową Abby Abernathy.

Położyłam plecak na podłodze i opadłam na krzesło, jednocześnie schylając się po laptop. Kiedy się wyprostowałam, zobaczyłam, że w sąsiedniej ławce zajął miejsce Travis.

— Super. Możesz przepisać ode mnie notatki — powiedział. W ustach trzymał długopis i uśmiechał się do mnie czarująco.

Spojrzałam na niego z niesmakiem.

— Nie jesteś w mojej grupie.

— Owszem. Zwykle siedzę tam. — Wskazał ostatni rząd. Kilka dziewczyn przyglądało mi się ciekawie; pośród nich zauważyłam puste krzesło.

— Nie będę robić dla ciebie notatek — powiedziałam, włączając komputer.

Nachylił się do mnie tak blisko, że na policzku poczułam jego oddech.

— Przepraszam... Obraziłem cię? Nie chciałem.

Westchnęłam, kręcąc głową.

— To o co chodzi?

— Nie pójdę z tobą do łóżka — odparłam cicho. — Powinieneś dać sobie spokój.

Uśmiechnął się nieznacznie.

— Nie składałem ci takiej propozycji. — Zamyślił się i spojrzał w sufit. — Prawda?

— Nie jestem Barbie, nie jestem jedną z twoich fanek. — Ruchem głowy wskazałam dziewczyny w tylnym rzędzie. — Nie robią na mnie wrażenia twoje tatuaże, chłopięcy urok, wymuszona obojętność. Daruj sobie te groteskowe zagrania.

— Jak sobie życzysz, Gołąbku. — Wydawał się niezrażony moją gburowatością, co ogromnie mnie irytowało. — Może wpadniesz do nas z Mare dziś wieczorem?

Prychnęłam pogardliwie, a on znów się do mnie nachylił.

— Nie próbuję cię wyrwać. Chcę tylko miło spędzić czas.

— Wyrwać? Dziewczyny w ogóle lecą na takie słownictwo?

Wybuchnął śmiechem, kręcąc głową.

— Po prostu przyjdź. Nie będę nawet z tobą flirtować, przysięgam.

— Zastanowię się.

Do sali wolnym krokiem wkroczył profesor Chaney i Travis skupił na nim uwagę. Na jego twarzy błąkał się uśmiech, który podkreślał dołeczki w policzkach. Bardzo chciałam go nie cierpieć, ale właśnie przez ten uśmiech nie potrafiłam.

— Kto z was wie, który prezydent miał zezowatą i wyjątkowo szpetną żonę?

— Koniecznie to zapisz — wyszeptał Travis. — Przyda się podczas rozmów kwalifikacyjnych.

— Ciii...

Wystukiwałam na klawiaturze wszystko, co mówił Chaney. Travis wyszczerzył zęby w uśmiechu i rozparł się na krześle. W ciągu następnej godziny na przemian ziewał i nachylał się do mnie, patrząc w monitor. Starałam się ze wszystkich sił nie zwracać na niego uwagi, ale było to trudne. Do końca wykładu bawił się czarną skórzaną opaską na nadgarstku, napinając mięśnie rąk.

Wyszłam pośpiesznie z sali i ruszyłam przed siebie korytarzem. Już myślałam, że oddaliłam się na bezpieczną odległość, kiedy Travis Maddox mnie dogonił.

— Zastanowiłaś się? — spytał, wkładając okulary przeciwsłoneczne.

Obok nas przystanęła drobna brunetka z wielkimi oczami i pełnym nadziei spojrzeniem.

— Hej, Travis — zaszczebiotała, odrzucając w tył włosy.

Wzdrygnęłam się na dźwięk jej przesłodzonego tonu. Wyminęłam ją i poszłam dalej. W akademiku mówiła normalnie, jej głos brzmiał dojrzale, więc zastanawiałam się, czemu sądzi, że szczebiocząc jak dziecko, wyda się Travisowi bardziej pociągająca. Gaworzyła jeszcze przez chwilę, ale jemu udało się mnie dopędzić.

Wyjął z kieszeni zapalniczkę, zapalił papierosa i wydmuchał gęstą chmurę dymu.

— O czym to mówiłem? Ach tak... Miałaś się zastanowić.

Skrzywiłam się.

— Nad czym?

— Czy przyjdziesz.

— Jeśli powiem „tak", przestaniesz za mną łazić?

Chwilę rozważał mój warunek, w końcu pokiwał głową.

— Zgoda.

— Wobec tego przyjdę.

— Kiedy?

Westchnęłam.

— Wieczorem. Przyjdę dziś wieczorem.

Zatrzymał się w miejscu z promiennym uśmiechem.

— Kochana jesteś. Do zobaczenia, Gołąbku! — zawołał za mną.

Za rogiem natknęłam się na Mare, która rozmawiała z Finchem przed naszym akademikiem. Na kursie wprowadzającym dla studentów pierwszego roku siedzieliśmy we troje przy tym samym stole i wiedziałam, że Finch przyda się jako trzecie koło w naszej dobrze naoliwionej maszynie. Nie był zbyt wysoki, ale przy moich stu sześćdziesięciu dwóch centymetrach wzrostu mimo wszystko nade mną górował. Okrągłe oczy stanowiły przeciwwagę dla pociągłej, szczupłej twarzy. Utlenione włosy miał nastroszone.

— Travis Maddox? Jezu, Abby, odkąd to zapuszczasz się na tak szerokie wody? — Spojrzał na mnie z dezaprobatą.

America wyjęła z ust kawałek gumy do żucia.

— Odtrącając go, tylko pogarszasz sprawę. Nie przywykł do takiego traktowania.

— Co, twoim zdaniem, powinnam zrobić? Przespać się z nim?

Wzruszyła ramionami.

— Zaoszczędzisz czas.

— Powiedziałam mu, że przyjdę dziś wieczorem.

America i Finch spojrzeli po sobie.

— No co? Obiecał, że jeśli się zgodzę, przestanie mnie nagabywać. Ty też tam będziesz, prawda? — zwróciłam się do przyjaciółki.

— Owszem. Naprawdę przyjdziesz?

Wyminęłam ich oboje z uśmiechem i weszłam do akademika. Zastanawiałam się, czy Travis dotrzyma obietnicy i nie będzie próbował ze mną flirtować. Nie było trudno go rozgryźć — albo potraktował mnie jak wyzwanie, albo widział we mnie dziewczynę na tyle nieatrakcyjną, że spokojnie mogła zostać po prostu dobrą koleżanką. Nie byłam pewna, co bym wolała.

Cztery godziny później America zapukała do moich drzwi, żeby zabrać mnie do Shepleya i Travisa. Na mój widok nie potrafiła ukryć obrzydzenia.

— Matko święta, Abby! Wyglądasz jak kloszard!

— O to chodziło — odparłam zadowolona z efektu.

Włosy upięłam na czubku głowy w niechlujny kok. Starłam z twarzy makijaż, a zamiast szkieł kontaktowych włożyłam okulary w czarnej prostokątnej oprawce. Ubrałam się w złachany podkoszulek, spodnie od dresu i japonki. Parę godzin wcześniej doszłam do wniosku, że jednak lepiej będzie, jeśli Travis zobaczy we mnie dziewczynę nieatrakcyjną. Wówczas z miejsca zaniecha swoich śmiesznych podchodów. Z kimś tak brzydkim jak ja nie będzie chciał się pokazywać.

America opuściła szybę w samochodzie i wypluła gumę.

— Jesteś taka oczywista. Szkoda, że nie wytarzałaś się w psim gównie dla lepszego efektu.

— Nie zależy mi na efekcie — powiedziałam.

— Jasne.

Zaparkowałyśmy przed blokiem i weszłyśmy po schodach na piętro. Shepley, który nam otworzył, roześmiał się na mój widok.

— Co ci się stało?

— Postanowiła wyglądać nijako — burknęła America.

Zamknęli się w jego pokoju, a ja zostałam sama. Skrępowana, usiadłam na fotelu blisko drzwi i zrzuciłam klapki.

Mieszkanie prezentowało się znacznie lepiej niż typowa garsoniera. Wprawdzie na ścianach wisiały plakaty półnagich kobiet i kradzione znaki drogowe, ale było czysto, a meble wyglądały na nowe. No i nie wyczułam smrodu zwietrzałego piwa i brudnej bielizny.

— Nie śpieszyło się wam. — Travis padł na kanapę.

Uśmiechnęłam się i poprawiłam na nosie okulary. Oczekiwałam, że wzdrygnie się na mój widok.

— America musiała dokończyć referat.

— À propos, napisałaś już pracę z historii?

Moje niechlujne uczesanie nie wzbudziło w nim żadnej reakcji. Nawet okiem nie mrugnął. Zaskoczona, uniosłam brwi.

— A ty?

— Skończyłem dziś po południu.

— To dopiero na przyszłą środę — zdziwiłam się.

— Machnąłem raz-dwa. W końcu ile można ślęczeć nad dwustronicową pracą o Grancie?

— Zwykle odkładam wszystko na później. — Wzruszyłam ramionami. — Pewnie zabiorę się do tego w weekend.

— Daj znać, gdybyś potrzebowała pomocy.

Czekałam, aż się roześmieje lub w inny sposób da mi do zrozumienia, że żartuje, ale minę miał poważną. Znów uniosłam brwi.

— Chcesz mi pomóc przy pisaniu pracy? — spytałam z niedowierzaniem.

— Mam piątkę z historii — powiedział, chyba nieco dotknięty.

— Ma piątki ze wszystkiego. Cholerny geniusz, nie cierpię go. — Shepley wszedł do salonu, trzymając Mare za rękę.

Z powątpiewaniem spojrzałam na Travisa.

— Co? Myślisz, że facet z tatuażami, który zarabia, walcząc na pięści, nie może mieć dobrych ocen? Nie studiuję tylko dlatego, że nie mam nic lepszego do roboty.

— To po co w ogóle walczysz? Mógłbyś się postarać o stypendium.

— Postarałem się. Pokrywa połowę czesnego. Ale są jeszcze książki, wydatki na życie, no i ta druga połowa. Mówię serio, Gołąbku. Jeśli mogę ci jakoś pomóc, po prostu powiedz.

— Nie potrzebuję pomocy. Potrafię pisać. — Chciałam zakończyć ten temat. Powinnam była to zrobić, ale ta nowa strona jego osobowości wzbudziła moją ciekawość. — Może mógłbyś zarabiać inaczej? W sposób mniej... nie wiem... brutalny?

Wzruszył ramionami.

— Tak jest łatwiej. Nie zgarnąłbym tyle forsy, pracując w centrum handlowym.

— Nie powiedziałabym, że to łatwe, kiedy dostajesz pięścią w twarz.

— Czyżbyś się o mnie martwiła? — Mrugnął do mnie, a gdy przybrałam marsową minę, roześmiał się. — Nie dostaję znowu tak często. Gdy ktoś się zamachnie, robię unik. Nic trudnego.

— Nikt inny na to nie wpadł?

— Kiedy zadaję cios pięścią, przeciwnik przyjmuje go i próbuje odparować. W ten sposób nie da się wygrać walki.

Przewróciłam oczami.

— Karate Kid! Gdzie się tego nauczyłeś?

Shepley i America spojrzeli po sobie, po czym spuścili wzrok. Szybko się zorientowałam, że poruszyłam delikatną kwestię.

Ale Travis nie wydawał się dotknięty.

— Mój ojciec pił i łatwo wpadał w złość, a czterej starsi bracia odziedziczyli po nim geny dupka.

— Ach tak. — Zaczerwieniłam się po uszy.

— Niepotrzebnie się speszyłaś, Gołąbku. Tata przestał pić, bracia dorośli.

— Nie speszyłam się. — Bawiłam się opadającymi kosmykami włosów, aż wreszcie postanowiłam je rozpuścić i upiąć jeszcze raz. Zapanowało niezręczne milczenie.

— Podoba mi się twój naturalny wygląd — odezwał się w końcu Travis. — Zwykle dziewczyny przychodzą tu wystrojone.

— Zostałam zmuszona do przyjścia tutaj. Nie pomyślałam, że mogłabym ci się spodobać — odparłam poirytowana.

Mój plan spalił na panewce.

Uśmiechnął się po chłopięcemu, z rozbawieniem. Poczułam, jak wzbiera we mnie złość, która — miałam nadzieję — pokryje mój niepokój. Nie miałam pojęcia, co inne dziewczyny czują w jego obecności, ale widziałam, jak się zachowują. To, czego doświadczałam, bardziej przypominało zagubienie niż naiwne zauroczenie, a podczas gdy on robił wszystko, żebym się uśmiechnęła, ja czułam się coraz mniej pewnie.

— Jestem pod wrażeniem. Na ogół nie muszę błagać o spotkanie.

— Nie wątpię — odparłam kwaśno.

Był cholernie pewny siebie. Nie tylko bezwstydnie przekonany o własnej atrakcyjności, ale też tak przyzwyczajony do tego, że dziewczyny dosłownie się na niego rzucają, że mój chłód odbierał nie jako zniewagę, lecz miłą odmianę. Musiałam zmienić strategię.

America włączyła pilotem telewizor.

— Dzisiaj leci dobry film. Chcecie wiedzieć, co się stało z Baby Jane?

Travis wstał.

— Idę coś zjeść. Jesteś głodna, Gołąbku?

— Dziękuję, już jadłam. — Wzruszyłam ramionami.

— Wcale nie — wtrąciła America. Zaraz jednak zrozumiała swój błąd. — To znaczy... tak... Zapomniałam... Zdaje się, że kawałek pizzy? Zanim wyszłyśmy?

Była to dosyć żałosna próba zatuszowania gafy. Skrzywiłam się i czekałam na reakcję Travisa.

Przeszedł przez pokój i otworzył drzwi.

— Chodź. Na pewno umierasz z głodu.

— Dokąd idziesz? — spytałam.

— Dokąd zechcesz. Pizzeria?

Spojrzałam na swój osobliwy strój.

— Nie jestem odpowiednio ubrana.

Przyjrzał mi się uważnie, po czym się uśmiechnął.

— Wyglądasz świetnie. Chodź, jestem głodny jak wilk.

Wstałam, pomachałam Mare na pożegnanie i zeszliśmy na dół po schodach. Na parkingu zamarłam z przerażenia, kiedy Travis usiadł na czarnym motocyklu.

— O, nie... — Zamilkłam i popatrzyłam na swoje stopy.

Posłał mi niecierpliwe spojrzenie.

— Wsiadaj. Będę jechał powoli.

— Co to jest? — spytałam, zanim zdążyłam przeczytać napis na baku.

— Harley Night Rod. Miłość mojego życia. Postaraj się nie zadrapać lakieru.

— Jestem w japonkach!

Przyjrzał mi się dziwnie, jakbym mówiła w obcym języku.

— A ja w butach. Wsiadaj — rzucił i włożył okulary przeciwsłoneczne.

Silnik zaryczał, budząc się do życia. Usiadłam na siodełku i sięgnęłam za siebie, żeby czegoś się chwycić, ale palce ześlizgnęły się ze skóry na plastikową osłonę tylnego światła.

Travis złapał mnie za nadgarstki, więc musiałam objąć go w pasie.

— Trzymaj się mnie i nie puszczaj — rozkazał, cofając motocykl z parkingu. Zamaszyście wyprowadził go na ulicę i wystartowaliśmy niczym rakieta.

Luźno upięte włosy smagały mi twarz. Schowałam się za

Travisa. Gdybym chciała zaglądać mu przez ramię, wkrótce szkła w okularach miałabym upstrzone trupami owadów.

Dodał gazu, wjeżdżając na podjazd przed restauracją, a kiedy zaparkował, natychmiast zeskoczyłam na ziemię.

— Jesteś szalony!

Roześmiał się, oparł motocykl na nóżce i zsiadł.

— Nie przekroczyłem dozwolonej prędkości.

— Dozwolonej na autostradzie! — Rozpuściłam włosy, żeby rozczesać je palcami.

Travis przyglądał mi się przez chwilę, po czym otworzył drzwi i przepuścił mnie przodem.

— Nie pozwoliłbym, żeby coś ci się stało.

Weszłam do środka. Kręciło mi się w głowie, nogi miałam jak z waty. W lokalu unosił się zapach tłuszczu i ziół, czerwoną wykładzinę pokrywała warstwa okruszków. Travis wybrał boks w odległym kącie restauracji, z dala od hałaśliwych studentów i rodzin z małymi dziećmi. Zamówiliśmy dwa piwa. Rozejrzałam się po sali; rodzice nakłaniali niesforne dzieci do jedzenia, studenci z Eastern patrzyli na nas ciekawie. Odwróciłam wzrok.

— Jasne, Travis — rzuciła kelnerka, przyjmując zamówienie. Ruszyła z powrotem do kuchni, wyraźnie podniecona jego obecnością.

Schowałam za uszy potargane wiatrem włosy. Nagle poczułam się skrępowana swoim wyglądem.

— Zdaje się, że często tu przychodzisz — zauważyłam cierpko.

Oparł łokcie na stole i spojrzał na mnie brązowymi oczami.

— No więc, Gołąbku? Opowiesz mi o sobie? Nienawidzisz mężczyzn w ogóle czy tylko mnie?

— Tylko ciebie — odparłam zrzędliwie.

Zaśmiał się, rozbawiony moją ponurą miną.

— Nie potrafię cię rozgryźć. Jesteś pierwszą dziewczyną, którą napawam wstrętem, zanim jeszcze wskoczyła mi do łóżka. Nie tracisz głowy, kiedy ze mną rozmawiasz. Nie starasz się zwracać na siebie uwagi.

— To nie jest żaden wybieg. Nie podobasz mi się. Po prostu.

— Nie byłoby cię tutaj, gdybym ci się nie podobał.

Westchnęłam.

— Nie twierdzę, że jesteś zły. Ale nie lubię, gdy ktoś z góry coś zakłada tylko dlatego, że mam waginę.

Wpatrzyłam się w ziarenka soli na stole, a po chwili usłyszałam, że Travis dusi się ze śmiechu. Wybałuszył oczy i dosłownie zanosił się śmiechem.

— Boże! Zaraz skonam! To przesądza sprawę. Musimy zostać przyjaciółmi. Odmowy nie przyjmuję do wiadomości.

— Możemy się przyjaźnić, co nie oznacza, że masz co chwila próbować pójść ze mną do łóżka.

— Nie prześpisz się ze mną. Rozumiem.

Uśmiechnęłam się mimo woli.

Jemu rozbłysły oczy.

— Masz moje słowo. Nawet o tym nie pomyślę... chyba że ty...

Oparłam łokcie na stole, a brodę na dłoni.

— To nie wchodzi w rachubę, więc możemy być przyjaciółmi.

Na jego twarzy pojawił się szelmowski uśmiech.

— Nigdy nie mów nigdy — powiedział, nachylając się do mnie.

— A ty? Opowiesz mi coś o sobie? — spytałam. — Zawsze byłeś Wściekłym Psem — palcami pokazałam znak cudzysłowu — czy zostałeś nim dopiero tutaj?

Na chwilę stracił chyba pewność siebie. Wydawał się nieco speszony.

— Adam to wymyślił. Po mojej pierwszej walce.

Jego krótkie odpowiedzi zaczynały mnie wkurzać.

— To wszystko? Nie powiesz nic więcej?

— Co chcesz wiedzieć?

— Zwyczajnie... Skąd jesteś, jakie masz plany na przyszłość... takie tam.

— Jestem stąd, tu się urodziłem i wychowałem. Moim głównym kierunkiem jest prawo karne.

Westchnął, rozwinął serwetkę, wyjął sztućce i ułożył je równo obok talerza. Spięty, obejrzał się przez ramię. Członkowie uniwersyteckiej drużyny piłki nożnej, zajmujący dwa sąsiednie stoliki, co chwila wybuchali śmiechem, co wyraźnie go irytowało.

— Żartujesz — powiedziałam z niedowierzaniem.

— Nie, naprawdę jestem stąd — odparł roztargniony.

— Miałam na myśli kierunek twoich studiów. Prawo karne?

Ściągnął brwi, znów skupiając się na naszej rozmowie.

— Czemu nie?

Zerknęłam na tatuaże pokrywające jego ramię.

— Powiedziałabym, że bardziej przypominasz karanego niż skazującego.

— Zwykle nie pakuję się w kłopoty... Tata był dosyć surowy.

— A mama?

— Zmarła, kiedy byłem mały — odparł obojętnym tonem.

— Przykro mi... — powiedziałam, kręcąc głową. Zaskoczyła mnie jego odpowiedź.

On jednak nie oczekiwał współczucia.

— Nie pamiętam jej. Moi bracia tak, ale ja miałem wtedy trzy lata.

— Czterech braci? Jak sobie radziłeś?

— Głównie rzecz sprowadzała się do tego, kto kogo walił najmocniej. Zwykle starszy młodszego. Thomas, bliźniacy Taylor i Tyler, no i Trenton. Nigdy, przenigdy nie należało znaleźć się w pokoju sam na sam z bliźniakami. Od nich nauczyłem się połowy tego, co robię w Kręgu. Trenton był najmniejszy, ale szybki. Do dziś jako jedyny potrafi zadać mi cios.

W osłupieniu pokręciłam głową na myśl o pięciu Travisach biegających po jednym domu.

— Wszyscy mają tatuaże?

— Prawie. Z wyjątkiem Thomasa. Jest dyrektorem agencji reklamowej w Kalifornii.

— A tata? Gdzie mieszka?

— Niedaleko. — Mięśnie twarzy znów mu się napięły; był coraz bardziej poirytowany piłkarzami.

— Z czego się śmieją? — spytałam, wskazując hałaśliwą grupkę.

Travis tylko pokręcił głową. Skrzyżowałam ręce na piersi, wiercąc się na krześle. Poczułam się nieswojo. Zastanawiałam się, czemu tak go denerwuje to, o czym mówią.

— Powiedz.

— Śmieją się, że musiałem najpierw zabrać cię na kolację. To raczej się nie zdarza...

— Najpierw? — Dopiero po chwili zrozumiałam. Travis skrzywił się na widok mojej miny. — A ja się bałam, że śmieją się, bo pokazujesz się z kimś ubranym tak jak ja, i myślą, że chcę cię zaciągnąć do łóżka — palnęłam bez namysłu.

— Czemu nie miałbym się z tobą pokazywać?

— O czym to mówiliśmy? — spytałam, starając się ukryć rumieniec.

— O tobie. Jaki jest twój główny kierunek studiów?

— Och... Jeszcze nie zdecydowałam. Skłaniam się ku rachunkowości.

— Nie jesteś stąd.

— Z Wichita. Tak jak America.

— Przyjechałyście aż z Kansas?

Skubałam naklejkę na butelce po piwie.

— Musiałyśmy stamtąd uciec.

— Przed czym?

— Przed moimi rodzicami.

— Ach tak. America też uciekła przed swoimi?

— Nie. Mark i Pam są cudowni. Praktycznie mnie wychowali. Mare nie chciała zostawić mnie samej, więc zabrałam ją ze sobą na przyczepkę.

Travis pokiwał głową.

— Czemu zdecydowałaś się na Eastern?

— To przesłuchanie? Wymuszasz zeznania. — Rozmowa z powierzchownej przerodziła się w bardziej osobistą i czułam się z tym nieswojo.

Rozległ się stukot krzeseł; piłkarze wstali od stołu i po drodze do wyjścia sypali kolejnymi dowcipami. Gdy Travis wstał, przyśpieszyli kroku. Ci z tyłu popychali tych na przedzie, żeby czym prędzej opuścić restaurację, zanim on ich dopadnie. Usiadł, starając się opanować frustrację i złość.

Uniosłam brwi.

— Pytałem, czemu wybrałaś Eastern — przypomniał.

— Sama nie wiem. — Wzruszyłam ramionami. — Chyba po prostu mi się tu spodobało.

Uśmiechnął się, zaglądając do karty.

— Rozumiem.

Rozdział drugi

Świnia

Przy naszym ulubionym stoliku pojawiły się znajome twarze. Obok mnie usiedli America i Finch, dalej Shep i jego koledzy ze stowarzyszenia Sigma Tau. W stołówce panował ogłuszający gwar. Klimatyzacja najwyraźniej znów przestała działać i w dusznym powietrzu unosił się zapach smażonego jedzenia i potu, ale z jakiegoś powodu wszyscy tryskali energią.

— Witaj, Brazil. — Shepley przywitał się z chłopakiem, który usiadł naprzeciw mnie. Oliwkowa skóra i ciemnobrązowe oczy kontrastowały z bielą nasuniętej na czoło czapki z logo uniwersyteckiej drużyny futbolowej.

— Gdzie zniknąłeś po sobotnim meczu, Shep? Musiałem wypić za ciebie sześć piw — powiedział Brazil, odsłaniając w uśmiechu białe zęby.

— Doceniam. America i ja poszliśmy na kolację — odparł Shepley. Nachylił się do Mare i pocałował ją w czubek głowy. Miała długie włosy w kolorze blond.

— Siedzisz na moim miejscu.

Brazil odwrócił się, spostrzegł Travisa, który stanął za jego plecami, po czym spojrzał na mnie, zaskoczony.

— To twoja dziewczyna, Trav?

— Absolutnie nie! — zaprzeczyłam, kręcąc głową.

Travis patrzył na niego wyczekująco. Brazil w końcu wzruszył ramionami, po czym przeniósł się z tacą na kraniec stołu.

Travis uśmiechnął się do mnie i usiadł.

— Jak leci, Gołąbku?

— Co to jest? — spytałam. Tajemnicze jedzenie na jego talerzu wyglądało jak zrobione z wosku.

Roześmiał się, upijając łyk wody ze szklanki.

— Panie z kuchni napawają mnie grozą. Wolę nie krytykować ich talentów kulinarnych.

Nie uszły mojej uwadze taksujące spojrzenia współbiesiadników. Zachowanie Travisa wzbudzało ich ciekawość. Powstrzymałam śmiech na myśl, że nigdy wcześniej nie widzieli, żeby zależało mu na towarzystwie jakiejś dziewczyny.

— O nie... Zaraz po lunchu mamy test z biologii — jęknęła America.

— Uczyłaś się? — spytałam.

— Boże, nie. Przez cały wieczór przekonywałam mojego chłopaka, że nie prześpisz się z Travisem.

Futboliści siedzący na końcu stołu, którzy dotąd hałaśliwie rechotali, umilkli, żeby posłuchać. Inni studenci także zwrócili na nas uwagę. Rzuciłam Mare gniewne spojrzenie, ale nie wydawała się skruszona. Szturchnęła Shepleya łokciem.

— Jezu, Shep, masz przerąbane, co? — Travis rzucił w kuzyna saszetką keczupu.

Shepley nie odpowiedział, za to ja uśmiechnęłam się do Travisa, wdzięczna, że zmienił temat.

America poklepała go po plecach.

— Nic mu nie będzie. Po prostu musi minąć trochę czasu, zanim uwierzy, że Abby jest odporna na twoje wdzięki.

— Nie próbowałem jej czarować — prychnął Travis urażony. — Jesteśmy przyjaciółmi.

Zerknęłam na Shepleya.

— Mówiłam ci. Nie ma powodu do niepokoju.

Ten w końcu ośmielił się na mnie spojrzeć. Na widok mojej poważnej miny nieco się rozpogodził.

— Uczyłaś się? — spytał mnie Travis.

Zmarszczyłam czoło.

— Nawet żebym miała siedzieć całą noc, i tak nie nauczę się biologii. W ogóle tego nie ogarniam.

Travis wstał.

— Chodź.

— Co?

— Pokażesz mi swoje notatki. Pomogę ci się przygotować.

— Travis...

— Rusz tyłek, Gołąbku. Zaliczysz ten test śpiewająco.

Wstałam od stołu, pociągając Mare za długi jasny warkocz.

— Do zobaczenia na zajęciach.

Uśmiechnęła się.

— Zajmę ci miejsce. Będziesz musiała mi pomóc.

Poszliśmy do mojego pokoju. Wyjęłam listę pytań, a Travis otworzył podręcznik i przepytywał mnie w nieskończoność, wyjaśniając pojęcia, których nie rozumiałam. To, co dotąd wydawało mi się zagmatwane, nagle okazywało się całkiem oczywiste.

— ...a komórki somatyczne rozmnażają się w procesie mitozy. Mitoza przebiega w kilku fazach. Łatwo je zapamiętać, bo przedrostki tworzą jakby imię i nazwisko: Prometa Anatelo.

Roześmiałam się.

— Prometa Anatelo?

— Profaza, metafaza, anafaza i telofaza.

— Prometa Anatelo — powtórzyłam, kiwając głową.

Klepnął mnie po głowie papierami.

— No widzisz? To nie takie trudne. Jesteś świetnie przygotowana.

Westchnęłam.

— No nie wiem... Zobaczymy.

— Odprowadzę cię i po drodze przepytam.

Zamknęłam za nami drzwi.

— Nie będziesz się wściekał, jeśli obleję?

— Nie oblejesz, Gołąbku. Ale następnym razem musimy wcześniej zabrać się do nauki — powiedział, gdy szliśmy do budynku, w którym mieścił się wydział nauk ścisłych.

— Chcesz jednocześnie dawać mi lekcje, pisać prace, uczyć się do zajęć i trenować przed walką?

Roześmiał się.

— Nie trenuję. Adam po prostu dzwoni, mówi mi, dokąd mam przyjść, i tam idę.

Pokręciłam głową z niedowierzaniem. Travis zadał mi pierwsze pytanie z listy. Kiedy dotarliśmy do sali, zdążył przepytać mnie dwa razy.

— Powodzenia. — Uśmiechnął się, oddał mi notatki i oparł się o futrynę.

— Cześć, Trav. — Do sali zmierzał wysoki, chudy chłopak.

— Parker. — Travis skinął mu głową na powitanie.

Parker rozpromienił się na mój widok.

— Cześć, Abby.

— Cześć.

Zaskoczyło mnie, że wie, jak mam na imię. Widywałam go na zajęciach, ale nigdy nie zostaliśmy sobie przedstawieni.

Wszedł do sali i zaczął żartować z kolegami.

— Kto to jest? — spytałam.

Travis wzruszył ramionami, ale twarz miał napiętą.

— Parker Hayes. Znamy się z Sigma Tau.

— Jesteś członkiem? — zdziwiłam się.

— W Sigma Tau, tak jak Shep. Sądziłem, że wiesz. — Obejrzał się za Parkerem.

— Kto by pomyślał... — powiedziałam, przypatrując się jego tatuażom.

Travis odwrócił się do mnie z uśmiechem.

— Tata jest absolwentem Eastern, a wszyscy bracia są członkami Sigma Tau. To nasza tradycja rodzinna.

— Musiałeś przechodzić inicjację? — spytałam sceptycznie.

— Nie. To dobre chłopaki — odparł, pstrykając w kartki. — Lepiej już idź.

— Dzięki za pomoc. — Trąciłam go łokciem.

Gdy wyminęła nas America, weszłam za nią do sali i usiadłyśmy na swoich miejscach.

— Jak poszło? — zagadnęła.

Wzruszyłam ramionami.

— Jest dobrym nauczycielem.

— Tylko nauczycielem?

— I przyjacielem.

Wydawała się zawiedziona. Zachichotałam, widząc jej minę. America zawsze marzyła, żebyśmy umawiały się z chłopakami, którzy się przyjaźnią, i dla niej układ „współlokatorzy, a jednocześnie kuzyni" był jak szczęśliwy los na loterii. Kiedy postanowiła przyjechać ze mną do Eastern, chciała, żebyśmy zamieszkały razem, ale sprzeciwiłam się, mając nadzieję, że nieco rozwinę skrzydła. Skoro tylko przestała się dąsać, uparła się, że pozna mnie z którymś z przyjaciół Shepleya.

W najśmielszych marzeniach nie zakładała, że Travis tak się mną zainteresuje.

Test poszedł mi gładko i usiadłam przed budynkiem, żeby zaczekać na Mare. Kiedy osunęła się, wyraźnie przygnębiona, na schodki obok mnie, o nic jej nie pytałam.

— To było straszne! — zawołała.

— Powinnaś pouczyć się z nami. Travis naprawdę dobrze tłumaczy.

America jęknęła, składając głowę na moim ramieniu.

— W ogóle mi nie pomogłaś. Mogłaś przynajmniej kiwnąć głową przez grzeczność.

Objęłam ją za szyję i odprowadziłam do akademika.

❦

Przez cały następny tydzień Travis pomagał mi pisać pracę z historii i powtarzał ze mną biologię. Kiedy stanęliśmy przed gabinetem profesora Campbella, gdzie wisiały wyniki testu, okazało się, że zajmuję trzecie miejsce na liście.

— Trzecia na roku! Nieźle, Gołąbku! — ucieszył się Travis. Uścisnął mnie, oczy mu błyszczały z dumy i podniecenia.

Poczułam się niezręcznie i zrobiłam krok do tyłu.

— Dzięki, Trav. Bez ciebie nie dałabym rady — odparłam, pociągając za brzeg jego podkoszulka.

Zasłonił mnie ramieniem i zaczął przepychać się przez tłumek, który zebrał się przed gabinetem.

— Z drogi, ludzie! Przepuśćcie nieszczęsną kobietę ze straszliwie zniekształconym, przerośniętym mózgiem! Jest genialna!

Studenci z mojej grupy przyglądali mi się z ciekawością i rozbawieniem. Zaczęłam się śmiać.

❦

Mijały dni. Plotki o naszym romansie nie ustawały, choć zaprzeczała im reputacja Travisa. Zwykle spędzał z dziewczyną nie więcej niż jedną noc, tak więc fakt, że często widywano nas razem, wskazywał na relację platoniczną. Ale nawet w obliczu pogłosek o naszym związku studentki wciąż tłumnie go oblegały.

Nadal siadał obok mnie na zajęciach z historii i w stołówce podczas lunchu. Szybko zdałam sobie sprawę, że myliłam się co do niego, a nawet z pewną niechęcią odnosiłam się do ludzi, którzy nie znali go tak dobrze jak ja.

Travis postawił przede mną puszkę soku pomarańczowego.

— Niepotrzebnie się fatygowałeś. Sama bym się obsłużyła — powiedziałam, zdejmując kurtkę.

— Teraz już nie musisz — odparł. Jak zwykle kiedy się uśmiechał, robiły mu się dołeczki w policzkach.

Brazil prychnął.

— Co jest, Travis, zamieniłeś się w chłopca na posyłki? Jeszcze trochę, i ubrany tylko w kąpielówki, będziesz ją wachlował liściem palmowym.

Travis spiorunował go wzrokiem. Postanowiłam przyjść mu z pomocą.

— W przeciwieństwie do ciebie, Brazil, wyglądałby w nich świetnie, więc lepiej się zamknij.

— Spokojnie, Abby! Żartowałem! — Podniósł ręce na znak kapitulacji.

— Nie mów o nim w ten sposób, dobrze? — Zmarszczyłam czoło.

Travis przyjrzał mi się ze zdziwieniem i wdzięcznością.

— Koniec świata. Dziewczyna staje w mojej obronie — powiedział, wstając.

Zanim oddalił się z tacą, zerknął jeszcze ostrzegawczo na Brazila, po czym dołączył do niewielkiej grupki palaczy przed budynkiem.

Starałam się nie patrzeć, gdy z nimi gawędził i żartował. Dziewczyny dyskretnie rywalizowały ze sobą o miejsce najbliżej Travisa. America, widząc, że odpłynęłam gdzieś myślami, szturchnęła mnie łokciem między żebra.

— Na co tak patrzysz, Abby?

— Na nic. Na nic nie patrzę.

Oparła brodę na dłoni i pokręciła głową.

— Są beznadziejne. Spójrz na tę rudą. Cały czas przeczesuje palcami włosy. Zastanawiam się, jak Travis to znosi.

— Źle — wtrącił Shepley. — Wszyscy mają go za dupka, ale gdyby wiedzieli, jaką cierpliwością musi się wykazać wobec każdej z tych dziewczyn, którym się wydaje, że go utemperują... Łażą za nim wszędzie, narzucają się. Ja na jego miejscu nie byłbym równie uprzejmy.

— Akurat. Byłbyś zachwycony. — America pocałowała go w policzek.

Travis właśnie kończył papierosa, kiedy go mijałam.

— Zaczekaj, Gołąbku, odprowadzę cię.

— Nie musisz odprowadzać mnie na wszystkie zajęcia. Znam drogę.

Jego uwagę zwróciła dziewczyna z długimi czarnymi włosami, ubrana w krótką spódniczkę. Przeszła obok nas, uśmiechając się do niego. Travis powędrował za nią wzrokiem, wskazał ją ruchem głowy i zgasił papierosa.

— Dogonię cię później, Gołąbku.

— Jasne — mruknęłam, przewracając oczami, gdy potruchtał za dziewczyną.

Nie zjawił się na zajęciach. Zirytowało mnie nieco, że opuszcza wykład dla jakiejś nieznajomej. Profesor Chaney zwolnił nas wcześniej i popędziłam przez trawnik do Fincha. Umówiłam się z nim na trzecią, żeby przekazać mu notatki Sherri Cassidy z wychowania muzycznego. Spojrzałam na zegarek, przyśpieszając kroku.

— Abby? — To Parker mnie dogonił. — Nie poznaliśmy się jeszcze. — Wyciągnął rękę. — Parker Hayes.

Uścisnęłam mu dłoń i uśmiechnęłam się.

— Abby Abernathy.

— Stałem za tobą, kiedy sprawdzałaś wyniki testu z biologii. Gratulacje — powiedział, wkładając ręce do kieszeni.

— Dzięki. Gdyby Travis mi nie pomógł, znalazłabym się na końcu tej listy, wierz mi.

— Jesteście...?

— Przyjaciółmi.

Pokiwał głową.

— Mówił ci o imprezie w ten weekend?

— Zwykle rozmawiamy o biologii i jedzeniu.

Parker zaśmiał się.

— Cały Travis.

Przed wejściem do akademika przyjrzał się mojej twarzy wielkimi zielonymi oczami.

— Przyjdź, będzie fajnie.

— Pogadam z Mare. Chyba nie mamy innych planów.

— Wszędzie chodzicie razem?

— Latem zawarłyśmy układ. Żadnych imprez solo.

— Mądrze. — Parker skinął głową z aprobatą.

— Na kursie przygotowawczym poznała Shepa, więc do tej pory właściwie nie musiałam nigdzie jej towarzyszyć. To byłoby moje pierwsze wyjście. Na pewno chętnie by ze mną poszła. — Poczułam zażenowanie. Nie dość, że plotłam bez sensu, to jeszcze przyznawałam, że dotąd nie zapraszano mnie na imprezy.

— Świetnie. Wobec tego do zobaczenia.

Obdarzył mnie perfekcyjnym uśmiechem modela z reklamy Banana Republic, demonstrując mocno zarysowaną szczękę i naturalną opaleniznę, po czym ruszył z powrotem w stronę kampusu.

Popatrzyłam za nim; wysoki, gładko ogolony, w wyprasowanej koszuli w paski i dżinsach. Falujące ciemnoblond włosy unosiły się z każdym jego krokiem.

Przygryzłam usta. Pochlebiało mi, że mnie zaprosił.

— No. I to jest facet dla ciebie — szepnął mi do ucha Finch.

— Fajny, prawda? — Uśmiech nie schodził mi z twarzy.

— Bez dwóch zdań. Chociaż trochę lalusiowaty, pewnie uprawia seks w pozycji na misjonarza.

— Finch! — zawołałam, trzepiąc go w ramię.

— Odebrałaś notatki od Sherri?

— Odebrałam.

Wyjęłam z torby plik kartek. Finch zapalił papierosa i trzymając go w ustach, przyjrzał się im spod przymrużonych powiek.

— Super — mruknął. Złożył kartki, schował do kieszeni i zaciągnął się. — Dobrze, że w akademiku wysiadły bojlery. Przyda ci się zimny prysznic po tym, jak ten przystojniaczek pożerał cię wzrokiem.

— Nie mamy ciepłej wody? — jęknęłam.

— Niestety — odparł Finch, zarzucając plecak na ramię. — Spadam na algebrę. Powtórz Mare, żeby pamiętała o mnie w ten weekend.

— Powtórzę — burknęłam, patrząc ponuro na stary ceglany mur akademika.

Głośno tupiąc, weszłam do pokoju i rzuciłam plecak na podłogę.

— Nie ma ciepłej wody — wymamrotała Kara znad biurka.

— Słyszałam.

Zabrzęczała moja komórka. Odczytałam wiadomość od Mare, w której przeklinała bojlery, a po chwili usłyszałam pukanie do drzwi.

America wkroczyła do pokoju i klapnęła na moje łóżko ze skrzyżowanymi na piersiach rękami.

— Wyobrażasz to sobie? Płacimy kupę forsy i nawet nie możemy się wykąpać w ciepłej wodzie!

Kara westchnęła.

— Przestałabyś jęczeć. Możesz przecież zamieszkać u swojego chłopaka. Zresztą i tak u niego nocujesz, prawda?

— Dzięki, Karo. Wredna suka z ciebie, ale czasem masz dobre pomysły.

Kara, obojętna na złośliwości, nie odrywała wzroku od monitora.

America wyjęła komórkę i z zadziwiającą szybkością i precyzją wystukała nową wiadomość. Po chwili, gdy jej telefon zaćwierkał, uśmiechnęła się do mnie.

— Dopóki nie naprawią bojlerów, zamieszkamy z Shepem i Travisem — oznajmiła.

— Co?! Nigdy w życiu! — zawołałam.

— Daj spokój. Nie ma powodu, żebyś marzła pod prysznicem, skoro mają dwie łazienki.

— Nikt mnie nie zapraszał.

— Ja cię zapraszam. Shep już się zgodził. Możesz spać na kanapie... Jeśli Travis nie będzie z niej korzystał...

— A jeśli będzie korzystał?

America wzruszyła ramionami.

— To w jego łóżku.

— Nie ma mowy.

Przewróciła oczami.

— Abby, nie bądź dzieckiem. Przyjaźnicie się, prawda? Jeśli dotąd nie spróbował zaciągnąć cię do łóżka, to już tego nie zrobi.

Tymi słowami zamknęła mi usta. Travis kręcił się koło

mnie od tygodni. Starając się za wszelką cenę przekonać wszystkich dookoła, że łączy nas tylko przyjaźń, nie pomyślałam, że tak może być naprawdę. Teraz, nie wiedzieć czemu, poczułam się urażona.

Kara spojrzała na nas z niedowierzaniem.

— Travis Maddox nie chciał się z tobą przespać?

— Przyjaźnimy się — rzuciłam niepewnie.

— Wiem, ale nawet nie próbował? Spał ze wszystkimi.

— Oprócz mnie i Abby — uściśliła America. — I oprócz ciebie.

Kara wzruszyła ramionami.

— Nie znam go osobiście. Słyszałam tylko plotki.

— No właśnie — odburknęłam. — Nawet go nie znasz.

Kara wróciła do pracy, ignorując naszą obecność.

— No dobrze — zgodziłam się, wzdychając. — Muszę się spakować.

— Lepiej spakuj rzeczy na kilka dni. Kto wie kiedy naprawią bojlery. — America była wyraźnie podekscytowana.

Nagle ogarnął mnie strach, jakbym miała się zakraść na terytorium wroga.

— No cóż... — Dałam za wygraną. — Trudno.

America podeszła i mnie objęła.

— Ale będzie zabawa!

Pół godziny później załadowałyśmy bagaże do jej hondy i ruszyłyśmy. Przez całą drogę gadała jak najęta. Kiedy zaparkowała tam gdzie zwykle, zatrąbiła. Shepley zbiegł na dół, wytaszczył z bagażnika obie nasze walizki, po czym wszedł za nami po schodach.

— Otwarte — wysapał.

Gdy America przytrzymała mu drzwi, postawił bagaże na podłodze, stękając z wysiłku.

— Jezu, skarbie! Twoja walizka waży dziesięć kilo więcej niż bagaż Abby!

America i ja zamarłyśmy, kiedy z łazienki wyszła dziewczyna, zapinając bluzkę na guziki.

— Cześć — rzuciła zaskoczona.

Wokół jej oczu rozmazał się tusz. Przyjrzała się najpierw nam, potem walizkom. Rozpoznałam w niej długonogą brunetkę, którą zainteresował się Travis po wyjściu ze stołówki.

America spiorunowała wzrokiem swojego chłopaka.

— Przyszła z Travisem! — zawołał, unosząc ręce.

Travis, w bokserkach, wyłonił się z korytarza i ziewnął. Spojrzał na dziewczynę i poklepał ją po pupie.

— Mam gości — powiedział. — Lepiej już idź.

Uśmiechnęła się, objęła go i pocałowała w szyję.

— Zostawię ci swój numer na stoliku.

— Nie zawracaj sobie głowy — rzucił obojętnym tonem.

— Słucham? — Cofnęła się, patrząc mu w oczy.

— Zawsze to samo! — America westchnęła i przyjrzała się dziewczynie. — Co cię tak dziwi? To pieprzony Travis Maddox! Słynie z tego. A one za każdym razem są zaskoczone! — zwróciła się do Shepleya, który objął ją ramieniem i próbował uspokoić.

Brunetka zmrużyła oczy, po czym chwyciła torebkę i wypadła z mieszkania, trzaskając drzwiami.

Travis wszedł do kuchni i otworzył lodówkę, jakby nic się nie stało.

America pokręciła głową, po czym ruszyła korytarzem do pokoju swojego chłopaka, a Shepley powlókł się za nią, zgięty pod ciężarem walizki.

Opadłam z westchnieniem na fotel i zastanawiałam się, czy przypadkiem nie zwariowałam, zgadzając się tu zamieszkać. Nie zdawałam sobie sprawy, że przez mieszkanie Shepleya przewijają się, niczym w drzwiach obrotowych, naiwne niunie.

Travis stanął przy blacie kuchennym, skrzyżował ręce na piersiach i uśmiechnął się.

— Co się dzieje, Gołąbku? Ciężki dzień?

— Nie. Jestem po prostu zniesmaczona.

— Mną? — Nie przestawał się uśmiechać.

Powinnam była przewidzieć, że zechce ze mną porozmawiać. Tym bardziej nie zamierzałam powstrzymać się od komentarza.

— Tak, tobą. Cynicznie wykorzystujesz dziewczyny. Jak możesz traktować je w ten sposób?

— Czyli jak? Zaproponowała, że zostawi mi swój numer, a ja podziękowałem.

Zdumiało mnie, że w ogóle nie ma wyrzutów sumienia.

— Możesz uprawiać z nią seks, ale nie możesz wziąć od niej numeru telefonu?

Oparł się łokciami na blacie.

— Po co mi jej numer, skoro nie zamierzam do niej dzwonić?

— Po co z nią spałeś, skoro nie zamierzasz do niej dzwonić?

— Nikomu niczego nie obiecuję, Gołąbku. Nie negocjowaliśmy warunków, zanim rozłożyła nogi na kanapie.

Z odrazą przyjrzałam się nieszczęsnemu meblowi.

— Jest czyjąś córką, Travis. Co zrobisz, jeśli ktoś kiedyś potraktuje podobnie twoją córkę?

— Ujmę to w ten sposób: dla mojej córki lepiej będzie, żeby nie zdejmowała majtek przed jakimś osłem, którego dopiero co poznała.

Splotłam ręce na piersi, zła, że to, co mówi, ma sens.

— Więc przyznajesz, że jesteś osłem, a ponadto twierdzisz, że skoro się z tobą przespała, zasłużyła sobie na to, żebyś ją wyrzucił jak psa?

— Twierdzę, że byłem z nią szczery. Jest dorosła, wszystko odbyło się za obopólną zgodą... Prawdę mówiąc, zgodziła się aż nazbyt chętnie. Zachowujesz się tak, jakbym popełnił jakąś zbrodnię.

— Wydaje mi się, Travis, że ta dziewczyna nie odczytała właściwie twoich zamiarów.

— Kobiety często usprawiedliwiają swoje zachowanie tym, co akurat roi im się w głowach. Nie powiedziała mi wprost, że oczekuje stałego związku, tak jak ja jej nie powiedziałem, że oczekuję seksu bez zobowiązań.

— Świnia.

Wzruszył ramionami.

— Nazywano mnie gorzej.

Poduszki na kanapie wciąż leżały w nieładzie, pogniecione. Wzdrygnęłam się na myśl o tym, ile dziewczyn oddawało mu się na tym meblu, w dodatku obitym drapiącą tkaniną.

— Chyba wolę spać na fotelu — mruknęłam.

— Czemu?

Spojrzałam na niego ponuro, wściekła, że nic nie rozumie.

— Nie będę spała na tym! Bóg jeden wie, jakie świństwa bym znalazła!

Podniósł z podłogi moją walizkę.

— Nie będziesz spać ani na fotelu, ani na kanapie, tylko w moim łóżku.

— To jeszcze bardziej niehigieniczne.

— Nikt oprócz mnie nigdy w nim nie spał.

Przewróciłam oczami.

— Żartujesz!

— Mówię serio. Pieprzę się z nimi na kanapie. Nie wpuszczam do swojego pokoju.

— To dlaczego wpuszczasz mnie do swojego łóżka?

Uniósł kąciki ust w szelmowskim uśmiechu.

— Chcesz uprawiać ze mną seks?

— Nie!

— No właśnie, masz odpowiedź. Rusz tyłek, weź gorący prysznic, a potem pouczymy się biologii.

Rzuciłam mu gniewne spojrzenie, po czym, chcąc nie chcąc, powlokłam się do łazienki. Długo stałam pod prysznicem; ciepła woda powoli koiła moje nerwy. Wmasowałam szampon we włosy i westchnęłam — cudownie było znów kąpać się w prywatnej łazience, bez konieczności wkładania klapek i noszenia w tę i we w tę kosmetyczki... Mogłam po prostu się odprężyć.

Podskoczyłam, słysząc, że drzwi się otworzyły.

— Mare?

— To ja — powiedział Travis.

Automatycznie zakryłam te części ciała, których nie powinien oglądać.

— Co ty wyprawiasz? Wyjdź!

— Zapomniałaś ręcznika, a poza tym przyniosłem ci ubranie, szczoteczkę do zębów i jakiś dziwny krem, który znalazłem w twojej torebce.

— Grzebałeś w moich rzeczach?! — wrzasnęłam.

Nie odpowiedział. Usłyszałam, że odkręcił kran i szczotkuje zęby.

Wyjrzałam zza plastikowej zasłony, zasłaniając piersi.

— Travis, wyjdź stąd.

Spojrzał na mnie; na ustach miał pianę z pasty.

— Nie mogę położyć się spać, dopóki nie umyję zębów.

— Jeśli zbliżysz się choćby na pół metra, wydłubię ci oczy, kiedy będziesz spał.

— Nie zamierzam cię podglądać, Gołąbku. — Roześmiał się.

Oplotłam się ramionami i zaczekałam, aż skończy. Wypluł pastę, wypłukał usta i wreszcie drzwi się zamknęły. Spłukałam mydło, błyskawicznie wytarłam się ręcznikiem, włożyłam podkoszulek, szorty i okulary, a na koniec rozczesałam włosy. Na widok kremu nawilżającego, który przyniósł mi Travis, nie mogłam się nie uśmiechnąć. Kiedy chciał, potrafił być troskliwy, wręcz miły.

Znów zajrzał do łazienki.

— Co z tobą, Gołąbku? Zdążę się zestarzeć, zanim przyjdziesz!

Rzuciłam w niego grzebieniem. Uchylił się i zamknął za sobą drzwi. Śmiał się przez całą drogę do pokoju. Wyszczotkowałam zęby i powlokłam się za nim korytarzem. Przed drzwiami do sypialni Shepleya przystanęłam.

— Dobranoc, Abby! — zawołała America.

— Dobranoc, Mare.

Wahałam się chwilę, zanim cicho zastukałam do drzwi Travisa.

— Wejdź, Gołąbku. Nie musisz pukać.

Otworzył mi i weszłam do sypialni. W drugim końcu pokoju równolegle do okna stało czarne kute łóżko. Nad wezgłowiem wisiało sombrero, poza tym ściany były całkiem gołe. Spodziewałam się zdjęć roznegliżowanych kobiet, tymczasem nie zobaczyłam nawet reklamy piwa. Czarne łóżko, szary dywan... reszta biała. Wyglądało to tak, jakby dopiero co się wprowadził.

— Fajna piżama — powiedział Travis.

Miałam na sobie żółto-granatowe szorty w szkocką kratę i szary T-shirt z logo uniwersytetu. Travis usiadł na łóżku i poklepał poduszkę obok siebie.

— No chodź, przecież cię nie ugryzę.

— Wcale się ciebie nie boję. — Rzuciłam na łóżko podręcznik biologii. — Masz długopis?

Wskazał na stolik nocny.

— W górnej szufladzie.

Sięgnęłam przez materac i ją otworzyłam. Znalazłam trzy długopisy, ołówek, nawilżający żel intymny i szklaną miseczkę wypełnioną kondomami wszelkich rodzajów i marek. Wyjęłam długopis i zatrzasnęłam szufladę z odrazą.

— Co? — spytał Travis, przewracając stronę w podręczniku.

— Obrabowałeś drogerię?

— Nie, czemu?

Zdjęłam skuwkę, nie kryjąc oburzenia.

— Masz dożywotni zapas prezerwatyw.

— Lepiej dmuchać na zimne, prawda?

Przewróciłam oczami. Travis skupił się na podręczniku, ale na jego twarzy błąkał się kpiarski uśmiech. Przeczytał mi notatki, zwracając uwagę na najważniejsze zagadnienia, a potem przepytał mnie i cierpliwie wyjaśnił wszystko, czego nie rozumiałam.

Po godzinie zdjęłam okulary i potarłam oczy.

— Jestem wykończona. Nie zapamiętam nic więcej.

Uśmiechnął się i zamknął książkę.

— W porządku.

Dotarło do mnie, że nie wiem, jak mamy spać. Travis wyszedł. Usłyszałam, że w korytarzu mamrocze coś do Shepleya. Potem odkręcił prysznic. Nakryłam się po szyję kołdrą, nasłuchując wycia wody w rurach.

Dziesięć minut później prysznic ucichł. Zaskrzypiała podłoga i Travis wszedł do pokoju z ręcznikiem na biodrach. Moją uwagę zwróciły tatuaże na jego klatce piersiowej i potężnych barkach. Na prawej ręce zawijasy i symbole biegły aż do nadgarstka, na lewym kończyły się na wysokości łokcia, jeśli nie liczyć pojedynczej kreski na wewnętrznej stronie przedramienia. Kiedy stanął przed komodą i zrzucił ręcznik, żeby włożyć bokserki, ostentacyjnie odwróciłam się do niego plecami.

Zgasił światło i położył się do łóżka obok mnie.

— Ty też tu śpisz? — spytałam zaskoczona. Księżyc w pełni rzucał przez okno cienie na jego twarz.

— No tak. To moje łóżko.

— Wiem, ale... — Urwałam. Nie miałam innych możliwości z wyjątkiem kanapy lub fotela.

Travis wyszczerzył zęby w uśmiechu i pokręcił głową.

— Nadal mi nie ufasz? Będę się zachowywał nienagannie, przysięgam — zapewnił, podnosząc palce w geście niewątpliwie obcym amerykańskim skautom.

Nie dyskutowałam. Po prostu odwróciłam się, złożyłam głowę na poduszce i szczelnie opatuliłam się kołdrą, tworząc barierę między jego ciałem i moim.

— Dobranoc, Gołąbku — wyszeptał mi do ucha.

Poczułam na policzku jego oddech. Pachniał miętową pastą do zębów. Dostałam gęsiej skórki na całym ciele. Na szczęście w ciemnościach Travis nie mógł tego zobaczyć, tak jak rumieńców na mojej twarzy.

❦

Zdawało mi się, że dopiero co zamknęłam oczy, gdy zadzwonił budzik. Wyciągnęłam rękę, żeby go wyłączyć, ale cofnęłam ją przerażona, wyczuwając pod palcami ciepłą skórę. Przez moment zastanawiałam się, gdzie jestem. Kiedy to do mnie dotarło, zawstydziłam się. Travis mógł pomyśleć, że zrobiłam to celowo.

— Travis? Budzik — wyszeptałam. Nie poruszył się. — Travis! — Szturchnęłam go. Nadal nie reagował, więc sięgnęłam za niego i w przyćmionym świetle wymacałam budzik. Nie wiedziałam, jak go wyłączyć, więc walnęłam parę razy w obudowę, aż trafiłam w odpowiedni przycisk. Sapiąc i dysząc, opadłam na poduszkę.

Travis zachichotał.

— Nie spałeś?

— Obiecałem, że zachowam się, jak należy. Nie przewidziałem jednak, że będziesz się na mnie kładła.

— Wcale się na tobie nie kładłam — zaprotestowałam. — Nie mogłam dosięgnąć budzika. W życiu nie słyszałam równie irytującego dzwonka. Przypomina zdychające zwierzę.

Travis pstryknął wyłącznikiem.

— Zjesz ze mną śniadanie?

Przyjrzałam mu się ponuro i pokręciłam głową.

— Nie jestem głodna.

— A ja owszem. Może skoczymy razem do kafejki?

— Nie sądzę, żebym o tej godzinie zniosła twój specyficzny styl jazdy — powiedziałam. Usiadłam na łóżku, włożyłam kapcie i powłócząc nogami, ruszyłam do drzwi.

— Dokąd idziesz? — spytał.

— Ubrać się. Mam zajęcia. Chcesz znać w szczegółach mój plan dnia?

Travis przeciągnął się i podszedł do mnie w samych bokserkach.

— Zawsze jesteś taka kapryśna czy przejdzie ci, kiedy uwierzysz, że nie knuję żadnego wymyślnego spisku, żeby zaciągnąć cię do łóżka?

Otoczył dłońmi moje ramiona i kciukami pieścił nagą skórę.

— Nie jestem kapryśna.

Nachylił się do mnie.

— Nie chcę iść z tobą do łóżka, Gołąbku — wyszeptał mi prosto do ucha. — Za bardzo cię lubię.

Wyminął mnie w drodze do łazienki. Stałam jak oniemiała. Przypomniałam sobie słowa Kary: Travis Maddox spał ze wszystkimi. Ze mną nie chciał. Mimo woli poczułam się w jakimś sensie gorsza, skoro nawet nie zamierzał próbować.

Drzwi się otworzyły i do sypialni weszła America.

— Pobudka! — Uśmiechnęła się, ziewając.

— Zamieniasz się w swoją matkę, Mare — burknęłam, grzebiąc w walizce.

— Och! Czyżbyś się nie wyspała?

— Nawet nie odetchnął w moją stronę — odparłam kwaśno.

Twarz jej się rozjaśniła w szerokim uśmiechu.

— Ach tak...

— Co „ach tak"?

— Nic. — Poszła z powrotem do pokoju Shepleya.

W kuchni Travis smażył jajecznicę, nucąc pod nosem.

— Na pewno nic nie zjesz? — spytał.

— Na pewno, dziękuję.

Dołączyli do nas America i jej chłopak. Shepley wyjął z szafki dwa talerze i podał kuzynowi, który nałożył na nie parujące jajka. Razem z Mare zasiedli do stołu — bez wątpienia po minionej nocy dopisywał im apetyt.

— Nie patrz tak na mnie, Shep. Przepraszam, ale naprawdę nie mam ochoty tam iść — odezwała się America.

— Kochanie, bractwo organizuje przyjęcie dla par dwa razy do roku. To dopiero za miesiąc. Zdążysz kupić sukienkę i odpowiednio się wyszykować.

— Zdążyłabym, Shep... Jesteś kochany, ale... nikogo tam nie znam.

— Przychodzi mnóstwo dziewczyn, które nikogo nie znają. — Shepley był zdziwiony jej odmową.

Osunęła się na krzesło.

— Zapraszają tam te zdziry ze stowarzyszenia studentek. Wszystkie się znają. Czułabym się głupio...

— Daj spokój, Mare. Nie każ mi iść samemu.

— Może gdyby ktoś z bractwa zaprosił Abby...? — Zerknęła na mnie i na Travisa.

Travis uniósł brwi, a Shepley pokręcił głową.

— Trav nie chodzi na przyjęcia dla par. Trzeba przyprowadzić ze sobą dziewczynę, a on... no wiesz.

America wzruszyła ramionami.

— Moglibyśmy umówić ją z kimś innym.

— Wszystko słyszę — rzuciłam, mrużąc oczy.

Zrobiła słodką minę, którą zawsze mnie rozbrajała.

— Abby, proszę... Znajdziemy ci fajnego, miłego chłopaka z poczuciem humoru. Takiego, który ma wzięcie, zadbam o to. Na pewno będziesz się dobrze bawiła. Zresztą kto wie... Może coś między wami zaiskrzy?

Travis wrzucił patelnię do zlewu.

— Nie powiedziałem, że z nią nie pójdę.

Przewróciłam oczami.

— Nie musisz się dla mnie poświęcać.

— Nie o to chodzi, Gołąbku. Na przyjęcie dla par facet przychodzi z dziewczyną, a ja, jak wiadomo, nie bawię się w takie rzeczy. Ale w twoim przypadku nie będę musiał się martwić, że zażądasz ode mnie pierścionka zaręczynowego.

America spojrzała na mnie błagalnie.

— Abby, tak cię proszę...

— Nie patrz tak — jęknęłam. — Travis nie chce iść, ja nie chcę iść, żadne z nas towarzystwo.

Travis skrzyżował ręce na piersiach i oparł się o zlew.

— Nie powiedziałem, że nie chcę iść. Jeśli pójdziemy we czwórkę, może być fajnie. — Wzruszył ramionami.

Wszyscy skupili wzrok na mnie. Wzdrygnęłam się odruchowo.

— Możemy urządzić przyjęcie tutaj. Czemu nie?

America wydęła wargi, a Shepley nachylił się do mnie.

— Muszę tam być, Abby. Jestem na pierwszym roku. Moim zadaniem jest zadbać, żeby wszystko poszło gładko, żeby każdy miał w ręku piwo i tak dalej.

Travis przeszedł przez kuchnię, objął mnie i przyciągnął do siebie.

— Więc jak będzie, Gołąbku? Pójdziesz ze mną?

Spojrzałam na Mare, na jej chłopaka, wreszcie na Travisa.

— Tak. — Westchnęłam.

America zapiszczała z radości i podbiegła, żeby mnie uścisnąć, a Shepley poklepał mnie po plecach.

— Dzięki, Abby — powiedział.

Rozdział trzeci

Cios poniżej pasa

Finch zaciągnął się papierosem i wypuścił gęsty dym przez nos. Zwróciłam twarz do słońca, podczas gdy on raczył mnie opowieścią o ostatnim weekendzie z tańcami, suto zakrapianą kolacją i niezwykle natrętnym nowym przyjacielem.

— Jeśli naprawdę cię prześladuje, to czemu pozwalasz, żeby stawiał ci drinki? — Roześmiałam się.

— To proste, Abby. Jestem spłukany.

Znów się zaśmiałam. Na widok Travisa, który zmierzał w naszą stronę, Finch dźgnął mnie łokciem w bok.

— Cześć, Travis — rzucił ze śpiewną intonacją, po czym puścił do mnie oko.

— Finch. — Travis skinął głową. Zabrzęczał kluczami. — Jadę do domu, Gołąbku. Podwieźć cię?

— Właśnie szłam do akademika — odparłam, uśmiechając się do niego zza ciemnych okularów.

— Nie nocujesz dzisiaj u mnie? — spytał. Na jego twarzy odmalowało się zaskoczenie i rozczarowanie.

— Nocuję. Muszę tylko zabrać parę rzeczy.

— Na przykład?

— Maszynkę do golenia. Co cię to obchodzi?

— Najwyższy czas, żebyś ogoliła nogi. Cholernie drapiesz — powiedział z szelmowskim uśmiechem.

Finch wytrzeszczył oczy i zmierzył mnie wzrokiem. Zrobiłam naburmuszoną minę.

— Właśnie tak powstają plotki. — Spojrzałam na niego, kręcąc głową. — Śpię z nim w jednym łóżku... Tylko śpię!

— Jasne. — Pokiwał głową z ironicznym uśmieszkiem.

Walnęłam go w ramię, pchnęłam drzwi i popędziłam na górę po schodach. Travis dogonił mnie, zanim wbiegłam na piętro.

— Nie gniewaj się. Żartowałem.

— I tak wszyscy myślą, że ze sobą sypiamy. A ty jeszcze pogarszasz sprawę.

— Kogo obchodzi, co myślą?

— Mnie, Travis! Mnie! — Weszłam do pokoju, wrzuciłam parę rzeczy do małej torby na zakupy i jak burza wypadłam na korytarz. Travis podążył za mną, odebrał ode mnie torbę i roześmiał się. Spojrzałam na niego wilkiem. — To nie jest zabawne. Chcesz, żeby wszyscy myśleli, że jestem jedną z twoich panienek?

Uniósł brwi.

— Nikt tak nie myśli. A jeśli już, to lepiej dla nich, żebym się o tym nie dowiedział.

Przytrzymał mi drzwi. Przed budynkiem zatrzymałam się raptownie.

— Hej! — zawołał, wpadając na mnie z impetem.

Zagotowało się we mnie ze złości.

— Boże! Cały uniwersytet pewnie uważa, że jesteśmy razem, podczas gdy ty nie zrezygnowałeś z... dotychczasowego trybu życia. Muszę wydawać się żałosna! — Nagle to do mnie dotarło. — Nie sądzę, żebym mogła dłużej z tobą mieszkać. Powinniśmy się trzymać od siebie z daleka, przynajmniej przez jakiś czas.

Wzięłam od niego torbę, ale mi ją wyrwał.

— Nikt nie myśli, że jesteśmy razem. Jeśli przestaniesz ze mną rozmawiać, niczego nie udowodnisz.

Oboje zaczęliśmy ciągnąć za torbę; Travis nie chciał jej puścić, więc westchnęłam głośno w poczuciu frustracji.

— Czy kiedykolwiek jakaś dziewczyna... przyjaciółka... z tobą mieszkała? Jak często podwozisz dziewczyny z domu do szkoły i z powrotem? Dzień w dzień jadasz z nimi lunch? Nikt nie wie, co o nas myśleć, cokolwiek byśmy mówili!

Travis skierował się na parking z moją torbą w roli zakładnika.

— Załatwię to, dobrze? Nie chcę, żeby ktokolwiek myślał o tobie źle z mojego powodu — powiedział z zatroskaną miną, lecz po chwili się rozpogodził. — Pozwól, że ci to wynagrodzę. Pójdziemy wieczorem do Dutcha.

— Do baru dla motocyklistów? — zapytałam szyderczo.

— Wobec tego do klubu. Zabiorę cię na kolację, a potem do Red Door. Ja stawiam.

— Twoim zdaniem wspólna kolacja i wieczór w klubie załatwią sprawę? Kiedy ludzie zobaczą nas razem, będzie jeszcze gorzej.

Travis usiadł na siodełku motocykla.

— Zastanów się. Ja, pijany, w lokalu pełnym skąpo ubranych kobiet. Ludzie szybko się zorientują, że nie jesteśmy parą.

— A ja? Mam wrócić do domu z facetem poznanym przy barze, żeby wszyscy zrozumieli, jak bardzo się mylili?

— Tego nie powiedziałem. Nie przesadzajmy — odparł, marszcząc czoło.

Wsiadłam na motocykl i objęłam go w pasie.

— I przyprowadzisz z klubu jakąś przypadkową dziewczynę? Tak chcesz mi to wynagrodzić?

— Chyba nie jesteś zazdrosna, Gołąbku?

— Zazdrosna? O chorą na kiłę idiotkę, którą rano wypieprzysz na ulicę?

Roześmiał się i uruchomił silnik. Pomknął w stronę domu, przekraczając dwukrotnie dozwoloną prędkość. Zamknęłam oczy, żeby nie widzieć pędem oddalających się drzew i samochodów.

Na parkingu zeskoczyłam na ziemię i trzepnęłam go w ramię.

— Zapomniałeś, że jadę z tobą? Chcesz mnie zabić?

— Trudno zapomnieć, że siedzisz za mną, kiedy tak mocno ściskasz mnie udami. — Uśmiechnął się znacząco. — Prawdę mówiąc, właśnie tak chciałbym umrzeć.

— Z tobą naprawdę jest coś nie tak.

Ledwie weszliśmy do środka, gdy z sypialni Shepleya wyjrzała America.

— Wybieramy się wieczorem na miasto. Dołączycie?

Spojrzałam na Travisa.

— Planowaliśmy zjeść sushi, a potem skoczyć do klubu.

America uśmiechnęła się od ucha do ucha.

— Shep! — zawołała, czmychając do łazienki. — Wychodzimy!

Wzięłam prysznic jako ostatnia, więc kiedy wyszłam z łazienki w czarnej sukience i różowych szpilkach, Shepley, America i Travis już czekali niecierpliwie przy drzwiach.

America gwizdnęła.

— No, no! Wyglądasz super!

Travis wziął mnie pod ramię.

— Niezłe nogi.

— Nie mówiłam, że to magiczna maszynka?

— Chyba jednak nie chodzi o maszynkę — odparł, prowadząc mnie na parking.

W barze sushi zachowywaliśmy się okropnie i o wiele za głośno, a zanim wkroczyliśmy do klubu Red Door, byliśmy już nieźle wstawieni. Shepley długo szukał miejsca na parkingu.

— Byle dzisiaj, Shep — mruknęła America.

— Hej, potrzebuję odpowiedniej przestrzeni. Nie chcę, żeby jakiś pijany idiota zarysował mi lakier.

Kiedy wreszcie zaparkowaliśmy, Travis odchylił siedzenie i pomógł mi wysiąść.

— Miałem cię zapytać o twoje dokumenty. Są bez skazy. Nie wyrobiłaś ich tutaj.

— No tak, mam je od jakiegoś czasu... To była konieczność... w Wichita — powiedziałam niepewnie.

— Konieczność?

— Całe szczęście, że masz znajomości — wtrąciła America. Czknęła i chichocząc, zasłoniła dłonią usta.

— Dobry Boże, kobieto... — Shepley westchnął, podtrzymując ją za ramię, gdy niezgrabnie zeskoczyła na żwirowy podjazd. — Zdaje się, że na dzisiaj masz już dość.

Travis zrobił zdziwioną minę.

— Znajomości? Co masz na myśli, Mare?

— Abby ma paru starych przyjaciół, którzy...

— To fałszywe dokumenty, Trav — przerwałam jej. — Musisz znać właściwych ludzi, jeśli mają wyglądać autentycznie.

America rozmyślnie odwróciła wzrok, a ja czekałam na jego reakcję.

— Słusznie — powiedział w końcu, wyciągając do mnie rękę.

Złapałam go za trzy palce. Wiedziałam, że nie zadowoliła go moja odpowiedź.

— Muszę się napić! — rzuciłam, po raz drugi próbując zmienić temat.

— Pijemy! — wrzasnęła America.

Shepley przewrócił oczami.

— Jasne. Tylko tego ci trzeba.

Zaraz po wejściu do klubu America pociągnęła mnie na parkiet. Jej blond włosy fruwały na wszystkie strony. Poruszała się w takt muzyki, wydymając usta w kaczy dziobek, co wyglądało zabawnie. Wraz z końcem utworu dołączyłyśmy do chłopców przy barze. Obok Travisa zdążyła już usiąść niezwykle ponętna platynowa blondynka. America skrzywiła się.

— Tak już będzie cały wieczór, Mare. Po prostu nie zwracaj na nie uwagi — powiedział Shepley, ruchem głowy wskazując grupkę stojących w pobliżu dziewcząt. Spoglądały na blondynkę, czekając na swoją kolej.

— Wyglądają jak stado sępów — zadrwiła America.

Travis zapalił papierosa i zamówił dwa piwa. Dziewczyna zagryzła pociągnięte błyszczykiem pełne usta. Gdy barman zdjął kapsle z butelek, sięgnęła po jedną z nich, ale Travis odebrał jej piwo.

— To nie dla ciebie — powiedział, podając mi butelkę.

W pierwszym odruchu chciałam wyrzucić ją do śmieci, jednak na widok urażonej miny blondynki uśmiechnęłam się i pociągnęłam łyk. Odeszła naburmuszona. Travis jakby w ogóle tego nie zauważył.

— Miałbym stawiać piwo byle cizi przy barze? — Pokręcił głową, a ja uniosłam butelkę. — Ty to co innego — dodał z półuśmiechem.

Stuknęliśmy się butelkami.

— Zdrowie jedynej dziewczyny, z którą facet bez zasad nie chce się przespać. — Pociągnęłam łyk piwa.

— Chyba nie mówisz serio? — spytał, ale nie odpowiedziałam. Nachylił się do mnie. — Po pierwsze... mam zasady. Nigdy nie byłem z brzydką kobietą. Przenigdy. Po drugie, owszem, chciałem... Wyobrażałem sobie seks z tobą na pięćdziesiąt różnych sposobów, ale przestałem, bo teraz patrzę na ciebie inaczej. Nie chodzi o to, że mnie nie pociągasz, po prostu zasługujesz na kogoś lepszego.

Nie potrafiłam powstrzymać pełnego zadowolenia uśmiechu.

— Czyli nie jesteś dla mnie dość dobry.

To była już druga kąśliwa uwaga z mojej strony, która jednak go rozbawiła.

— Żaden ze znanych mi facetów nie byłby dla ciebie dość dobry.

Uśmiech zadowolenia na mojej twarzy ustąpił wyrazowi wzruszenia i wdzięczności.

— Dzięki, Trav — powiedziałam, stawiając na barze pustą butelkę.

Pociągnął mnie za rękę.

— Chodź. — Zaczął przeciskać się przez tłum w stronę parkietu.

— Za dużo wypiłam! Przewrócę się!

Uśmiechnął się i przyciągnął mnie do siebie, chwytając za biodra.

— Zamknij się i tańcz.

Dołączyli do nas America i jej chłopak. Shepley ruszał się w tańcu tak, jakby obejrzał o wiele za dużo teledysków z Usherem. Wpadłam w popłoch, kiedy Travis przylgnął do mnie całym ciałem. Jeśli podobnie zachowywał się na swojej kanapie, nic dziwnego, że tyle dziewczyn ryzykowało upokorzenie następnego ranka.

Gdy opasał rękami moje biodra, spostrzegłam, że ma poważną minę. Przesunęłam dłońmi po jego doskonałej klatce piersiowej i brzuchu, wyczuwając pod palcami wyrobione mięśnie, które rozciągały się i napinały pod obcisłą koszulą. Kiedy odwróciłam się do niego plecami, objął mnie w talii i przyciągnął do siebie, co w połączeniu z alkoholem w moim organizmie przywołało myśli mające z przyjaźnią niewiele wspólnego.

Z głośników popłynęła kolejna piosenka, ale nic nie wskazywało na to, żeby Travis chciał wrócić do baru. Na karku wystąpiły mi kropelki potu, a kolorowe światła stroboskopowe przyprawiały mnie o lekki zawrót głowy. Zamknęłam oczy i oparłam głowę na jego ramieniu. Chwycił mnie za ręce i zarzucił je sobie na szyję. Pogłaskał mnie po ramionach, po czym znów opuścił dłonie w dół na moje biodra. Kiedy poczułam na szyi jego usta, a potem język, odsunęłam się gwałtownie.

Zaśmiał się, wyraźnie zaskoczony.

— Co, Gołąbku?

Byłam tak wściekła, że ostre słowa, które chciałam wypowiedzieć, uwięzły mi w gardle. Wróciłam do baru, żeby zamówić jeszcze jedną coronę. Travis usiadł na stołku obok, dając znak barmanowi, że też prosi o piwo. Gdy barman postawił przede mną butelkę, przechyliłam ją, jednym haustem opróżniłam połowę i z trzaskiem odstawiłam na blat.

— Sądzisz, że teraz wszyscy zmienią zdanie na nasz temat? — spytałam, odrzucając na bok włosy, żeby zasłonić miejsce, które całował.

Znów się zaśmiał.

— Nie obchodzi mnie, co o nas myślą.

Rzuciłam mu spojrzenie, po czym spuściłam wzrok.

— Gołąbku? — Dotknął mojego ramienia.

Cofnęłam się.

— Przestań! Nigdy nie upiję się na tyle, żebyś zaciągnął mnie na tę swoją kanapę!

Gniew wykrzywił mu twarz, lecz zanim zdążył coś powiedzieć, podeszła do nas fantastyczna, mocno wydekoltowana ciemnowłosa dziewczyna o pełnych ustach i ogromnych błękitnych oczach.

— Coś takiego. Travis Maddox.

Kołysała zalotnie biodrami.

Pociągnął łyk piwa, nie spuszczając ze mnie wzroku.

— Witaj, Megan.

— Nie przedstawisz mnie swojej dziewczynie?

Odchylił głowę do tyłu, dopijając piwo, po czym przesunął butelkę po barze. Klienci siedzący na stołkach patrzyli, jak zjeżdża wprost do kosza na śmieci, niczym kula do kręgli.

— To nie jest moja dziewczyna.

Chwycił Megan za rękę. Cała szczęśliwa potruchtała za nim na parkiet. Obmacywał ją w nieskończoność, w miarę jak z głośników płynęły kolejne piosenki. Wszyscy gapili się na tę niesmaczną scenę, a kiedy Travis pochylił się nad nią w tańcu, odwróciłam się do nich plecami.

— Jesteś wściekła — odezwał się do mnie facet przy barze. — To twój chłopak?

— Nie, tylko znajomy — odparłam.

— Całe szczęście. Gdyby to był twój chłopak, z pewnością poczułabyś się niezręcznie. — Spojrzał na parkiet, kręcąc głową z dezaprobatą.

— Nie musisz mi tego mówić. — Dopiłam ostatnie piwo. W ogóle nie pamiętałam smaku dwóch poprzednich, w ustach straciłam czucie.

— Napijesz się jeszcze? — spytał. — Mam na imię Ethan — dodał z uśmiechem.

— Abby — powiedziałam, ściskając mu dłoń.

Podniósł dwa palce, zamawiając dla nas piwo. Uśmiechnęłam się.

— Dzięki.

— Jesteś stąd? — spytał.

— Studiuję na Eastern. Mieszkam w akademiku.

— Ja mam mieszkanie w Hinley.

— Studiujesz na stanowym? — zdziwiłam się. — To... przeszło godzina drogi stąd. Co tu robisz?

— Skończyłem studia w maju. Moja młodsza siostra studiuje na Eastern. Zatrzymałem się u niej na tydzień. Szukam pracy.

— Ach tak. Witaj w realnym świecie.

Ethan się roześmiał.

— Jest dokładnie taki, jak mówią.

Wyjęłam z kieszeni błyszczyk i pociągnęłam nim usta, przeglądając się w lustrze za barem.

— Ładny kolor — zauważył, patrząc, jak zaciskam wargi.

Uśmiechnęłam się. Wciąż czułam złość na Travisa i alkohol buzujący mi w żyłach.

— Może później spróbujesz, jak smakuje?

Oczy mu rozbłysły, gdy nachyliłam się i znalazłam się bliżej. Dotknął mojego kolana. Cofnął rękę, kiedy Travis niespodziewanie wtargnął między nas.

— Jesteś gotowa, Gołąbku?

— Rozmawiam, Travis — burknęłam, odpychając go. Po osobliwym występie na parkiecie miał koszulę mokrą od potu. Ostentacyjnie wytarłam rękę w spódnicę.

Zrobił srogą minę.

— W ogóle znasz tego gościa?

— To Ethan — powiedziałam, posyłając mojemu nowemu znajomemu najbardziej zalotny uśmiech, na jaki było mnie stać.

Mrugnął do mnie, po czym wyciągnął rękę do Travisa.

— Miło mi cię poznać.

Travis przyglądał mi się wyczekująco. W końcu nie wytrzymałam i machnęłam w jego stronę.

— Ethan, to jest Travis — mruknęłam pod nosem.

— Travis Maddox — przedstawił się, wpatrzony w wyciągniętą dłoń Ethana, jakby miał ochotę ją odrąbać.

Ethan wybałuszył oczy i niezdarnie cofnął rękę.

— Travis Maddox? Travis Maddox z Uniwersytetu Eastern?

Podparłam policzek dłonią. Spodziewałam się, że teraz nieuchronnie nastąpi wymiana uwag podsycana testosteronem.

Travis oparł się o bar.

— Tak. I co z tego?

— W zeszłym roku oglądałem twoją walkę z Shawnem Smithem. Człowieku! Myślałem, że będę świadkiem czyjejś śmierci!

Travis spojrzał na niego spode łba.

— Chcesz to zobaczyć jeszcze raz?

Ethan zaśmiał się, zerkając na nas oboje. Kiedy zdał sobie sprawę, że Travis nie żartuje, uśmiechnął się do mnie przepraszająco i odszedł.

— Możemy już iść? — rzucił Travis.

— Jesteś kompletnym dupkiem, wiesz?

— Nazywano mnie gorzej — odparł, pomagając mi wstać.

W drodze do samochodu dogoniliśmy Mare i Shepleya. Travis chciał przeprowadzić mnie przez parking, ale wyrwałam rękę. Odwrócił się gwałtownie, podczas gdy ja przystanęłam, tak że nasze twarze znalazły się raptem parę centymetrów od siebie.

— Powinienem po prostu cię pocałować i mieć to z głowy! — krzyknął. — Jesteś śmieszna! Pocałowałem cię w szyję. I co z tego?

Poczułam od niego alkohol i papierosy i go odepchnęłam.

— Nie jestem twoją kumpelą do łóżka.

Pokręcił głową z niedowierzaniem.

— Nigdy tego nie powiedziałem. Towarzyszysz mi dwadzieścia cztery godziny na dobę, siedem dni w tygodniu, śpisz w moim łóżku, ale przez większość czasu zachowujesz się tak, jakbyś nie chciała mnie znać!

— Przyszłam tu z tobą.

— Zawsze traktowałem cię z szacunkiem.

Nie poddałam się.

— Traktujesz mnie jak swoją własność. Nie miałeś prawa spławić Ethana w ten sposób!

— Wiesz, kim jest Ethan? — Kiedy zaprzeczyłam, nachylił się tak, że nasze twarze niemal się stykały. — Ja wiem. Rok temu został aresztowany za napaść seksualną, tyle że później zarzuty przeciwko niemu wycofano.

Skrzyżowałam ręce na piersi.

— Widzę, że macie ze sobą wiele wspólnego.

Travis zmrużył oczy. Pod skórą drgały mu mięśnie twarzy.

— Nazywasz mnie gwałcicielem? — spytał chłodnym, niskim tonem.

Zacisnęłam wargi. Byłam zła, a on miał rację: przesadziłam.

— Nie, po prostu jestem na ciebie wściekła!

— Trochę wypiłem, tak? Twoja szyja znalazła się dziesięć centymetrów od mojej twarzy, a jesteś piękna i pachniesz nieziemsko, kiedy się spocisz. Pocałowałem cię! Przepraszam! To takie straszne?

Słysząc, jak się tłumaczy, mimo woli uniosłam kąciki ust.

— Uważasz, że jestem piękna?

— Jesteś prześliczna i dobrze o tym wiesz. Co cię tak bawi?

Próbowałam ukryć rozbawienie. Bez skutku.

— Nic. Chodźmy.

Travis zaśmiał się, kręcąc głową.

— Nie... Naprawdę...? Denerwujesz mnie! — krzyknął.

Nie przestawałam się uśmiechać i po chwili się rozchmurzył. Znów pokręcił głową, po czym mnie objął.

— Doprowadzasz mnie do szału. Wiesz o tym, prawda?

Weszliśmy do mieszkania, lekko się zataczając. Ruszyłam prosto do łazienki, żeby spłukać z włosów zapach dymu papierosowego. Kiedy wyszłam spod prysznica, zobaczyłam, że Travis podrzucił mi swój podkoszulek i bokserki, żebym miała w co się przebrać.

W wielkim podkoszulku praktycznie zniknęłam. Wgramoliłam się do łóżka i westchnęłam. Po tym, co usłyszałam na parkingu, uśmiech nie schodził mi z twarzy.

Travis przyglądał mi się przez chwilę. Poczułam ukłucie w sercu. Zapragnęłam go pocałować, ale zdałam sobie sprawę, że to skutek alkoholu i hormonów.

— Dobranoc, Gołąbku — szepnął, przewracając się na drugi bok.

Wierciłam się. Wcale nie chciało mi się spać.

— Trav? — Oparłam podbródek na jego ramieniu.

— Tak?

— Wiem, że jestem pijana i że dopiero co pokłóciliśmy się o to straszliwie, ale...

— Nie będę się z tobą kochał, więc daruj sobie — odparł, wciąż odwrócony do mnie plecami.

— Co takiego? Nie! — zawołałam.

Roześmiał się i spojrzał na mnie czule.

— O co ci chodzi, Gołąbku?

Westchnęłam.

— O to.

Położyłam mu głowę na piersi i wtuliłam się w niego tak mocno, jak potrafiłam.

Zesztywniał i podniósł ręce, nie wiedząc, jak zareagować.

— Jesteś pijana.

— Wiem — powiedziałam. Byłam tak odurzona, że nie czułam skrępowania.

Pogłaskał mnie po plecach i mokrych włosach i pocałował w czoło.

— Dotąd nie spotkałem tak pokręconej kobiety.

— Tak mówisz po tym, jak wystraszyłeś jedynego faceta, który chciał mnie dzisiaj poderwać.

— Masz na myśli Ethana Gwałciciela? No tak, faktycznie.

— Wszystko jedno — powiedziałam, czując, że mnie odtrąca.

Złapał mnie za rękę i przytrzymał ją sobie na brzuchu, tak że nie mogłam się odsunąć.

— Mówię serio. Musisz bardziej na siebie uważać. Gdyby mnie tam nie było... Nawet nie chcę o tym myśleć. A teraz mam przepraszać za to, że go przepłoszyłem?

— Nie chcę, żebyś przepraszał. W ogóle nie o to chodzi.

— Więc o co? — spytał, przypatrując mi się uważnie. Przysunął twarz tak blisko, że czułam na ustach jego oddech.

— Jestem pijana, Travis. To wszystko, co mam na swoje usprawiedliwienie.

— Chcesz, żebym cię przytulał, dopóki nie zaśniesz?

Nie odpowiedziałam.

Spojrzał mi prosto w oczy.

— Powinienem odmówić dla zasady — powiedział, ściągając brwi. — Ale znienawidziłbym siebie, gdybym odmówił, a ty nie poprosiłabyś mnie o to nigdy więcej.

Wtuliłam się w niego. Westchnął.

— Nie musisz się usprawiedliwiać, Gołąbku. Wystarczy tylko poprosić.

❦

Skuliłam się, słysząc głośny dzwonek budzika. Słońce zaglądało przez okno, a Travis jeszcze spał, oplatając mnie rękami i nogami. Wyswobodziłam ramię, żeby dosięgnąć budzika i wyłączyć alarm. Potarłam twarz i spojrzałam na Travisa, pogrążonego w głębokim śnie tuż obok.

— O mój Boże — wyszeptałam. Zastanawiałam się, jak udało nam się tak zaplątać. Zaczerpnęłam powietrza i wstrzymałam oddech, próbując uwolnić się z jego objęć.

— Przestań, Gołąbku, śpię — wymamrotał, przyciskając mnie do siebie.

Po kilku próbach wreszcie się wyślizgnęłam i usiadłam na krawędzi łóżka. Obejrzałam się, żeby popatrzeć na jego półnagie ciało, przykryte kołdrą. Granice się zacierały i była to moja wina.

Travis wysunął dłoń spod kołdry i dotknął moich palców.

— Co się dzieje? — spytał, przecierając powieki.

— Idę po wodę, przynieść ci coś?

Pokręcił głową, zamknął oczy i wtulił policzek w poduszkę.

— Dzień dobry, Abby — odezwał się Shepley z fotela, kiedy weszłam do salonu.

— Gdzie America?

— Jeszcze śpi. Co cię poderwało tak wcześnie? — spytał, zerkając na zegar.

— Budzik zadzwonił, ale zawsze wstaję wcześnie po przepiciu. To przekleństwo.

— Mam tak samo. — Westchnął.

— Lepiej obudź Mare. Za godzinę zaczynamy zajęcia. — Odkręciłam kran i napiłam się wody.

Shepley pokiwał głową.

— Chciałem, żeby trochę sobie pospała.

— Błąd. Wścieknie się, jeśli opuści zajęcia.

— Tak? — Wstał. — Wobec tego lepiej ją obudzę. — Odwrócił się do mnie. — Hej, Abby?

— Tak?

— Nie wiem, co kombinujecie z Travisem, za to jestem pewien, że zrobi jakieś głupstwo, żeby cię wkurzyć. Tak już ma. Zwykle nie wchodzi w bliskie relacje z ludźmi i nie wiem, czemu cię do siebie dopuścił. Musisz przymknąć oko na jego demony. Tylko w ten sposób go przekonasz.

— Przekonam go? — spytałam, unosząc brwi. Zabrzmiało to bardzo melodramatycznie.

— Że jesteś gotowa dla niego oszaleć.

Pokręciłam głową i zachichotałam.

— Jak chcesz, Shep.

Wzruszył ramionami, po czym zniknął w sypialni. Usłyszałam ciche głosy, jęk protestu, wreszcie uroczy chichot Mare.

Zamieszałam owsiankę i wycisnęłam do miski trochę syropu czekoladowego.

— To obrzydliwe, co robisz, Gołąbku — powiedział Travis, wchodząc do kuchni w samych bokserkach w zieloną kratę.

Przetarł oczy i wyjął z szafki pudełko płatków zbożowych.

— Też się cieszę, że cię widzę. — Zamknęłam butelkę z syropem.

— Podobno niedługo masz urodziny. Koniec szczenięcych lat. — Uśmiechnął się, chociaż oczy miał podpuchnięte i zaczerwienione.

— No tak... Nie obchodzę urodzin w jakiś szczególny sposób. Pewnie Mare wyciągnie mnie gdzieś na kolację albo coś w tym rodzaju. Możesz przyjść, jeśli chcesz.

— W porządku. — Wzruszył ramionami. — To w przyszłą niedzielę?

— Tak. A ty kiedy masz urodziny?

Zalał płatki mlekiem i zamieszał łyżką.

— Dopiero w kwietniu. Pierwszego.

— Wygłupiasz się.

— Nie, poważnie.

— Masz urodziny w prima aprilis? — spytałam z niedowierzaniem.

Zaśmiał się.

— Tak! Spóźnisz się, lepiej się ubiorę.

— Pojadę z Mare.

Zauważyłam, że udaje obojętność.

— Jak chcesz — powiedział, odwracając się do mnie plecami.

Rozdział czwarty

Zakład

— Oczywiście, że się na ciebie gapi — szepnęła America, dyskretnie oglądając się przez ramię.

— Przestań, głupia, zauważy.

Uśmiechnęła się i pomachała ręką.

— Już zauważył. Dalej się gapi.

Po chwili wahania odważyłam się spojrzeć w jego stronę. Parker patrzył wprost na mnie, uśmiechnięty od ucha do ucha. Odwzajemniłam uśmiech, po czym udałam, że stukam w klawiaturę laptopa.

— Nadal się gapi? — spytałam szeptem.

— Tak. — America zachichotała.

Po zajęciach Parker zatrzymał mnie na korytarzu.

— Nie zapomnij o imprezie w ten weekend.

— Jasne — rzuciłam. Starałam się nie trzepotać powiekami i nie robić głupich min.

Poszłyśmy przez trawnik na dziedzińcu do stołówki, żeby zjeść lunch z Travisem i Shepleyem. America wciąż żartowała z Parkera, kiedy do nas dołączyli.

— Cześć, kochanie — przywitał ją Shepley, a ona pocałowała go prosto w usta. — Co cię tak rozbawiło? — spytał.

— Och, taki jeden gość na zajęciach. Przez okrągłą godzinę gapił się na Abby. Urocze.

— Jeśli na Abby, to w porządku. — Shepley puścił do mnie oko.

— Kto taki? — zagadnął Travis, marszcząc czoło. Pomógł mi zdjąć plecak i odebrał go ode mnie.

Pokręciłam głową.

— Mare tylko się wydawało.

— Abby! Ty wstrętna kłamczucho! To był Parker Hayes i wcale się nie kryje z tym, że ci się przygląda. Facet pożerał cię wzrokiem.

Travis skrzywił się z niesmakiem.

— Parker Hayes?

Shepley pociągnął Mare za rękę.

— Chodźmy coś zjeść. Zechcesz skosztować wykwintnej stołówkowej kuchni?

America w odpowiedzi znów go pocałowała. Travis i ja ruszyliśmy za nimi. Postawiłam tacę między Mare a Finchem, ale Travis nie usiadł tam gdzie zawsze, naprzeciwko mnie, lecz kilka krzeseł dalej. Dopiero wtedy zdałam sobie sprawę, że w drodze do stołówki prawie się nie odzywał.

— Wszystko w porządku, Trav? — zagadnęłam go.

— Tak. Czemu pytasz? — zdziwił się; jego twarz się rozchmurzyła.

— Jesteś zdumiewająco milczący.

Przy stole usiadło kilku chłopaków z drużyny futbolowej.

Śmiali się głośno, podczas gdy Travis, wyraźnie poirytowany, bez apetytu dłubał w talerzu.

Chris Jenks rzucił w niego frytką.

— Co jest, Trav? Podobno przeleciałeś Tinę Martin? Słyszałem, że dziś rano zmieszała cię z błotem.

— Zamknij się, Jenks. — Travis nie odrywał oczu od jedzenia.

Nachyliłam się do osiłka, który siedział naprzeciw Travisa, i spiorunowałam go spojrzeniem.

— Przestań, Chris.

Travis przeszył mnie wzrokiem.

— Poradzę sobie, Abby.

— Przepraszam...

— Nie chcę, żebyś przepraszała. W ogóle nic od ciebie nie chcę — oświadczył, po czym gwałtownie odsunął krzesło i jak burza wypadł ze stołówki.

Finch zerknął na mnie, unosząc brwi.

— No, no. O co poszło?

Wbiłam widelec w krokieta i wypuściłam powietrze z płuc.

— Nie mam pojęcia.

— To nie twoja wina, Abby — wtrącił się Shepley, poklepując mnie po plecach.

— Po prostu coś go gryzie — dodała America.

— Co? — spytałam.

Jej chłopak, wpatrzony w talerz, wzruszył ramionami.

— Powinnaś już wiedzieć, że przyjaźń z nim wymaga cierpliwości i wyrozumiałości. Travis to osobny świat.

Pokręciłam głową.

— Wszyscy tak myślą. Poznałam go od innej strony.

— Co za różnica? — spytał Shepley, nachylając się do mnie. — Trzeba płynąć z falą.

Po zajęciach pojechałyśmy z Abby do mieszkania Shepleya. Motocykla Travisa nie było na parkingu. Poszłam do jego sypialni i zwinęłam się w kłębek na łóżku, opierając głowę na ramieniu. Rano Travis zachowywał się normalnie. Spędziliśmy razem dość czasu; powinnam się domyślić, że coś go dręczy. Zaniepokoiło mnie, że America najwyraźniej wiedziała o czymś, o czym ja nie miałam pojęcia.

Oddychałam miarowo, powieki mi się kleiły i wkrótce zapadłam w sen. Kiedy otworzyłam oczy, za oknem panowała ciemność. Z salonu dobiegały stłumione odgłosy rozmowy, wśród których rozpoznałam głęboki baryton Travisa. Zaczaiłam się w korytarzu i zamarłam, słysząc swoje imię.

— Abby rozumie, Trav. Niepotrzebnie się zadręczasz — powiedział Shepley.

— Idziecie razem na przyjęcie. Co ci szkodzi zaprosić ją na randkę? — spytała America.

Zesztywniałam, ciekawa, co Travis odpowie.

— Nie chcę umawiać się z nią na randki. Chcę tylko przy niej być. Abby jest... inna.

— Inna? — Głos Mare pobrzmiewał irytacją.

— Nie kupuje moich bajerów. Dla mnie to coś nowego. Sama mówiłaś: nie jestem w jej typie. Z nami to wygląda... inaczej.

— Jesteś bardziej w jej typie, niż ci się zdaje — stwierdziła America.

Wycofałam się tak cicho, jak potrafiłam, a kiedy deski parkietu skrzypnęły pod moimi bosymi stopami, zamknęłam drzwi do sypialni Travisa i ruszyłam korytarzem do salonu.

— Hej, Abby. — America powitała mnie uśmiechem. — Jak ci się spało?

— Zamroczyło mnie na pięć godzin. To była bardziej śpiączka niż sen.

Travis przyglądał mi się przez chwilę, a kiedy się do niego uśmiechnęłam, podszedł, wziął mnie za rękę i zaprowadził z powrotem do sypialni. Gdy zamknął drzwi, zaczęło mi łomotać serce. Spodziewałam się, że zaraz powie coś, co do reszty zdruzgoce moje ego.

Ściągnął brwi.

— Przepraszam cię, Gołąbku. Zachowałem się jak dupek.

Widząc go skruszonego, nieco się odprężyłam.

— Nie wiedziałam, że jesteś na mnie wściekły.

— Nie byłem na ciebie wściekły. Po prostu mam taki paskudny zwyczaj, że wyładowuję się na tych, na których najbardziej mi zależy. Wiem, że to marne usprawiedliwienie, ale przepraszam — powiedział, obejmując mnie.

— Co cię tak zezłościło? — spytałam, opierając policzek na jego piersi.

— Nieważne. Martwię się tylko, że cię zraniłem.

Odsunęłam się, żeby na niego spojrzeć.

— Potrafię znieść twoje napady złości.

Przez dłuższą chwilę uważnie mi się przyglądał, aż w końcu uśmiechnął się nieznacznie.

— Nie wiem, czemu ze mną wytrzymujesz, i nie wiem, co bym zrobił, gdyby było inaczej.

Pachniał papierosami i miętą. Spojrzałam na jego usta. Moje ciało nie pozostawało obojętne na naszą bliskość. Travis nagle spoważniał. Miał przyśpieszony oddech — musiał zauważyć, jak na niego reaguję.

Nachylił się do mnie w sposób ledwie zauważalny, po czym oboje odskoczyliśmy od siebie, gdy zadzwoniła jego komórka. Westchnął, wyjmując ją z kieszeni.

— Tak. Hoffman? Jezu... Dobrze. Łatwe pieniądze. Jefferson? — Zerknął na mnie i mrugnął. — Jedziemy.

Rozłączył się i wziął mnie za rękę.

— Chodź. — Pociągnął mnie za sobą korytarzem. — Dzwonił Adam — rzucił do Shepleya. — Brady Hoffman będzie za półtorej godziny w Jefferson.

Shepley pokiwał głową i wstał, żeby wydobyć z kieszeni komórkę. Szybko wystukał wiadomość przeznaczoną dla nielicznych wtajemniczonych bywalców Kręgu. Tych dziesięciu miało przekazać zaproszenie kolejnym ze swojej listy i tak dalej, by ostatecznie powiadomić wszystkich członków, gdzie tym razem odbędzie się walka.

— No to w drogę — odezwała się America. — Ale najpierw musimy się odświeżyć.

Zapanował pełen napięcia, a jednocześnie pogodny nastrój. Travis wydawał się najmniej przejęty. Włożył buty i białą bluzę, jakby właśnie wybierał się załatwić sprawunki.

America poszła ze mną do pokoju Travisa i przyjrzała mi się krytycznie.

— Musisz się przebrać, Abby. Nie możesz tak iść na walkę.

— Cholera, ostatnim razem włożyłam różowy sweterek i się nie czepiałaś! — zaprotestowałam.

— Ostatnim razem nie sądziłam, że w ogóle z nami pójdziesz. Włóż to. — Rzuciła mi parę ubrań.

— Nigdy w życiu!

— Wychodzimy! — zawołał Shepley z salonu.

— Pośpiesz się! — America wybiegła z sypialni.

Wcisnęłam się w żółtą dopasowaną bluzkę z dekoltem i obcisłe dżinsowe biodrówki. Włożyłam buty na obcasach, przeczesałam włosy i powlokłam się korytarzem do wyjścia. America wyłoniła się z pokoju Shepleya w krótkiej zielonej sukience z bufiastymi rękawami i szpilkach w tym samym kolorze. Chłopcy już czekali przy drzwiach.

Travis rozdziawił usta.

— No nie, do diabła, Abby, chcesz, żebym zginął w tej walce? Musisz się przebrać, Gołąbku.

— Tak myślisz? — spytałam, spuszczając wzrok.

America oparła ręce na biodrach.

— Wygląda świetnie, Trav, daj jej spokój.

Złapał mnie za rękę i poprowadził korytarzem do swojej sypialni.

— Włóż T-shirt i... najlepiej tenisówki. Coś wygodnego.

— Żartujesz? Czemu?

— Jeśli zostaniesz w tej bluzce, bardziej niż walką będę przejmował się tym, kto gapi się na twoje cycki — odparł, przystając w drzwiach.

— Mówiłeś, że w ogóle cię nie obchodzi, co myślą ludzie.

— To całkiem inna historia, Gołąbku. — Zerknął na mój dekolt, po czym spojrzał mi prosto w oczy. — Nie możesz tak iść na walkę, więc proszę... po prostu... proszę, przebierz się — wyjąkał, po czym zamknął za mną drzwi.

— Travis! — wrzasnęłam. Zrzuciłam buty na obcasach i włożyłam tenisówki. Zdjęłam obcisłą bluzkę, cisnęłam ją w kąt, ubrałam się w pierwszy z brzegu T-shirt, wybiegłam z pokoju i stanęłam przy drzwiach.

— Lepiej? — wydyszałam, ściągając włosy w koński ogon.

— Tak! — odparł z ulgą Travis. — Chodźmy.

Popędziliśmy na parking i wskoczyłam na siodełko motocykla. Travis zapuścił silnik, wyprowadził pojazd z parkingu i pognał szosą do college'u, a ja objęłam go mocno w pasie. Pod wpływem pośpiechu przed wyjściem podniósł mi się poziom adrenaliny.

Travis zaparkował przy krawężniku na tyłach wydziału humanistycznego. Przesunął na czoło okulary przeciwsłoneczne, chwycił mnie za rękę i pociągnął za sobą. Zatrzymał się przy otwartym okienku piwnicznym.

— Żartujesz! — zawołałam, ze zdumienia szeroko otwierając oczy.

Travis tylko się uśmiechnął.

— To wejście dla VIP-ów. Powinnaś zobaczyć, którędy wchodzą zwykli śmiertelnicy.

Kręciłam głową, on tymczasem opuścił nogi i zniknął w otworze. Nachyliłam się i zawołałam w nicość.

— Travis!

— Tutaj, Gołąbku! Najpierw stopy, złapię cię.

— Chyba do reszty cię pogięło, jeśli sądzisz, że skoczę na oślep!

— Złapię cię! Obiecuję! Rusz wreszcie tyłek!

Westchnęłam, dotykając dłonią czoła.

— To czyste szaleństwo!

Usiadłam, po czym raptownie zsunęłam się w dół, przytrzymując się framugi i obciągając palce u stóp. Spodziewałam się wyczuć pod nimi podłogę albo rękę Travisa, gdy nagle ześlizgnęłam się i z piskiem poleciałam do tyłu. Pochwycił mnie i w ciemności usłyszałam jego rozbawiony głos.

— Upadasz jak dziewczyna. — Postawił mnie na ziemi i pociągnął za sobą w gęsty mrok.

Wkrótce usłyszałam znajome wrzaski. Podziemną salę oświetlała stojąca w rogu lampa naftowa, na tyle tylko, że widziałam zarys twarzy Travisa.

— Co teraz? — spytałam.

— Czekamy. Adam musi wstawić swoją gadkę, zanim wejdę.

Zżerała mnie niecierpliwość.

— Mam zaczekać tutaj czy w środku? Dokąd mam pójść, kiedy zacznie się walka? Gdzie Shepley i Mare? — dopytywałam się.

— Weszli z drugiej strony. Na razie trzymaj się mnie. Nie wyślę cię samej do tej jaskini rekinów. Potem stań blisko Adama. On nie pozwoli, żeby stratował cię tłum. Nie mogę jednocześnie cię pilnować i zadawać ciosów.

— Tłum może mnie stratować?

— Dziś będzie więcej ludzi niż ostatnio. Brady Hoffman studiuje na uniwersytecie stanowym. Mają tam swój własny Krąg. Będą ludzie od nich i od nas, więc może się zrobić gorąco.

— Denerwujesz się?

Uśmiechnął się, mierząc mnie wzrokiem.

— Nie. Za to ty wyglądasz na zdenerwowaną.

— Może trochę — przyznałam.

— Jeśli to ci poprawi samopoczucie, nie pozwolę mu się dotknąć. Ku rozczarowaniu jego fanów nie dam się uderzyć ani razu.

— Jak ci się to uda?

Wzruszył ramionami.

— Zwykle pozwalam się uderzyć raz, żeby walka wyglądała na uczciwą.

— Pozwalasz... się uderzyć?

— Co to byłaby za zabawa, gdybym za każdym razem miał kogoś zmasakrować, nie dając mu żadnych szans? Nikt nie stawiałby na moich przeciwników, interes przestałby się kręcić.

— Pieprzysz! — Skrzyżowałam ręce na piersi.

Travis uniósł brwi.

— Myślisz, że cię nabieram?

— Trudno mi uwierzyć, że dostajesz cios tylko wtedy, kiedy na to pozwalasz.

— Chcesz się założyć, Abby Abernathy? — Oczy mu rozbłysły.

Uśmiechnęłam się.

— Dobrze. Idę o zakład, że Hoffman cię uderzy.

— A jeśli nie? Co wygram?

Wzruszyłam ramionami. Wrzawa za ścianą przerodziła się w potężny ryk. Adam powitał tłum i omówił zasady.

Travis wyszczerzył zęby w uśmiechu.

— Jeśli ty wygrasz, przez miesiąc nie będę uprawiał seksu. — Zrobiłam zdziwioną minę. — Ale jeśli ja wygram, będziesz musiała przez miesiąc ze mną mieszkać.

— Co?! Przecież i tak z tobą mieszkam! Co to za zakład? — Próbowałam przekrzyczeć hałas.

— Naprawili dziś bojlery w akademiku. — Travis puścił do mnie oko.

Uśmiech rozjaśnił mi twarz, gdy Adam wymówił jego imię.

— Warto zobaczyć, jak przez miesiąc dla odmiany zachowujesz abstynencję.

Travis pocałował mnie w policzek i wyprostowany ruszył przed siebie. Poszłam za nim, a kiedy znaleźliśmy się w następnej sali, zaskoczyło mnie, ilu ludzi zdołało zmieścić się w tak ciasnym pomieszczeniu. Były tu tylko miejsca stojące. Ludzie cisnęli się i rozpychali; gdy wkroczyliśmy do środka, hałas jeszcze się wzmógł. Travis wskazał mnie ruchem głowy i po chwili Adam złapał mnie za ramię i przyciągnął do siebie.

— Stawiam dwieście dolców na Travisa! — krzyknęłam mu do ucha.

Uniósł brwi na widok dwóch setek, które wyjęłam z kieszeni. Wyciągnął rękę, a ja wcisnęłam mu banknoty.

— Nie jesteś taką cnotką, jak myślałem. — Zmierzył mnie wzrokiem.

Przeciwnik przerastał Travisa co najmniej o głowę. Przełknęłam ślinę, widząc ich stojących na wprost siebie. Brady Hoffman był mocno zbudowany, dwa razy potężniejszy od Travisa i bardzo umięśniony. Nie widziałam twarzy Travisa, ale Hoffman ewidentnie pałał żądzą krwi.

— Lepiej zatkaj sobie uszy, mała — poradził Adam, nachylając się do mnie.

Gdy zasłoniłam uszy rękami, zadął w róg. Travis, zamiast

zaatakować, cofnął się o parę kroków. Brady się zamachnął, a Travis uskoczył w prawo. Kiedy Brady ponownie wziął rozmach, Travis i tym razem uchylił się przed ciosem, robiąc unik w przeciwną stronę.

— Co jest, do cholery? To nie walka bokserska, Travis! — wrzasnął Adam.

Travis uderzył Brady'ego w nos. Piwnica rozbrzmiała ogłuszającym rykiem. Następnie trafił przeciwnika lewym sierpowym w szczękę. Zakryłam dłonią usta, widząc, że Brady próbuje zaatakować, ale jego ciosy trafiały w próżnię. Uderzony łokciem w twarz przewrócił się na swoich kibiców i mogło się zdawać, że walka praktycznie dobiegła końca, gdy nagle wstał i znów się zamachnął. Wymierzał cios za ciosem, za każdym razem chybiając. Obaj spływali potem. Wstrzymałam oddech. Brady ponownie chybił, uderzając ręką w betonowy słup. Kiedy zgiął się wpół i cofnął pięści, Travis natarł na niego z całym impetem.

Był nieustępliwy. Najpierw walnął przeciwnika kolanem w twarz, a później zaczął okładać go pięściami, aż tamten zatoczył się i upadł na ziemię. Sala zahuczała. Adam zakrył pokrwawioną twarz Brady'ego kawałkiem czerwonego materiału.

Travis zniknął w tłumie fanów. Przywarłam plecami do ściany i zaczęłam się przeciskać w stronę wyjścia. Kiedy zbliżyłam się do lampy, odetchnęłam z ulgą. Bałam się, że upadnę i zostanę stratowana.

Skupiłam wzrok na drzwiach, czekając, aż tłum wyleje się do mniejszej sali. Po kilku minutach — wciąż ani śladu Travisa — postanowiłam odszukać drogę do okienka. Zważywszy na to, ilu ludzi chciało wyjść jednocześnie, kręcenie się tu byłoby ryzykowne.

Gdy tylko pogrążyłam się w ciemności, usłyszałam stukot kroków na betonowej posadzce. To Travis wpadł w panikę i mnie szukał.

— Gołąbku!

— Jestem! — zawołałam, padając mu w ramiona.

Przyjrzał mi się i zmarszczył czoło.

— Ale mnie wystraszyłaś! Omal nie rozpętałem kolejnej walki, żeby się do ciebie przedostać... W końcu mi się udało, a ty tymczasem zniknęłaś!

— Dobrze, że mnie znalazłeś. Niezbyt mnie cieszyła perspektywa odnajdowania drogi w ciemności.

Niepokój zniknął z jego twarzy; Travis uśmiechnął się szeroko.

— Zdaje się, że przegrałaś zakład.

Głośno tupiąc, nadszedł Adam. Zerknął na mnie, po czym rzucił swojemu zawodnikowi gniewne spojrzenie.

— Musimy pogadać.

— Nie ruszaj się stąd — nakazał Travis, mrugając do mnie. — Zaraz wracam.

Zniknęli w mroku. Adam parę razy podnosił głos, ale nie usłyszałam, co mówił. Po chwili Travis wrócił, wsunął do kieszeni plik banknotów i uśmiechnął się nieznacznie.

— Będziesz potrzebować więcej ubrań — powiedział.

— Naprawdę każesz mi mieszkać ze sobą przez miesiąc?

— A ty skazałabyś mnie na miesiąc abstynencji seksualnej?

Roześmiałam się, wiedząc, że tak bym postąpiła.

— Musimy po drodze wpaść do akademika — rzuciłam.

— Może być ciekawie — odparł, wyraźnie rozpromieniony.

Adam, przechodząc obok nas, wcisnął mi do ręki wygraną, po czym wmieszał się w topniejący tłum.

Travis uniósł brwi.

— Postawiłaś na mnie?

— Postanowiłam przeżyć to w pełni. — Z uśmiechem wzruszyłam ramionami.

Podprowadził mnie do okna, wspiął się na zewnątrz, po czym pomógł mi się wydostać na świeże wieczorne powietrze. Świerszcze ćwierkały w mroku, lecz umilkły na chwilę, gdy przechodziliśmy obok. Źdźbła traw ozdobnych na obrzeżach chodnika kołysały się lekko, poruszane łagodnym wiatrem. Przypomniałam sobie szum oceanu, na tyle odległy, że nie słychać rozbijających się fal. Było nie za gorąco i nie za zimno. Po prostu piękny wieczór.

— Skąd w ogóle ten pomysł, żebym z tobą zamieszkała? — spytałam.

Travis wzruszył ramionami, chowając ręce do kieszeni.

— Sam nie wiem. Przy tobie wszystko wydaje się lepsze.

Na dźwięk tych słów poczułam miłe ciepło, zaraz jednak otrząsnęłam się na widok jego poplamionej krwią koszuli.

— Cały jesteś we krwi.

Zerknął obojętnie na swoje ubranie i otworzył przede mną drzwi. Beztrosko wyminęłam Karę, która, pochłonięta nauką, siedziała na łóżku w otoczeniu podręczników.

— Naprawili bojlery dziś rano — oznajmiła.

— Podobno — powiedziałam, grzebiąc w szafie.

— Cześć — przywitał ją Travis.

Przyjrzała się jego przepoconej, zakrwawionej koszuli i się skrzywiła.

— Travis, to moja współlokatorka, Kara Lin. Kara, Travis Maddox.

— Miło mi cię poznać. — Kara poprawiła na nosie okulary, po czym popatrzyła na moje wypchane torby. — Wyprowadzasz się?

— Nie. Przegrałam zakład.

Travis wybuchnął śmiechem i podniósł torby z podłogi.

— Gotowa?

— Tak. Jak mamy przewieźć to wszystko do twojego mieszkania? Przyjechaliśmy motocyklem.

Wyjął z kieszeni komórkę i wysłał jakąś wiadomość. Zniósł bagaże na ulicę, a parę minut później podjechał stary czarny dodge charger Shepleya.

America opuściła szybę od strony pasażera i wystawiła głowę.

— Cześć, niunia!

— Sama jesteś niunia. Naprawili bojlery w akademiku. Zostajesz u Shepa czy wracasz?

Puściła do mnie oko.

— Miałam zamiar zostać na noc. Podobno przegrałaś zakład.

Zanim zdążyłam odpowiedzieć, Travis zatrzasnął bagażnik i Shepley szybko odjechał. America z piskiem opadła na fotel.

Podeszliśmy do harleya. Travis zaczekał, aż umoszczę się na siodełku, a kiedy objęłam go w pasie, położył dłoń na mojej.

— Cieszę się, że ze mną byłaś, Gołąbku. W życiu tak się nie bawiłem podczas walki.

Oparłam brodę na jego ramieniu i uśmiechnęłam się.

— To dlatego, że chciałeś wygrać zakład.

— Żebyś wiedziała — odparł, odwracając się do mnie. W jego oczach nie dostrzegłam rozbawienia; minę miał poważną i najwyraźniej zależało mu, żebym to zauważyła.

— To z tego powodu byłeś dzisiaj taki wściekły? Bo wiedziałeś, że naprawili bojlery i wieczorem się wyprowadzę?

Nie odpowiedział. Uśmiechnął się tylko i włączył silnik. Jechaliśmy do mieszkania zdumiewająco powoli. Na czerwonym świetle Travis albo brał mnie za rękę, albo kładł dłoń na moim kolanie. Granice znów się zacierały i zastanawiałam się, jak zdołamy przetrwać ten miesiąc, tak żeby wszystkiego nie zepsuć. Luźne nitki naszej przyjaźni plątały się w sposób nieprzewidywalny.

Gdy zajechaliśmy na parking, dodge charger Shepleya stał tam gdzie zawsze.

— Nie znoszę, kiedy wracają do domu przed nami — powiedziałam, przystając u podnóża schodów. — Wchodząc, zawsze mam wrażenie, że im przeszkodzimy.

— Przywyknij. Będziesz tu mieszkać przez najbliższe cztery tygodnie. — Travis odwrócił się do mnie plecami. — Wskakuj.

— Co?

— No już. Zaniosę cię na górę.

Zachichotałam, wskoczyłam mu na plecy i objęłam go za szyję. W paru susach wbiegł po schodach. America otworzyła nam, zanim dopadliśmy drzwi.

— Patrząc na was, nigdy bym nie pomyślała...

— Przestań, Mare — burknął Shepley z kanapy.

Zasznurowała usta, jakby zdała sobie sprawę, że powiedziała

za dużo, po czym odsunęła się, robiąc nam przejście. Travis opadł na fotel. Zapiszczałam, kiedy przygniótł mnie swoim ciężarem.

— Jakiś ty dzisiaj wesoły, Trav. Co jest? — zagadnęła Mare.

Odwróciłam głowę, żeby na niego spojrzeć. Rzeczywiście, dotąd nie widziałam go tak pogodnego.

— Właśnie wygrałem kupę pieniędzy. Dwa razy tyle, ile się spodziewałem. Czy to nie powód do radości?

Moja przyjaciółka się uśmiechnęła.

— Nie, to nie to. — Zauważyła, jak Travis klepie mnie po udzie.

Miała rację; zachowywał się inaczej niż zwykle. Wydawał się dziwnie odprężony, jakby w jego duszy nagle zagościł spokój.

— Mare — rzucił Shepley ostrzegawczym tonem.

— Dobrze, pomówmy o czymś innym. Abby, czy Parker zaprosił cię na imprezę Sigma Tau w ten weekend?

Travis przestał się uśmiechać. Spojrzał na mnie wyczekująco.

— No... tak. Przecież wszyscy tam będziemy.

— Ja na pewno — mruknął Shepley, nie odrywając wzroku od telewizora.

— To znaczy, że ja też. — America zerknęła na Travisa.

On przyglądał mi się przez chwilę, po czym trącił mnie w nogę.

— Podrywa cię czy co?

— Nie, tylko powiedział mi o imprezie.

America figlarnie strzeliła oczami, niecierpliwie wyczekując jego reakcji.

— Ale spodziewał się, że przyjdziesz, prawda? — zwróciła się do mnie. — Jest uroczy.

Travis posłał jej spojrzenie pełne irytacji, po czym popa[illegible] na mnie.

— Wybierasz się?

— Obiecałam, że przyjdę. — Wzruszyłam ramionami. — A ty?

— Jasne — odparł bez wahania.

— Tydzień temu mówiłeś co innego — wtrącił się Shepley.

— Zmieniłem zdanie, Shep. Masz z tym problem?

— Skąd.

Naburmuszony Shepley poszedł do swojej sypialni.

— Naprawdę nie wiesz, o co chodzi? — America spojrzała na Travisa z marsową miną. — Przestań go wreszcie wkurzać i skończ z tym cyrkiem — powiedziała i dołączyła do swojego chłopaka.

Zza zamkniętych drzwi dobiegały przytłumione odgłosy ich rozmowy.

— No cóż, dobrze, że wszyscy już wiedzą — odezwałam się.

Travis wstał.

— Wezmę prysznic.

— Pokłócili się? — spytałam.

— Nie, po prostu Shep reaguje paranoicznie.

— Na nas — domyśliłam się.

Oczy mu rozbłysły i pokiwał głową.

— Co? — spytałam, przyglądając mu się podejrzliwie.

— Masz rację. Chodzi o nas. Tylko nie zaśnij, dobrze? Chciałbym o czymś z tobą porozmawiać.

Cofnął się o kilka kroków, po czym zniknął za drzwiami łazienki. Nawinęłam na palec kosmyk włosów, rozmyślając tym, w jaki sposób zaakcentował słowo „nas" i jak ważnie je wymówił. Zastanawiałam się, czy od początku istniały jakiekolwiek granice i czy jako jedyna nadal uważam, że łączy nas tylko przyjaźń.

Shepley wypadł z pokoju jak burza, a za nim wybiegła America.

— Shep, nie! — zawołała błagalnym tonem.

Spojrzał na drzwi łazienki, na mnie, po czym odezwał się cichym, lecz zagniewanym głosem:

— Obiecałaś, Abby. Kiedy prosiłem, żebyś go nie osądzała, nie chodziło mi o to, żebyście się ze sobą wiązali. Myślałem, że jesteście tylko przyjaciółmi!

— Jesteśmy — powiedziałam, zaszokowana tą nagłą napaścią.

— Nieprawda! — rzucił wściekle.

America położyła mu dłoń na ramieniu.

— Kochanie, mówiłam ci, wszystko będzie dobrze.

— Po co to ciągniesz, Mare? — spytał, odsuwając się od swojej dziewczyny. — Wiesz, co się stanie!

Ujęła w obie dłonie jego twarz.

— Nic się nie stanie — próbowała go uspokoić. — Nie ufasz mi?

Westchnął, przyjrzał się nam obu i głośno tupiąc, wrócił do sypialni.

America opadła na fotel obok mnie, wypuszczając z płuc powietrze.

— Nie mogę wbić mu do głowy, że bez względu na to, jak ułożą się sprawy między tobą a Travisem, nasz związek na tym nie ucierpi. Ale sparzył się już tyle razy, że mi nie wierzy.

— O czym ty mówisz, Mare? Travis i ja nie jesteśmy razem. Przyjaźnimy się. Pamiętasz, jak mówił, że nie chce się ze mną umawiać...

— Słyszałaś?

— Owszem.

— I wierzysz w to?

Wzruszyłam ramionami.

— Wszystko jedno. Między nami nic się nigdy nie wydarzy. Travis nie postrzega mnie w ten sposób, sam mi to powiedział. On nie chce się angażować, ma fobię na punkcie związków. Oprócz ciebie chyba nie ma dziewczyny, z którą nie spał, a ja nie nadążam za jego zmiennymi nastrojami. Nie do wiary, że Shep myśli inaczej.

— Wiesz dlaczego? Bo on nie tylko dobrze zna Travisa. On z nim rozmawiał, Abby.

— Co chcesz przez to powiedzieć?

— Mare?! — zawołał Shepley z sypialni.

America westchnęła.

— Jesteś moją najlepszą przyjaciółką. Czasem myślę, że znam cię lepiej niż ty sama. Kiedy patrzę na ciebie i Travisa, dochodzę do wniosku, że jedyna różnica między wami a mną i Shepleyem polega na tym, że my ze sobą sypiamy. Poza tym...? Żadnej.

— Jest ogromna różnica, Mare. Czy Shepley przyprowadza do domu codziennie inną panienkę? Czy jutro na imprezie będziesz bawić się z facetem, który nie chce się z tobą umawiać? Wiesz, że nie mogę się związać z Travisem. Nie rozumiem, czemu w ogóle o tym rozmawiamy.

Na twarzy Mare odmalowało się rozczarowanie.

— Myślisz, że mam przywidzenia? Od miesiąca spędzasz z nim praktycznie każdą chwilę. Przyznaj, coś do niego czujesz.

— Odpuść sobie, Mare — odezwał się Travis, ciaśniej owijając ręcznik wokół bioder.

Obie podskoczyłyśmy na dźwięk jego głosu, a kiedy napotkałam wzrok Travisa, zobaczyłam, że cała radość prysła. Odszedł bez słowa do swojej sypialni. America spojrzała na mnie smutno.

— Moim zdaniem popełniasz błąd — wyszeptała. — Nie musisz iść na tę imprezę, żeby kogoś poznać, bo masz pod nosem faceta, który za tobą szaleje — dodała, po czym zostawiła mnie samą.

Kołysałam się w fotelu, rozpamiętując wydarzenia minionego tygodnia. Shepley był na mnie wściekły, America czuła się zawiedziona, a Travis... Najpierw wydawał się tak szczęśliwy jak nigdy wcześniej, a zaraz potem tak urażony, że odjęło mu mowę. Zbyt przygnębiona, żeby położyć się obok niego, patrzyłam, jak zegar odmierza czas minuta po minucie.

Po godzinie Travis wyszedł z pokoju. Spodziewałam się, że poprosi, bym przyszła do łóżka, tymczasem był ubrany i trzymał w ręku kluczyki do motocykla. Jego oczy skrywały się za ciemnymi okularami, a zanim pociągnął za klamkę, włożył do ust papierosa.

— Wychodzisz? — spytałam, podnosząc się z fotela. — Dokąd?

— Nieważne — burknął. Gwałtownym ruchem otworzył drzwi i je za sobą zatrzasnął.

Opadłam z powrotem na fotel, wzdychając głęboko. Nagle

to ja grałam rolę czarnego charakteru i nie miałam pojęcia, jak do tego doszło.

Zegar nad telewizorem wskazał drugą; w końcu postanowiłam się położyć. Bez Travisa łóżko wydawało się dziwnie puste i nie mogłam pozbyć się myśli, żeby zadzwonić do niego na komórkę. Już prawie zasypiałam, gdy dobiegł mnie warkot motocykla wjeżdżającego na parking. Wkrótce potem trzasnęły drzwi i na schodach rozległ się odgłos kroków. Travis chwilę szarpał się z zamkiem, po czym wszedł do mieszkania. Usłyszałam jego śmiech i mamrotanie, a po chwili chichot nie jednej, lecz dwóch kobiet, przerywany cmoknięciami i jękami. Serce we mnie zamarło i od razu zezłościłam się na siebie. Słysząc pisk jednej z dziewcząt, zacisnęłam powieki. Zaraz potem usłyszałam, jak wszyscy troje osuwają się na kanapę.

Zastanawiałam się, czy nie poprosić Mare o kluczyki do samochodu, ale drzwi do pokoju Shepleya znajdowały się dokładnie na wprost kanapy, a nie zniosłabym widoku, który z pewnością towarzyszył odgłosom dochodzącym z salonu. Zakryłam głowę poduszką i zamknęłam oczy. Travis wszedł do sypialni, otworzył górną szufladę stolika nocnego, przetrząsnął szklany pojemnik z kondomami, zamknął szufladę i wybiegł do przedpokoju. Dziewczyny chichotały jeszcze przez dobre pół godziny, aż wreszcie zrobiło się cicho.

Nagle mieszkanie rozbrzmiało jękami, zawodzeniem i głośnymi okrzykami. Zupełnie jakby w salonie kręcono film pornograficzny. Zasłoniłam twarz rękami i pokręciłam głową. Bez względu na to, jakie granice zatarły się lub zniknęły w ciągu zeszłego tygodnia, w ich miejsce wyrósł kamienny ıur nie do przebicia. Otrząsnęłam się ze swoich śmiesznych emocji i spróbowałam się odprężyć. Travis to Travis, bez wątpienia łączyła nas przyjaźń — i tylko przyjaźń.

Po godzinie krzyki i inne budzące obrzydzenie dźwięki ustały. Zastąpiły je marudzenie i pełne pretensji gderanie bezceremonialnie odprawionych dziewczyn. Travis wziął prysznic i padł na łóżko, odwrócony do mnie plecami. Musiał wypić morze whisky, bo nawet po kąpieli strasznie śmierdział alkoholem. Byłam na niego wściekła, że w takim stanie wsiadł na motocykl.

Kiedy przeszły mi złość i zakłopotanie, nadal nie mogłam zasnąć. Za to on oddychał równo i głęboko. Usiadłam, żeby spojrzeć na zegarek; słońce miało wzejść za niespełna godzinę. Zrzuciłam z siebie kołdrę, wyszłam do przedpokoju i wyjęłam ze schowka koc. Po orgietce we troje zostały tylko dwa opakowania po prezerwatywach. Przestąpiłam je ostrożnie i zwinęłam się w fotelu.

Zamknęłam oczy. Kiedy znów je otworzyłam, zobaczyłam Mare i Shepleya, którzy cichutko siedzieli na kanapie, oglądając telewizję bez głosu. Salon kąpał się w promieniach słońca, a ja byłam cała obolała.

— Abby? — America podbiegła do mnie zatroskana. Przyjrzała mi się nieufnie, spodziewając się gniewu, łez lub wybuchu innych emocji.

Shepley miał wygląd nieszczęśnika.

— Przepraszam cię, Abby. To wszystko moja wina — powiedział.

Uśmiechnęłam się do niego.

— Daj spokój, Shep. Nic się nie stało.

Wymienili spojrzenia, po czym America wzięła mnie za rękę.

— Travis poszedł po zakupy. Jest... Och, nieważne. Sp-kowałam twoje rzeczy. Odwiozę cię do akademika, zanim wróci, żebyś nie musiała się z nim widzieć.

Dopiero teraz zachciało mi się płakać. Zostałam na lodzie. Postarałam się uspokoić, zanim zapytałam:

— Zdążę wziąć prysznic?

Moja przyjaciółka pokręciła głową.

— Lepiej już chodźmy, Abby. Nie musisz go więcej oglądać. Nie zasługuje, żeby...

W tej samej chwili drzwi się otworzyły i do mieszkania wkroczył Travis, obładowany zakupami. Poszedł prosto do kuchni i zaczął wściekle upychać w szafkach puszki i pudełka.

— Dajcie mi znać, kiedy Gołąbek się obudzi, dobrze? Mam spaghetti, naleśniki, truskawki i tę cholerną owsiankę z kawałkami czekolady... Lubi to, prawda, Mare?

Odwrócił się i zamarł na mój widok. Po chwili niezręcznego milczenia rozpromienił się.

— Hej, Gołąbku — powitał mnie słodkim głosem.

Równie dobrze mogłabym obudzić się niespodziewanie w obcym kraju. To nie miało sensu. Wcześniej myślałam, że zostałam wyeksmitowana, a tu nagle Travis zjawia się z torbami pełnymi moich ulubionych smakołyków.

Wszedł do salonu, nerwowo chowając ręce w kieszeniach.

— Jesteś głodna? Zrobię ci naleśniki. Albo... Ach tak, jest też owsianka. I kupiłem ci jeszcze tę kretyńską różową piankę do golenia, suszarkę do włosów i... czekaj, jeszcze to... — Popędził do sypialni.

Kiedy wrócił, był blady jak papier. Odetchnął głęboko i ściągnął brwi.

— Spakowałaś swoje rzeczy.

— Tak.

— Wyprowadzasz się. — Wydawał się autentycznie przygnębiony.

Zerknęłam na Mare, która spiorunowała Travisa wzrokiem, jakby chciała go zabić.

— Naprawdę sądziłeś, że zostanie?

— Kochanie — szepnął Shepley.

— Nie zaczynaj ze mną, Shep, do cholery! Ośmielasz się go bronić?! — America zawrzała z wściekłości.

Travis wyglądał na zrozpaczonego.

— Tak mi przykro, Gołąbku. Nie wiem, co powiedzieć.

— Chodźmy, Abby. — America wstała i pociągnęła mnie za rękę.

Travis postąpił o krok do przodu, ale ona wycelowała w niego palcem.

— Bóg mi świadkiem, Travis! Jeśli spróbujesz ją zatrzymać, obleję cię benzyną i podpalę!

— America! — wtrącił się Shepley, równie zdesperowany, rozdarty między kuzynem a dziewczyną, którą kochał.

Autentycznie mu współczułam. Właśnie takiej sytuacji przez cały czas próbował uniknąć.

— Nic mi nie jest — powiedziałam. Miałam już dość tego napięcia.

— Jak to? — spytał Shepley z nadzieją w głosie.

Przewróciłam oczami.

— W nocy Travis przyprowadził z baru dwie panienki. Co z tego?

America zrobiła zatroskaną minę.

— Abby? W ogóle cię to nie obeszło?

Spojrzałam im obojgu prosto w oczy.

— Travis może przyprowadzać, kogo chce. To jego mieszkanie.

Przyjaciółka przyglądała mi się uważnie, jakbym straciła rozum. Shepley prawie się uśmiechał, a Travis wyglądał jeszcze gorzej niż wcześniej.

— Jednak się nie spakowałaś? — spytał.

Pokręciłam głową i spojrzałam na zegar. Minęła druga po południu.

— Teraz muszę się rozpakować. Coś zjeść, wziąć prysznic, ubrać się...

Weszłam do łazienki. Kiedy zamknęły się za mną drzwi, oparłam się o nie i osunęłam na podłogę. Z pewnością wkurzyłam Mare, ale przecież złożyłam obietnicę Shepowi i chciałam dotrzymać słowa.

Ktoś cicho zapukał do drzwi.

— Gołąbku?

— Tak? — Postarałam się, żeby mój głos brzmiał normalnie.

— Zostajesz?

— Mogę sobie pójść, jeśli chcesz, ale zakład to zakład.

Travis lekko uderzył czołem w drzwi.

— Nie chcę, żebyś sobie poszła, ale nie miałbym ci za złe, gdybyś podjęła taką decyzję.

— To znaczy, że zwalniasz mnie z zakładu?

Zapadło dłuższe milczenie.

— Jeśli powiem, że tak, wyprowadzisz się?

— No pewnie, głuptasie. Nie mieszkam tu przecież — odparłam, siląc się na śmiech.

— Wobec tego zakład nadal obowiązuje.

Spojrzałam w górę i pokręciłam głową, czując, że zbiera mi się na płacz. Nie miałam pojęcia, dlaczego płaczę, ale nie zdołałam się powstrzymać.

— Mogę teraz wziąć prysznic?

— Jasne... — Westchnął.

Usłyszałam kroki, a potem głos Mare.

— Samolubny gnojek z ciebie. — Po chwili zatrzasnęła za sobą drzwi do pokoju Shepleya.

Wstałam z podłogi, odkręciłam prysznic, rozebrałam się i szczelnie zasłoniłam kabinę. Wtedy znów rozległo się pukanie. Travis odchrząknął.

— Gołąbku? Przyniosłem twoje rzeczy.

— Zostaw na umywalce.

Wszedł do łazienki i zamknął drzwi.

— Byłem wściekły. Usłyszałem, jak mówisz do Mare, co jest ze mną nie tak, i się wkurzyłem. Chciałem tylko wyjść, wypić parę drinków i poukładać sobie to wszystko, ale zanim się spostrzegłem, byłem pijany w trupa, a te dziewczyny... — Urwał. — Obudziłem się rano, zobaczyłem, że nie ma cię w łóżku, a kiedy zastałem cię na fotelu i znalazłem te puste opakowania na podłodze, zrobiło mi się niedobrze.

— Nie musiałeś wydawać fortuny w sklepie spożywczym, żeby mnie przekupić. Wystarczyło poprosić, żebym została.

— Nie zależy mi na pieniądzach, Gołąbku. Bałem się, że odejdziesz i nie odezwiesz się do mnie nigdy więcej.

Kiedy tak się tłumaczył, poczułam zażenowanie. Wcześniej nie pomyślałam, jak bardzo mogę go zranić, jeśli usłyszy, że nie jest odpowiednim dla mnie facetem, a teraz sytuacja zbyt się zagmatwała, żeby dało się ją uratować.

— Nie chciałam zranić twoich uczuć — powiedziałam.

— Wiem. I wiem też, że nie ma znaczenia, co teraz powiem, bo wszystko spieprzyłem... Jak zawsze.

— Trav?

— Tak?

— Nie prowadź więcej po pijanemu, dobrze?

Minęła dobra minuta, zanim wziął głęboki oddech i odpowiedział:

— Dobrze.

Potem wyszedł i zamknął za sobą drzwi.

Rozdział piąty

Parker Hayes

— Proszę! — zawołałam, słysząc pukanie.

Travis stanął w drzwiach oniemiały.

— No, no.

Uśmiechnęłam się. Sukienka, którą miałam na sobie — obcisła góra bez ramiączek i krótki dół — rzeczywiście mogła się wydawać bardziej śmiała niż to, co nosiłam dotąd. Spód w cielistym kolorze, a na wierzchu cienki prześwitujący czarny materiał. Na imprezie miał się zjawić Parker i chciałam zrobić wszystko, żeby zwrócił na mnie uwagę.

— Wyglądasz zjawiskowo — powiedział Travis, kiedy włożyłam szpilki.

Przyjrzałam się z aprobatą jego eleganckiej białej koszuli i dżinsom.

— Ty też dobrze wyglądasz.

Rękawy podwinął do łokcia, odsłaniając misterne tatuaże na przedramionach. Gdy wsunął ręce do kieszeni, zauważyłam na nadgarstku jego ulubioną czarną opaskę ze skóry.

America i Shepley czekali na nas w salonie.

— Parker chyba się posika na twój widok. — America zachichotała, kiedy szliśmy do samochodu.

Travis otworzył drzwi i usiedliśmy oboje na tylnym siedzeniu dodge'a chargera jak tyle razy przedtem, tym razem jednak poczułam się niezręcznie.

Wzdłuż ulicy stały rzędy samochodów, niektóre parkowały nawet na trawniku. Budynek już pękał w szwach, a z okolicznych akademików wciąż napływały tłumy. Shepley zaparkował na trawie z tyłu gmachu. Wszyscy czworo weszliśmy do środka.

Travis wręczył mi czerwony plastikowy kubek z piwem i nachylił się do mnie.

— Pij tylko to, co przyniosę ci ja albo Shep — wyszeptał mi do ucha. — Nie chcę, żeby ktoś nasypał ci czegoś do drinka.

— Nie wygłupiaj się, Travis. Nikt niczego mi nie dosypie.

— Po prostu uważaj, dobrze? Nie jesteś w Kansas, Gołąbku.

— Bardzo śmieszne — rzuciłam sarkastycznie.

Minęła godzina, a Parker dotąd się nie zjawił. America i Shepley tańczyli w takt wolnej muzyki. Travis pociągnął mnie za rękę.

— Zatańczysz?

— Nie, dzięki — powiedziałam.

Posmutniał, więc dotknęłam jego ramienia.

— Jestem po prostu zmęczona, Trav.

Kiedy położył rękę na mojej dłoni i zaczął coś mówić, tuż za nim dostrzegłam Parkera. Travis się odwrócił.

— Hej, Abby! Dotarłaś! — Parker rozpływał się w uśmiechu.

Wyswobodziłam dłoń.

— Tak, przyszliśmy jakąś godzinę temu — odparłam.

— Wyglądasz przepięknie! — zawołał Parker, przekrzykując hałas.

— Dzięki!

Zerknęłam na Travisa. Zacisnął usta, a na jego czole pojawiła się zmarszczka.

Parker ruchem głowy wskazał parkiet.

— Masz ochotę zatańczyć?

— Nie bardzo. Jestem trochę zmęczona.

Spojrzał na Travisa.

— Nie sądziłem, że przyjdziesz.

— Zmieniłem zdanie — burknął Travis, zły, że musi się tłumaczyć.

— Właśnie widzę. — Parker znów zwrócił się do mnie: — Może wyjdziemy na powietrze?

Gdy skinęłam głową, wziął mnie za rękę i ruszyliśmy po schodach na górę. Na piętrze otworzył drzwi na balkon.

— Nie jest ci zimno? — spytał.

— Trochę. — Zdjął marynarkę i okrył mi ramiona. — Dzięki.

— Jesteś z Travisem?

— Przyjechaliśmy razem.

Parker uśmiechnął się szeroko i spojrzał w dół na trawnik. Dziewczyny zbiły się w grupkę, żeby było im cieplej. Naokoło walały się ozdoby z krepiny, puszki po piwie i puste butelki po mocniejszych alkoholach. Członkowie bractwa stłoczyli się wokół swojego arcydzieła — piramidy z beczek udekorowanej białymi lampkami.

Parker pokręcił głową.

— Rano to miejsce zamieni się w pobojowisko. Ekipa sprzątająca będzie miała pełne ręce roboty.

— Macie ekipę sprzątającą?

— Owszem. To studenci pierwszego roku.

— Biedny Shep.

— Shep nie sprząta. Upiekło mu się, ponieważ jest kuzynem Travisa i nie mieszka w akademiku.

— A ty? Mieszkasz w akademiku?

Parker przytaknął.

— Od dwóch lat. Ale chcę znaleźć sobie mieszkanie. Potrzebuję spokojnego miejsca do nauki.

— Niech zgadnę... Zarządzanie?

— Biologia. Jako kierunek dodatkowy anatomia. Za rok zdaję wstępny egzamin testowy na uczelnie medyczne. Będę studiować medycynę na Harvardzie.

— Skąd wiesz, że cię przyjmą?

— Ojciec skończył Harvard. Oczywiście pewności nie mam, ale tato jest hojnym darczyńcą, jeśli rozumiesz, o co mi chodzi. Poza tym mam średnią cztery, dostałem dwa tysiące dwieście punktów z SAT* i trzydzieści sześć z ACT**. Więc w sumie mam już Harvard w kieszeni.

— Twój tata jest lekarzem?

Z dobrodusznym uśmiechem pokiwał głową.

— Chirurgiem ortopedą.

— To robi wrażenie.

---

* SAT (ang. Scholastic Assessment Test) — egzamin, którego wyniki decydują o przyjęciu na studia.

** ACT (ang. American College Testing) — egzamin wstępny na wyższą uczelnię.

— A ty?

— Jeszcze nie zdecydowałam.

— Typowa odpowiedź studentki pierwszego roku.

Westchnęłam dla wywołania dramatycznego efektu.

— Zdaje się, że właśnie pogrzebałam swoje szanse na bycie kimś wyjątkowym...

— O to nie musisz się martwić. Zwróciłem na ciebie uwagę już pierwszego dnia zajęć. Matematyka rozszerzona? Jakim cudem zakwalifikowałaś się już na pierwszym roku?

Uśmiechnęłam się, nawijając na palec kosmyk włosów.

— Matematyka jakoś nigdy nie sprawiała mi problemów. Zaliczyłam dodatkowe kursy jeszcze w szkole średniej i ukończyłam dwa semestry na uniwersytecie stanowym w Wichita.

— To robi wrażenie.

Staliśmy na balkonie przeszło godzinę, poruszając najrozmaitsze tematy. Rozmawialiśmy o miejscowych knajpkach i o tym, jak zaprzyjaźniłam się z Travisem.

— Pewnie wiesz, że wszyscy o was mówią.

— Super — mruknęłam.

— Bo to dla niego nietypowe. Nie przyjaźni się z dziewczynami. Częściej robi sobie z nich wrogów.

— Och, sama nie wiem. Spotkałam mnóstwo takich, które albo mają krótką pamięć, albo po prostu mu wybaczają.

Parker się roześmiał. Białe zęby zajaśniały na tle złotej opalenizny.

— Chodzi o to, że nikt nie rozumie, na czym polega wasz związek. Musisz przyznać, że to wygląda nieco dwuznacznie.

— Pytasz, czy ze sobą sypiamy?

Uśmiechnął się.

— Gdyby tak było, nie przyszłabyś tu z nim. Poznaliśmy się, kiedy miałem czternaście lat. Dobrze wiem, jaki tryb życia prowadzi. Intryguje mnie ta wasza przyjaźń.

— No właśnie, przyjaźń. — Wzruszyłam ramionami. — Chodzimy razem tu i tam, razem się uczymy, jemy, oglądamy telewizję, kłócimy się. Nic poza tym.

Parker roześmiał się głośno, kręcąc głową z niedowierzaniem.

— Podobno jako jedyna potrafisz przywołać go do porządku. To zaszczytne wyróżnienie.

— Cokolwiek to znaczy. Travis wcale nie jest taki zły.

Niebo zabarwiło się na fioletowo i różowo, słońce wynurzyło się zza horyzontu. Parker zerknął na zegarek. Tłum na trawniku powoli topniał.

— Impreza chyba dobiega końca.

— Lepiej poszukam Shepleya i Mare.

— Zgodziłabyś się, żebym odwiózł cię do domu? — spytał.

Postarałam się opanować podniecenie.

— Jasne. Powiem Mare. — Weszłam do środka, po czym odwróciłam się z zażenowaniem. — Wiesz, gdzie mieszka Travis?

Parker uniósł brwi.

— Tak. Czemu pytasz?

— Mieszkam teraz u niego — odparłam, ciekawa jego reakcji.

— Żartujesz?

— Przegrałam pewien zakład i muszę tam mieszkać przez miesiąc.

— Miesiąc?

— To długa historia — ucięłam, z zakłopotaniem wzruszając ramionami.

— Ale jesteście tylko przyjaciółmi?

— Tak.

— Wobec tego zawiozę cię do niego. — Uśmiechnął się.

Gdy zbiegłam po schodach, dostrzegłam Mare i posępnego Travisa, który najwyraźniej miał dość zagadującej go pijanej dziewczyny. Poszedł za mną do głównej sali. Pociągnęłam Mare za rękaw sukienki.

— Bawcie się dalej beze mnie. Parker zaproponował, że odwiezie mnie do domu.

— Co takiego? — spytała America, podekscytowana.

— Co takiego? — powtórzył Travis, wściekły.

— W czym problem? — Moja przyjaciółka posłała mu wyzywające spojrzenie.

Travis spiorunował ją wzrokiem, po czym pociągnął mnie w kąt. Szczęka mu drgała.

— Nawet go nie znasz.

— To nie twoja sprawa, Travis — rzuciłam, wyswobodzając rękę.

— Akurat. Nie pozwolę, żeby odwoził cię do domu zupełnie obcy człowiek. A jeśli zacznie się do ciebie dobierać?

— Oby! Jest fajny!

Zrobił zaskoczoną minę, lecz po chwili gniew wykrzywił mu twarz. Czekałam, co powie.

— Parker Hayes, Gołąbku? Naprawdę? Parker Hayes — powtórzył z pogardą. — Co to w ogóle za imię?

Skrzyżowałam ręce na piersi.

— Przestań, Trav. Zachowujesz się jak kretyn.

Nachylił się do mnie, wyraźnie wytrącony z równowagi.

— Zabiję go, jeśli cię dotknie.

— Podoba mi się — powiedziałam, akcentując każde słowo.

Moje wyznanie chyba go zaszokowało. Przybrał surowy wyraz twarzy.

— Świetnie. Ale jeśli zechce cię przelecieć na tylnym siedzeniu swojego samochodu, nie przybiegaj do mnie z płaczem.

Urażona i wściekła, otworzyłam usta.

— Bez obaw! — zawołałam, odpychając go.

Ujął moją dłoń, westchnął i spojrzał na mnie badawczo.

— Wybacz, Gołąbku, nie chciałem. Jeżeli cię skrzywdzi czy choćby sprawi, że poczujesz się skrępowana, daj mi znać.

Złość mi przeszła; opuściłam ręce.

— Wiem, że nie chciałeś. Ale musisz powściągnąć te nadopiekuńcze zapędy starszego brata.

Travis się zaśmiał.

— Nie odgrywam starszego brata, Gołąbku. Nic bardziej mylnego.

Podszedł do nas Parker. Wsunął ręce do kieszeni i podał mi ramię.

— Gotowa?

Travis zacisnął szczęki. Zasłoniłam sobą Parkera, tak żeby się nawzajem nie widzieli.

— Chodźmy.

Wzięłam go pod ramię, a po kilku krokach odwróciłam się, żeby pożegnać Travisa, który patrzył na Parkera spode łba. Kiedy spojrzał na mnie, mina mu złagodniała.

— Przestań — syknęłam przez zęby.

Gdy ruszyliśmy z Parkerem do jego samochodu, na zewnątrz kręcili się jeszcze nieliczni goście.

— Mój to ten srebrny. — Reflektory zamrugały, gdy nacisnął guzik pilota. Otworzył drzwi od strony pasażera.

— Jeździsz porsche? — Roześmiałam się.

— Nie byle jakim porsche. Model dziewięćset jedenaście GT trzy. To duża różnica.

— Niech zgadnę. Miłość twojego życia? — Przypomniałam sobie, co Travis mówił o swoim motocyklu.

— Nie, to tylko samochód. Miłością mojego życia będzie kobieta, która przyjmie moje nazwisko.

Pozwoliłam sobie na lekki uśmiech, próbując ukryć emocje, jakie wzbudziło we mnie to oświadczenie. Parker pomógł mi wsiąść, a kiedy zajął miejsce za kierownicą, oparł się w fotelu i spojrzał na mnie.

— Co robisz dziś wieczorem?

— Wieczorem? — zdziwiłam się.

— Jest rano. Chcę cię zaprosić na kolację, zanim ktoś mnie ubiegnie.

Rozpromieniłam się.

— Nie mam żadnych planów.

— Wobec tego przyjadę po ciebie o szóstej.

— W porządku.

Ukradkiem ujął moją dłoń.

Pojechaliśmy wprost do mieszkania Travisa. Parker ani razu nie przekroczył dozwolonej prędkości i przez cały czas trzymał mnie za rękę. Zaparkował tuż za harleyem i, tak jak wcześniej, otworzył mi drzwi. Na półpiętrze pocałował mnie w policzek.

— Odpocznij. Zobaczymy się wieczorem — szepnął mi do ucha.

— Pa — powiedziałam, przekręcając gałkę.

Drzwi otworzyły się raptownie i poleciałam do przodu. Zanim upadłam, Travis chwycił mnie za ramię.

— Ostrożnie, moja Gracjo.

Odwróciłam się. Parker gapił się na nas z niepewną miną. Pochylił się, zaglądając do mieszkania.

— Są tu jakieś upokorzone, pozostawione na pastwę losu dziewczyny, które mógłbym odwieźć do domu?

Travis rzucił mu gniewne spojrzenie.

— Nie zaczynaj ze mną.

Parker uśmiechnął się i mrugnął do mnie.

— Zawsze go wkurzam. Ostatnio rzadziej, odkąd stwierdził, że lepiej, jak przyjeżdżają własnym samochodem.

— To z pewnością upraszcza sprawę — powiedziałam przekornie.

— Bardzo śmieszne, Gołąbku.

— Gołąbku? — zdziwił się Parker.

— To takie... przezwisko. Nawet nie wiem, skąd mu przyszło do głowy. — Po raz pierwszy poczułam się skrępowana przydomkiem, który nadał mi Travis tego wieczoru, gdy się poznaliśmy.

— Daj mi znać, kiedy się dowiesz. To może być ciekawa historia. Dobranoc, Abby.

— Chyba raczej „dobrego dnia”?! — zawołałam za nim, kiedy zbiegał po schodach.

— To też! — odkrzyknął z uroczym uśmiechem.

Gdy Travis zatrzasnął drzwi, uskoczyłam w ostatniej chwili, unikając uderzenia.

— Co?! — rzuciłam poirytowana.

Pokręcił głową i poszedł do sypialni, a ja za nim. Stanęłam na jednej nodze, żeby zdjąć but.

— Parker jest miły, Trav.

Westchnął i podszedł do mnie.

— Pakujesz się w niezłe kłopoty — powiedział. Jedną ręką objął mnie w talii, a drugą ściągnął mi buty. Schował je do szafy, po czym zdjął koszulę. Najwyraźniej wybierał się spać.

Rozpięłam sukienkę, zsunęłam ją przez biodra i rzuciłam w kąt. Włożyłam podkoszulek i rozpięłam stanik, po czym wyciągnęłam ramiączka przez rękawy. Kiedy upięłam włosy w kok na czubku głowy, zobaczyłam, że Travis mi się przygląda.

— Na pewno nie mam nic, czego nie widziałbyś wcześniej — odezwałam się z drwiną.

Weszłam pod kołdrę, poprawiłam poduszkę i zwinęłam się w kłębek.

Travis rozpiął pasek i zdjął dżinsy. Przez chwilę się nie ruszał. Byłam odwrócona do niego plecami, więc zastanawiałam się, co robi. Łóżko zaskrzypiało, kiedy wreszcie położył się obok mnie i oparł dłoń na moim biodrze. Zesztywniałam.

— Nie poszedłem dziś na walkę — powiedział. — Dzwonił Adam. Odmówiłem mu.

— Czemu? — Odwróciłam się do niego twarzą.

— Chciałem mieć pewność, że bezpiecznie dotarłaś do domu.

— Nie musisz mnie niańczyć.

Przesunął palcem po moim ramieniu, przyprawiając mnie o dreszcze.

— Wiem. Chyba wciąż dręczą mnie wyrzuty sumienia po ostatniej nocy.

— Mówiłam ci. Nie obchodzi mnie to.

Oparł się na łokciu i spojrzał na mnie z powątpiewaniem.

— Dlatego spałaś w fotelu? Bo w ogóle cię to nie obeszło?

— Nie mogłam zasnąć po tym, jak twoje... przyjaciółki sobie poszły.

— Całkiem smacznie spałaś w fotelu. Dlaczego nie mogłaś spać ze mną?

— Obok faceta śmierdzącego jak dwie dziwki, które właśnie odesłał do domu? No nie wiem! Straszna ze mnie egoistka!

Travis się skrzywił.

— Przeprosiłem.

— A ja mam to gdzieś. Dobranoc.

Odwróciłam się do niego plecami i zapanowało milczenie. Travis przejechał dłonią po poduszce i wziął mnie za rękę. Chwilę pieścił delikatną skórę między moimi palcami, a potem dotknął ustami włosów.

— Bałem się, że nigdy więcej się do mnie nie odezwiesz... Ale twoja obojętność jest chyba jeszcze gorsza.

Zamknęłam oczy.

— O co ci chodzi, Travis? Nie chcesz, żebym gniewała się na ciebie za to, co zrobiłeś, i nie chcesz, żeby było mi to obojętne. Mówisz Mare, że nie będziesz się ze mną umawiał, a kiedy ja mówię to samo, wściekasz się, wypadasz z domu jak burza i upijasz się do nieprzytomności. To nie ma sensu.

— Dlatego mówiłaś Mare te wszystkie rzeczy? Bo powiedziałem, że nie będę z tobą chodził?

Zacisnęłam zęby. Travis właśnie zasugerował, że prowadzę z nim jakąś grę. Odpowiedziałam mu najszczerzej, jak potrafiłam.

— Nie. Mówiłam to, co myślę. Nie chciałam cię urazić.

— Powiedziałem tak, bo... — nerwowo podrapał się w głowę — nie chcę wszystkiego zepsuć. Nie wiedziałbym nawet, jak stać się kimś, na kogo zasługujesz. Próbowałem to sobie jakoś ułożyć.

— Cokolwiek to znaczy. Muszę się wyspać. Mam randkę dziś wieczorem.

— Z Parkerem? — W jego głosie zabrzmiała złość.

— Tak. Mogę już spać?

— Jasne.

Wstał z łóżka i wyszedł, trzaskając drzwiami. Fotel w salonie zaskrzypiał pod jego ciężarem, a po chwili usłyszałam przytłumione dźwięki z telewizora. Zacisnęłam powieki i spróbowałam odprężyć się na tyle, żeby przysnąć choć na parę godzin.

Kiedy otworzyłam oczy, zegar wskazywał trzecią po południu. Sięgnęłam po ręcznik i szlafrok i powlokłam się do łazienki. Gdy tylko zasunęłam zasłonę od prysznica, drzwi otworzyły się i zamknęły. Czekałam, aż ktoś się odezwie, ale usłyszałam tylko trzask deski sedesowej.

— Travis?

— Nie, to ja — powiedziała America.

— Musisz siusiać tutaj? Macie swoją łazienkę.

— Shep siedzi tam od pół godziny. Ma sraczkę po piwie. W życiu tam nie wejdę.

— Jak miło.

— Podobno idziesz dziś na randkę. Travis jest wściekły! — Zachichotała.

— O szóstej! America, on jest uroczy! Taki... — Zamilkłam, wzdychając. Zwykle nie rozpływałam się nad nikim; to nie w moim stylu. Ale Parker wydawał się tak doskonały, i to od chwili, gdy się poznaliśmy. Potrzebowałam faceta, który byłby zupełnym przeciwieństwem Travisa.

— Brak ci słów — skonstatowała America.

Wystawiłam głowę spod prysznica.

— W ogóle nie chciało mi się wracać do domu! Mogłabym z nim rozmawiać w nieskończoność!

— Brzmi obiecująco. Ale czy to nie dziwne, że jesteś teraz tutaj?

Dałam nura pod wodę, spłukałam mydliny i dopiero wtedy jej odpowiedziałam.

— Wszystko mu wyjaśniłam.

Spuściła wodę w toalecie i odkręciła kran, przez co z prysznica poleciała zimna woda. Zapiszczałam. Drzwi do łazienki otworzyły się natychmiast.

— Gołąbku?!

Moja przyjaciółka się roześmiała.

— Tylko spuściłam wodę, Trav. Wyluzuj.

— Aha. Wszystko w porządku, Gołąbku?

— Nic mi nie jest. Wyjdź.

Kiedy drzwi się zamknęły, westchnęłam.

— Nie można by założyć zamków?

America milczała.

— Mare?

— Naprawdę szkoda, że wam nie wyszło. Tylko ty mogłabyś... — Westchnęła. — Nieważne. Teraz to już bez znaczenia.

Zakręciłam wodę i owinęłam się ręcznikiem.

— Jesteś taka sama jak on — wytknęłam jej. — To jakaś choroba... Wszyscy zachowujecie się bez sensu. Dopiero co byłaś na niego wściekła.

— Wiem — przyznała.

Włączyłam swoją nową suszarkę i zaczęłam się szykować na wielkie wyjście z Parkerem. Zakręciłam włosy w loki, pomalowałam paznokcie i usta głębokim odcieniem czerwieni. Jak na pierwszą randkę chyba trochę przesadziłam. Zmarszczyłam czoło, widząc swoje odbicie w lustrze. To nie na Parkerze chciałam zrobić wrażenie. Niesłusznie poczułam się obrażona, kiedy Travis zarzucił mi, że prowadzę z nim jakieś gierki.

Gdy znów spojrzałam w lustro, ogarnęło mnie poczucie winy. Travis tak bardzo się starał, a ja zachowywałam się jak uparty bachor. Gdy weszłam do salonu, uśmiechnął się na mój widok. Nie spodziewałam się takiej reakcji.

— Jesteś... piękna.

— Dziękuję — powiedziałam, nieco wytrącona z równowagi. W jego głosie nie usłyszałam irytacji ani zazdrości.

Shepley gwizdnął.

— Dobry wybór, Abby. Faceci uwielbiają czerwony kolor.

— A w tych lokach wyglądasz fantastycznie — dodała America.

Kiedy zadzwonił dzwonek u drzwi, pomachała mi na pożegnanie z przesadną ekscytacją.

— Baw się dobrze.

Otworzyłam drzwi. Parker stał w progu z bukietem kwiatów, w eleganckich spodniach i w krawacie. Zmierzył mnie wzrokiem od stóp do głów.

— W życiu nie widziałem piękniejszej istoty — powiedział zachwycony.

Obejrzałam się na Mare, która w uśmiechu od ucha do ucha odsłaniała wszystkie zęby. Shepley wyglądał jak dumny tata, a Travis nie odrywał wzroku od telewizora.

Parker podał mi ramię i poprowadził do swego lśniącego porsche. Kiedy wsiedliśmy, odetchnął z wyraźną ulgą.

— O co chodzi? — spytałam.

— Muszę przyznać, że trochę się denerwowałem, przyjeżdżając po dziewczynę, w której kocha się Travis Maddox... w dodatku do jego własnego mieszkania. Nie masz pojęcia, ile osób powiedziało mi dziś, że postradałem rozum.

— Travis nie jest we mnie zakochany. Czasem z trudem znosi moje towarzystwo.

— Wobec tego to miłość połączona z nienawiścią? Bo kiedy oznajmiłem moim kolegom z bractwa, że zabieram cię wieczorem na randkę, każdy mówił to samo. Travis zachowuje się ostatnio w sposób tak niezrównoważony... nawet bardziej niż zwykle... że wszyscy doszli do tego samego wniosku.

— Mylą się — obstawałam przy swoim.

Pokręcił głową, jakbym była kompletnie niczego nieświadoma, i położył rękę na mojej dłoni.

— Lepiej już jedźmy. Stolik czeka.

— Gdzie?

— W Biasetti's. Zaryzykowałem... Mam nadzieję, że lubisz włoską kuchnię.

Uniosłam brwi.

— Udało ci się zarezerwować stolik w ostatniej chwili? Tam zawsze przychodzą tłumy.

— No cóż... to nasza restauracja. Przynajmniej w połowie.

— Uwielbiam włoską kuchnię.

Parker jechał z przepisową prędkością, prawidłowo używał kierunkowskazów i zwalniał na żółtym świetle. Kiedy się odzywał, praktycznie nie odrywał wzroku od jezdni. Gdy wjeżdżaliśmy na parking, zaczęłam się śmiać.

— Co? — spytał.

— Po prostu... prowadzisz bardzo ostrożnie. To dobrze.

— Inaczej niż Travis swój motocykl? — Uśmiechnął się.

Powinno mnie to rozbawić, ale właściwie ta różnica wcale nie przypadła mi do gustu.

— Nie mówmy dziś o nim, dobrze?

— Słusznie — odparł, wysiadając, żeby otworzyć mi drzwi.

Od razu posadzono nas przy stoliku obok dużego okna wykuszowego. Wprawdzie miałam na sobie elegancką sukienkę, ale w porównaniu z innymi kobietami w restauracji — ubranymi w suknie koktajlowe, ociekającymi brylantami — wyglądałam ubogo. Nigdy dotąd nie byłam w tak eleganckim lokalu.

Gdy złożyliśmy zamówienie, Parker zamknął kartę dań i uśmiechnął się do kelnera.

— Poprosimy butelkę allegrini amarone.

— Oczywiście, proszę pana. — Kelner skinął głową i zabrał karty.

— Niesamowite miejsce — wyszeptałam, pochylając się nad stołem.

Spojrzał na mnie miękko zielonymi oczami.

— Dziękuję. Powtórzę ojcu.

Do naszego stolika podeszła kobieta. Miała jasne włosy z pasmami siwizny, upięte w ciasny kok na karku. Odwróciłam wzrok od mieniących się klejnotów, które zdobiły jej szyję i uszy, chociaż z pewnością miały zwracać uwagę. Przyjrzała mi się badawczo, mrużąc błękitne oczy, po czym zwróciła się do Parkera:

— Przedstawisz mi swoją towarzyszkę?

— Mamo, to Abby Abernathy. Abby, moja matka, Vivienne Hayes.

Uścisnęła moją wyciągniętą dłoń. Na jej twarzy o ostrych rysach pojawił się wystudiowany wyraz ciekawości. Zerknęła na syna.

— Abernathy?

Przełknęłam ślinę w obawie, że skojarzyła moje nazwisko. Parker wyraźnie się zniecierpliwił.

— Przyjechała z Wichita, mamo. Nie znasz jej rodziców. Studiuje na Eastern.

— Ach tak. — Vivienne znów przyjrzała mi się z zainteresowaniem. — Parker w przyszłym roku wyjeżdża na studia na Harvardzie.

— Słyszałam. To wspaniale. Na pewno są państwo z niego bardzo dumni.

Jej mina nieco złagodniała, a kąciki ust ułożyły się w uśmiech pełen samozadowolenia.

— Owszem. Dziękuję.

Zdumiewające, ale w jej ustach uprzejme słowa brzmiały jak zniewaga. Nie nauczyła się tego z dnia na dzień. Pani Hayes zapewne od lat udowadniała innym swoją wyższość.

— Miło było cię zobaczyć, mamo. Dobranoc.

Pocałowała syna w policzek, starła kciukiem ślad po szmince i wróciła do swojego stolika.

— Wybacz. Nie wiedziałem, że tu będzie.

— Nic nie szkodzi. Wydaje się... miła.

Parker się roześmiał.

— Jak na piranię... — Uśmiechnął się przepraszająco, a ja stłumiłam chichot. — Z czasem cię polubi.

— Zanim zaczniesz studiować na Harvardzie, mam nadzieję.

Rozmawialiśmy bez końca o jedzeniu, studiach, matematyce, a nawet o Kręgu. Mój towarzysz okazał się uroczy, zabawny i mówił dokładnie to, co trzeba. Do stolika co rusz ktoś podchodził, żeby się przywitać, a Parker za każdym razem przedstawiał mnie z dumnym uśmiechem. Najwyraźniej był tu gościem honorowym. Kiedy wychodziliśmy, czułam na sobie taksujące spojrzenia wszystkich gości.

— Co teraz? — spytałam.

— Niestety, w poniedziałek mam test z anatomii porównawczej kręgowców. Muszę się jeszcze pouczyć — powiedział, biorąc mnie za rękę.

— A to pech — odparłam, starając się ukryć zawód.

Parker odwiózł mnie do domu i odprowadził na górę.

— Dziękuję. — Rozpromieniłam się jak idiotka. — To był fantastyczny wieczór.

— Czy zaproszenie cię na kolejną randkę uznałabyś za zbyt pochopne?

— Ależ skąd.

— Zadzwonię jutro.

— Doskonale.

Zapanowało niezręczne milczenie. Chwila, której zawsze obawiałam się na randkach. Pocałować czy nie? Nie cierpiałam tych sytuacji.

Jednak zanim zaczęłam rozważać różne scenariusze, Parker dotknął moich policzków, przyciągnął mnie do siebie i pocałował w usta. Miał cudownie miękkie i ciepłe wargi. Odsunął się na chwilę, po czym znów mnie pocałował.

— Do jutra, Abs.

Pomachałam mu na pożegnanie i przez moment patrzyłam za nim, kiedy schodził po schodach.

— Pa.

I znów, gdy tylko przekręciłam gałkę, drzwi do mieszkania otworzyły się i poleciałam do przodu, tracąc równowagę. Travis złapał mnie w ostatniej chwili.

— Mógłbyś przestać? — spytałam, zamykając za sobą drzwi.

— Abs? — zadrwił. — Co to, trening fitnessu?

— Lepsze to niż Gołąbek — odcięłam się z równą dozą szyderstwa. — Wkurzający ptak, który sra na chodniki.

— Gołąbek ci się podoba — rzekł defensywnie. — To symbol pokoju, atrakcyjna dziewczyna, zwycięska karta w pokerze, wybieraj. Jesteś moim Gołąbkiem.

Przytrzymałam się jego ramienia, żeby zdjąć buty, a następnie poszłam do sypialni. Przebrałam się w piżamę, powtarzając sobie w myśli, że mam być na niego zła.

— Dobrze się bawiłaś? — spytał, przysiadając na łóżku i krzyżując ręce na piersi.

— Bawiłam się... — Westchnęłam. — Bawiłam się świetnie.

Doskonale. Parker jest... — Nie znalazłam właściwego słowa, więc tylko pokręciłam głową.

— Całowaliście się?

Przytaknęłam, zaciskając wargi.

— Ma takie miękkie usta.

Travis cofnął się odruchowo.

— Nie obchodzi mnie, jakie ma usta.

— Wierz mi, to ważne. Zawsze okropnie się denerwuję przed pierwszym pocałunkiem, ale tym razem nie było tak źle.

— Denerwujesz się przed pocałunkiem? — spytał rozbawiony.

— Tylko przed tym pierwszym. Nie cierpię tego.

— Też bym się denerwował, gdybym miał pocałować Parkera Hayesa.

Zachichotałam i poszłam do łazienki, żeby zmyć makijaż. Travis przydreptał za mną i oparł się o futrynę.

— Umówiłaś się z nim znów?

— Aha. Zadzwoni jutro. — Wytarłam twarz ręcznikiem, czmychnęłam do sypialni i wskoczyłam pod kołdrę.

Travis rozebrał się do bokserek i usiadł na łóżku plecami do mnie, lekko przygarbiony. Sprawiał wrażenie zmęczonego. Pod napiętą skórą rysowały się mięśnie pleców. Zerknął na mnie przelotnie.

— Skoro dobrze się bawiłaś, czemu wróciłaś tak wcześnie?

— Parker ma w poniedziałek ważny test.

— I co z tego?

— Chce studiować na Harvardzie. Musi się uczyć.

Prychnął, położył się na brzuchu i, wyraźnie poirytowany, wsunął ręce pod poduszkę.

— Jasne. Wszystkim to powtarza.

— Nie bądź głupkiem. Ma swoje priorytety... Myślę, że jest odpowiedzialny.

— Czy przypadkiem dziewczyna nie powinna się znaleźć na czele jego listy priorytetów?

— Nie jestem jego dziewczyną. Byliśmy na jednej randce.

— I co robiliście? No co? Jestem ciekaw!

Widząc, że mówi szczerze, szczegółowo wszystko mu opisałam: restaurację, potrawy, urocze i zabawne uwagi Parkera. Zdawałam sobie sprawę, że uśmiech nie schodzi mi z twarzy, ale na wspomnienie tego doskonałego wieczoru po prostu nie potrafiłam przestać się uśmiechać.

Travis przyglądał mi się z rozbawieniem, słuchał mojej paplaniny, a nawet zadawał pytania. Chociaż wydawał się sfrustrowany całą tą sytuacją związaną z Parkerem, to miałam wrażenie, że cieszy się razem ze mną.

Umościł się po swojej stronie łóżka. Ziewnęłam. Patrzyliśmy na siebie przez chwilę, aż wreszcie westchnął.

— Cieszę się, że dobrze się bawiłaś. Zasłużyłaś na to, Gołąbku.

— Dzięki.

Gdy na stoliku nocnym zabrzęczała moja komórka, podskoczyłam gwałtownie i zerknęłam na wyświetlacz.

— Halo?

— Jest już jutro — powiedział Parker.

Spojrzałam na zegarek i roześmiałam się — była minuta po północy.

— Faktycznie.

— Co powiesz na poniedziałek wieczorem?

Zakryłam dłonią usta i odetchnęłam głęboko.

— Może być. Świetnie.

— To dobrze. Do zobaczenia w poniedziałek.

Mogłam przysiąc, że się uśmiecha.

Rozłączyłam się i zerknęłam na Travisa, który przyglądał mi się z lekką irytacją. Radośnie podniecona odsunęłam się od niego i zwinęłam w kłębek.

— Dzieciak z ciebie — rzucił, odwracając się do mnie plecami.

Po chwili znów leżał twarzą do mnie i przyciągnął mnie do siebie.

— Naprawdę podoba ci się ten Parker?

— Nie zepsuj mi tego, Travis.

Przyjrzał mi się uważnie, po czym pokręcił głową.

— Parker Hayes.

Rozdział szósty

Punkt zwrotny

Randka w poniedziałkowy wieczór spełniła wszystkie moje oczekiwania. Jedliśmy chińszczyznę, a ja zaśmiewałam się, patrząc, jak Parker macha pałeczkami. Potem odwiózł mnie do domu. Niestety, Travis otworzył drzwi, zanim Parker zdążył mnie pocałować, więc w środę, po naszej następnej randce, na wszelki wypadek pocałował mnie jeszcze w samochodzie.

W czwartek podczas lunchu w stołówce zaskoczył wszystkich, zajmując miejsce Travisa. Gdy Travis wypalił papierosa i wrócił do środka, wyminął Parkera z obojętną miną i usiadł na końcu stołu. Podeszła do niego Megan, ale czekał ją zawód, bo zbył ją machnięciem ręki. Wszyscy zamilkli, a ja z trudem skupiałam uwagę na tym, co mówił Parker.

— Zakładam, że po prostu nie zostałem zaproszony? — spytał.

— Co takiego?

— Podobno w niedzielę wyprawiasz urodziny. Nie zaprosisz mnie?

America kątem oka zerknęła na Travisa, który patrzył gniewnie na Parkera, jakby za chwilę miał położyć go trupem.

— To miało być przyjęcie niespodzianka — powiedziała cicho.

— Ach tak. — Parker chyba poczuł się zażenowany.

— Urządzasz dla mnie przyjęcie niespodziankę? — spytałam Mare.

Wzruszyła ramionami.

— Travis to wymyślił. U Brazila. W niedzielę o szóstej.

Parker poczerwieniał.

— Rozumiem, że nie będę tam mile widziany.

— Ależ skąd! Zapraszam! — zawołałam, biorąc go za rękę.

Dwanaście par oczu wpatrzyło się w nasze dłonie, splecione na blacie stołu. Parker był wyraźnie skrępowany tym nagłym zainteresowaniem, podobnie jak ja. Gdy puściłam jego rękę i oparłam dłonie na kolanach, wstał.

— Muszę jeszcze coś załatwić przed zajęciami. Zadzwonię.

— Dobrze. — Uśmiechnęłam się przepraszająco.

Nachylił się przez stół i pocałował mnie w usta. W stołówce zaległa martwa cisza. Po wyjściu Parkera America szturchnęła mnie w bok.

— Nie dostajesz gęsiej skórki, kiedy wszyscy się na ciebie gapią? — wyszeptała mi do ucha, po czym rozejrzała się po sali, marszcząc czoło. — Co?! — wrzasnęła. — Pilnujcie swoich spraw, zboczeńcy!

Wszyscy jeden po drugim odwrócili głowy i zaczęli szeptać między sobą.

Zakryłam oczy dłońmi.

— Wiesz co? Wcześniej byłam żałosna jako nieszczęsna,

niczego nieświadoma dziewczyna Travisa. Teraz jestem uosobieniem zła, bo wszyscy uważają, że skaczę od jednego do drugiego jak piłeczka pingpongowa — poskarżyłam się. America uparcie milczała, więc podniosłam wzrok. — No nie, nie wierzę. Ty też kupujesz te bzdety?!

— Nic nie mówiłam.

Przyjrzałam się jej z niedowierzaniem.

— Ale tak myślisz?

Pokręciła głową, nie odpowiedziała jednak. Dopiero teraz dostrzegłam lodowate spojrzenia pozostałych studentów. Wstałam i podeszłam do Travisa.

— Musimy pogadać — rzuciłam, klepiąc go w ramię.

Starałam się, żeby mój głos brzmiał uprzejmie, chociaż w środku gotowałam się ze złości. Cała uczelnia — włącznie z moją najlepszą przyjaciółką — była przekonana, że romansuję z dwoma facetami jednocześnie. Istniało tylko jedno rozwiązanie.

— Mów — ponaglił mnie Travis, wkładając do ust kawałek czegoś dziwnego w panierce.

Wierciłam się na pięcie, świadoma ciekawskich spojrzeń wszystkich, którzy siedzieli w zasięgu głosu. Travis najwyraźniej nie zamierzał ruszać się od stołu, więc chwyciłam go za ramię i pociągnęłam z całych sił. Wstał i z uśmiechem na twarzy wyszedł za mną na zewnątrz.

— O co chodzi, Gołąbku?

— Musisz mnie zwolnić z zakładu — powiedziałam błagalnym tonem.

Zrobił smutną minę.

— Chcesz się wyprowadzić? Czemu? Co takiego zrobiłem?

— Nic nie zrobiłeś, Trav. Nie zauważyłeś, jak wszyscy na mnie patrzą? Jeszcze chwila, a zostanę pośmiewiskiem całej uczelni!

Pokręcił głową i zapalił papierosa.

— To nie mój problem.

— Owszem. Wszyscy pytają Parkera, czy życie mu niemiłe, skoro spotyka się z dziewczyną, w której jesteś zakochany.

Travis uniósł brwi, krztusząc się dymem z papierosa.

— Tak mówią? — spytał między kaszlnięciami.

Gdy pokiwałam głową, odwrócił wzrok i zaciągnął się głęboko.

— Travis! Musisz mnie zwolnić z zakładu! Nie mogę umawiać się z Parkerem i jednocześnie mieszkać z tobą. To wygląda okropnie!

— Wobec tego przestań umawiać się z Parkerem.

Rzuciłam mu gniewne spojrzenie.

— Nie o to chodzi i dobrze o tym wiesz.

— I tylko dlatego chcesz się wyprowadzić? Bo ludzie gadają?

— Przedtem to przynajmniej ja byłam naiwna, a ty ten zły — odezwałam się z rezygnacją.

— Odpowiedz mi, Gołąbku.

— Tak!

Popatrzył nad moją głową na grupki studentów wchodzących do stołówki i z niej wychodzących. Namyślał się, podczas gdy ja coraz bardziej się niecierpliwiłam.

W końcu podjął decyzję; spojrzał na mnie.

— Nie.

Pokręciłam głową, pewna, że się przesłyszałam.

— Słucham?

— Nie. Sama powiedziałaś: zakład to zakład. Gdy minie miesiąc, wyjedziesz z Parkerem, on zostanie lekarzem, pobierzecie się, urodzisz dwoje i pół dziecka i nigdy więcej cię nie zobaczę. — Skrzywił się, słysząc samego siebie. — Mam jeszcze trzy tygodnie. Nie poświęcę ich tylko dlatego, że ludzie plotkują.

Zobaczyłam przez szybę, że gapi się na nas cała stołówka. To niepożądane zainteresowanie zapiekło mnie do żywego. Odepchnęłam Travisa, kierując się na zajęcia.

— Gołąbku! — zawołał za mną.

Nie raczyłam się odwrócić.

Wieczorem America usiadła na kafelkach w łazience, plotąc o chłopakach, podczas gdy ja stałam przed lustrem i wiązałam włosy w kucyk. Słuchałam jednym uchem, rozpamiętując, jaką niezwykłą cierpliwością wykazywał się Travis — jak na niego — bo przecież nie podobało mu się, że Parker co drugi dzień przyjeżdża po mnie do jego mieszkania.

Przypomniałam sobie jego minę, kiedy poprosiłam, żeby zwolnił mnie z zakładu, i później, gdy powiedziałam, że podobno jest we mnie zakochany. Zastanawiałam się, czemu nie zaprzeczył.

— Shep uważa, że jesteś dla niego zbyt surowa. Trav nigdy dotąd nie troszczył się o nikogo na tyle, żeby...

Travis wsadził głowę przez drzwi i uśmiechnął się, widząc, jak poprawiam włosy.

— Pójdziemy coś zjeść? — spytał.

America wstała, przejrzała się w lustrze i przeczesała palcami złote loki.

— Shep chciał się wybrać do tej nowej meksykańskiej knajpki w centrum.

Travis pokręcił głową.

— Myślałem, że dziś zjemy sami.

— Umówiłam się z Parkerem.

— Znowu? — spytał poirytowany.

— Znowu — odparłam śpiewnym głosem.

Kiedy rozległ się dzwonek, podbiegłam do drzwi; w progu stał Parker, naturalnie falujące blond włosy okalały jego gładko ogoloną twarz.

— Czy kiedykolwiek wyglądasz mniej olśniewająco?

— Pamiętając, jak wyglądała, kiedy przyszła tu po raz pierwszy, powiedziałbym, że tak — odezwał się Travis zza moich pleców.

Z uśmiechem przewróciłam oczami i dałam znak Parkerowi, żeby chwilę zaczekał. Odwróciłam się i zarzuciłam Travisowi ręce na szyję. Zaskoczony zesztywniał, po czym odprężył się i mocno przyciągnął mnie do siebie.

Spojrzałam mu w oczy.

— Dziękuję, że zorganizowałeś dla mnie przyjęcie urodzinowe. Kiedy możemy zjeść razem kolację?

Dziesiątki różnych uczuć przemknęły mu po twarzy. W końcu uniósł w uśmiechu kąciki ust.

— Jutro?

Uścisnęłam go.

— Masz to jak w banku! — Pomachałam mu na pożegnanie.

— Co to było? — spytał Parker, biorąc mnie za rękę.

— Coś w rodzaju gałązki oliwnej. Ostatnio trochę się kłóciliśmy.

— Powinienem się martwić?

— Nie. — Pocałowałam go w policzek.

Przy kolacji opowiadał o Harvardzie, o bractwie i planach wynajęcia mieszkania. W pewnej chwili zmarszczył czoło.

— Czy Travis będzie ci towarzyszył na przyjęciu?

— Nie jestem pewna. Nic nie mówił.

— Gdyby nie miał nic przeciwko temu, chciałbym po ciebie przyjechać. — Ujął moją dłoń i pocałował.

— Spytam. To był jego pomysł, więc...

— Rozumiem. W razie czego spotkamy się na miejscu.

Odwiózł mnie do domu. Kiedy zaparkowaliśmy, pocałował mnie na pożegnanie. Tym razem trwało to dłużej. Parker zaciągnął hamulec ręczny, a następnie powędrował wargami do mojej brody, ucha i szyi. Westchnęłam zaskoczona.

— Jesteś taka piękna — szepnął. — Przez cały wieczór nie mogłem się skupić, widząc twoją odsłoniętą szyję. — Zasypywał mnie pocałunkami.

Wydałam z siebie cichy jęk.

— Czemu tak długo zwlekałeś? — Uśmiechnęłam się i uniosłam podbródek.

Parker znów skupił się na moich ustach. Ujął moją twarz w dłonie, całując mnie jeszcze bardziej namiętnie. Nie mieliśmy zbyt wiele miejsca w samochodzie, ale wykorzystaliśmy tę ciasną przestrzeń najlepiej, jak się dało. Parker przywarł do mnie mocno, a ja zgięłam kolana, opierając się o szybę. Włożył mi język do ust, złapał mnie za kostkę, po czym przesunął dłoń ku udom. Okno prędko zaparowało od naszych ciężkich oddechów. Parker musnął wargami mój obojczyk. Nagle podniósł głowę, słysząc głośne walenie w szybę.

Wyprostował się. Szybko doprowadziłam się do porządku, poprawiając sukienkę. Podskoczyłam, kiedy drzwi otworzyły się raptownie. Przy samochodzie stali America i Travis. Ona patrzyła na mnie ze zmarszczonym czołem, a on wyglądał tak, jakby za chwilę miał wpaść w szał.

— Co jest, Travis, do cholery?! — wrzasnął Parker.

Nagle zrobiło się niebezpiecznie. Nigdy dotąd nie słyszałam, żeby podniósł głos. Travis zwiesił ręce po bokach, zaciskając pięści tak mocno, że zbielały mu knykcie, a ja znalazłam się między nimi dwoma. America położyła drobną dłoń na umięśnionym ramieniu Travisa, kręcąc głową z niemym ostrzeżeniem.

— Chodź, Abby. Musimy porozmawiać — powiedziała.

— O czym?

— Po prostu chodź ze mną — syknęła.

Zerknęłam na Parkera i dostrzegłam w jego wzroku irytację.

— Przepraszam — rzuciłam. — Lepiej już pójdę.

— Jasne, idź.

Travis pomógł mi wysiąść z porsche, po czym trzasnął drzwiami. Stanęłam wściekła między nim a samochodem i trzepnęłam go w ramię.

— Co ty wyprawiasz? Masz się uspokoić!

America wyglądała na zdenerwowaną. Szybko zrozumiałam czemu — Travis śmierdział whisky na odległość. Widocznie uparła się, żeby mu towarzyszyć, lub może sam ją o to poprosił. Tak czy inaczej, pełniła funkcję bufora na wypadek konfliktu.

Gdy lśniące porsche Parkera odjechało z parkingu z piskiem opon, Travis zapalił papierosa.

— Możesz już wejść do środka, Mare — powiedział.

America pociągnęła mnie za sukienkę.

— Chodźmy, Abby.

— Ty zostań, Abs — rzucił przez zęby.

Dałam znak przyjaciółce, żeby zostawiła nas samych; zgodziła się niechętnie. Gotowa do walki, skrzyżowałam ręce na piersi. Spodziewałam się, że za chwilę usłyszę wykład, i miałam zamiar ostro się odciąć. Travis zaciągnął się papierosem, a kiedy stało się oczywiste, że nie będzie się tłumaczył, straciłam cierpliwość.

— Dlaczego to zrobiłeś? — spytałam.

— Dlaczego? Bo obmacywał cię na moich oczach! — wykrzyknął.

Z trudem skupiał wzrok. Zdałam sobie sprawę, że nie jest zdolny do racjonalnej dyskusji. Postarałam się o spokojny ton.

— Mogę z tobą mieszkać, ale to, co i z kim robię, to moja prywatna sprawa.

Zdusił na ziemi niedopałek.

— Zasługujesz na coś o wiele lepszego, Gołąbku. Nie pozwól, żeby pieprzył się z tobą w samochodzie jak z pierwszą lepszą panienką po balu maturalnym.

— Nie zamierzałam uprawiać z nim seksu w samochodzie!

Ruchem głowy wskazał puste miejsce, gdzie wcześniej stało porsche.

— Tak to wyglądało.

— Nigdy z nikim się nie obściskiwałeś? Nigdy tak po prostu nie pieściłeś się z dziewczyną?

Uniósł brwi i pokręcił głową, jakbym opowiadała brednie.

— Jaki to ma sens?

— Dla wielu ludzi ma. Zwłaszcza dla tych, którzy umawiają się na randki.

— Szyby zaparowały, samochód cały się bujał... Skąd miałem wiedzieć? — odparł, wymachując rękami.

— Może nie powinieneś mnie szpiegować!

Zrezygnowany otarł twarz dłonią.

— Nie wytrzymam tego, Gołąbku. Czuję, że zwariuję.

Wyrzuciłam ręce w górę, po czym trzepnęłam się w uda.

— Czego znowu nie wytrzymasz?

— Jeśli pójdziesz z nim do łóżka, nie chcę o tym wiedzieć. Zamkną mnie w więzieniu na długie lata, jeśli dowiem się, że... Po prostu nic mi nie mów.

— Travis! — Zawrzałam z oburzenia. — Nie wierzę, że to powiedziałeś! To dla mnie wielki krok naprzód!

— Wszystkie tak mówicie.

— Mam gdzieś twoje dziwki! Mówię o sobie! Jeszcze nigdy... Nieważne.

Chciałam odejść, ale chwycił mnie za rękę i obrócił twarzą ku sobie.

— Jeszcze nigdy co? — spytał, lekko się zataczając.

Nie odpowiedziałam. Nie musiałam. Travis domyślił się, co chciałam powiedzieć, i twarz mu się rozjaśniła.

— Jesteś dziewicą?

— I co z tego? — Zarumieniłam się.

Spojrzał w dal, próbując skupić myśli.

— Dlatego Mare twierdziła, że nie zabrniesz za daleko.

— W liceum przez cztery lata miałam jednego chłopaka. Ambitnego baptystę, który chciał zostać pastorem. Do niczego między nami nie doszło!

Travis się uspokoił. Wyraźnie mu ulżyło.

— Pastorem? I co się wydarzyło po tym okresie wymuszonej abstynencji?

— Chciał, żebym za niego wyszła i zamieszkała w Kansas... Ja nie chciałam...

Rozpaczliwie pragnęłam zmienić temat. Gdy patrzył na mnie z tak widocznym rozbawieniem, poczułam się upokorzona. Wolałam, żeby nie zagłębiał się w szczegółach mojej przeszłości.

Podszedł do mnie i ujął w dłonie moją twarz.

— Dziewica — wymamrotał, kręcąc głową. — W życiu bym nie zgadł. Pamiętam, jak tańczyłaś w klubie...

— Bardzo śmieszne — prychnęłam. Głośno tupiąc, ruszyłam po schodach na górę. Travis chciał pójść za mną, ale potknął się i przewrócił. Zleciał ze schodów z histerycznym śmiechem. — Co ty wyprawiasz?! Wstawaj! — Pomogłam mu się podnieść. Objął mnie, a gdy weszliśmy do mieszkania, America i Shepley leżeli już w łóżku, więc nie mogłam liczyć na ich pomoc. Zrzuciłam szpilki, żeby nie skręcić kostek, prowadząc Travisa do sypialni. Opadł na łóżko i pociągnął mnie za sobą.

Nasze twarze znalazły się nagle bardzo blisko siebie. Spoważniał i podniósł się na łokciach, jakby chciał mnie pocałować, ale go odepchnęłam.

— Daj spokój, Trav — powiedziałam.

Przytulił mnie mocno, tak że przestałam się bronić. Nawinął sobie na palec ramiączko mojej sukienki.

— Odkąd słowo „dziewica" padło z tych słodkich ust, poczułem nagłą chęć, żeby pomóc ci się rozebrać.

— Ciekawe. Kiedy Parker chciał zrobić to samo, omal go nie zabiłeś. Nie bądź hipokrytą.

— Pieprzyć Parkera. Nie zna cię tak dobrze jak ja.

— Przestań. Rozbieraj się i do łóżka.

— Przecież właśnie taki mam zamiar. — Zachichotał.

— Ile wypiłeś? — spytałam.

— Dość — odpowiedział, pociągając za rąbek mojej sukienki.

— Nie wątpię, pewnie kilka litrów. — Trzepnęłam go w rękę.

Oparłam się kolanem o materac i ściągnęłam mu koszulę przez głowę. Próbował mnie złapać, ale chwyciłam go za nadgarstek. W sypialni unosił się smród alkoholu.

— Boże, Trav. Co to? Jack Daniel's?

— Jim Beam — poprawił mnie z pijackim kiwnięciem głową.

— Śmierdzi spalonym drewnem i chemikaliami.

— I tak smakuje. — Zaśmiał się.

Rozpięłam mu pasek i wyszarpnęłam ze szlufek. Travis zatrząsł się ze śmiechu, po czym podniósł głowę, żeby na mnie spojrzeć.

— Lepiej strzeż swojego dziewictwa, Gołąbku. Wiesz, że potrafię być brutalny.

— Zamknij się — powiedziałam. Zdjęłam mu dżinsy, rzuciłam je na podłogę i dysząc ciężko, stanęłam prosto z rękami na biodrach. Travis zwiesił nogi z łóżka, oczy miał zamknięte, oddychał równo i głęboko. Spił się do nieprzytomności.

Podeszłam do szafy i kręcąc głową, zaczęłam grzebać w swoich rzeczach. Rozpięłam sukienkę, zsunęłam ją przez biodra do kostek i cisnęłam w kąt. Ściągnęłam gumkę i rozpuściłam włosy.

Szafa pękała w szwach od naszych ciuchów — moich i Travisa. Westchnęłam ciężko, odgarniając włosy z twarzy. W całym tym bałaganie z trudem odszukałam podkoszulek. Kiedy zdejmowałam go z wieszaka, Travis zaszedł mnie od tyłu i objął w talii.

— Przestraszyłeś mnie! — zawołałam z pretensją w głosie.

Przesunął dłońmi po mojej skórze. Inaczej niż zwykle — powoli, z rozmysłem. Zamknęłam oczy, kiedy przyciągnął mnie do siebie, ukrył twarz w moich włosach i musnął nosem szyję. Dotyk jego nagiego ciała sprawił, że dopiero po chwili zaprotestowałam.

— Travis...

Odgarnął na bok moje włosy i muskając ustami plecy, rozpiął klamerkę stanika. Gdy pocałował mnie w kark, zmrużyłam oczy. Miał ciepłe i miękkie wargi, nie chciałam, żeby przestawał. Jęknął cicho, przywierając do mnie biodrami, i poczułam, jak bardzo mnie pragnie. Wstrzymałam oddech. Wiedziałam, że teraz już nic nas nie powstrzyma — z wyjątkiem dwóch cienkich skrawków materiału.

Obrócił mnie twarzą do siebie. Oparłam się plecami o ścianę, a on przycisnął mnie mocno. Nasze spojrzenia spotkały się i zobaczyłam ból w jego oczach. Widziałam wcześniej, jak patrzy na kobiety, ale tym razem to było coś innego. Nie chciał mnie zdobyć. Chciał, bym powiedziała „tak".

Nachylił się, żeby mnie pocałować, i zawahał się w ostatniej chwili. Czułam na ustach promieniujące od niego ciepło. Miałam ochotę przyciągnąć go do siebie. Z trudem się postrzymałam. Travis nieśpiesznie pieścił moje plecy, po czym opuścił ręce i położył mi palce na biodrach, odchylając koronkowe majtki. I w chwili, gdy już myślałam, że zsunie delikatny materiał z moich nóg, poczułam, że się wycofuje. Kiedy otworzyłam usta, żeby powiedzieć „tak", zamknął oczy.

— Nie tak — wyszeptał, muskając mnie wargami. — Pragnę cię, ale nie tak.

Zatoczył się na łóżko. Przez chwilę stałam nieruchomo z rękami skrzyżowanymi na brzuchu. Kiedy zaczął oddychać miarowo, włożyłam podkoszulek, który wciąż trzymałam w rękach. Travis się nie poruszył. Westchnęłam, wiedząc, że jeśli teraz położę się obok niego, a on znów się obudzi, żadne z nas się nie powstrzyma.

Wyszłam z sypialni i opadłam na fotel w salonie, zakrywając twarz rękami. Byłam sfrustrowana. Parker odjechał upokorzony. Travis najwidoczniej nie zamierzał okazać mi zainteresowania, dopóki nie zacznę się z kimś spotykać — z kimś, kto naprawdę mi się spodoba. A przy tym byłam jedyną dziewczyną, z którą nie chciał iść do łóżka, nawet kompletnie pijany.

Rano nalałam sobie do wysokiej szklanki soku pomarańczowego i upiłam łyk, kiwając głową w rytm muzyki z iPoda. Obudziłam się przed wschodem słońca i do ósmej leżałam zwinięta w fotelu. Potem postanowiłam posprzątać kuchnię, żeby jakoś zabić czas, póki nie obudzą się moi mniej ambitni współlokatorzy. Załadowałam brudne naczynia do zmywarki, zamiotłam i umyłam podłogę, przetarłam ściereczką blaty. Gdy cała kuchnia już lśniła, złapałam za kosz z upranymi rzeczami, usiadłam na kanapie i zaczęłam składać wszystko w kostkę. Szybko urosło wokół mnie kilkanaście stert ubrań.

Z pokoju Shepleya doszły mnie szepty. America zachichotała, po czym na parę minut znów zrobiło się cicho, a następnie rozległy się dźwięki, które sprawiły, że poczułam się skrępowana.

Włożyłam do kosza stosy poukładanych ubrań i zaniosłam je do pokoju Travisa. Uśmiechnęłam się, widząc, że przez całą noc nie zmienił pozycji. Postawiłam kosz na podłodze i przykryłam Travisa kocem, tłumiąc śmiech, gdy przewrócił się na bok.

— Leć, Gołąbku — wymamrotał niemal niesłyszalnie, po czym znów zapadł w głęboki sen.

Obserwowałam go, jak śpi. Wyobrażałam sobie, że śni o mnie, i ta myśl, nie wiedzieć czemu, przyprawiała mnie o dreszcze. Spał spokojnie, więc postanowiłam wziąć prysznic w nadziei, że Shepley i America — słysząc, że ktoś kręci się po domu — nieco ucichną. Ale kiedy zakręciłam kran, zrozumiałam, że w ogóle się nie przejmują, czy ktokolwiek ich słyszy.

Rozczesałam włosy. Okrzyki Mare bardziej przypominały szczekanie pudla niż jęki gwiazdy porno. Kiedy zadzwonił dzwonek u drzwi, narzuciłam na siebie niebieski frotowy szlafrok, ciasno owinęłam się paskiem i pobiegłam otworzyć. Hałasy z sypialni Shepleya raptownie ustały. W progu stał Parker, uśmiechnięty od ucha do ucha.

— Witaj.

Przeczesałam palcami mokre włosy.

— Co tu robisz?

— Nie pożegnaliśmy się wczoraj, jak należy. Dziś rano wyszedłem, żeby kupić ci prezent urodzinowy, i nie mogłem się doczekać, kiedy ci go wręczę. Tak więc — wyjął z kieszeni marynarki błyszczące pudełeczko — wszystkiego najlepszego, Abs.

Włożył mi do ręki srebrny pakuneczek. Nachyliłam się, żeby pocałować go w policzek.

— Dziękuję.

— Otwórz. Chcę zobaczyć twoją minę, kiedy to rozpakujesz.

Zdjęłam wstążkę z pudełeczka i odwinęłam papier. Moim oczom ukazała się wysadzana brylantami bransoletka z białego złota.

— Parker... — wyszeptałam.

Uśmiechnął się promiennie.

— Podoba ci się?

— Bardzo — powiedziałam, przyglądając się w zdumieniu tak nieoczekiwanemu prezentowi. — Ale to lekka przesada. Nie mogłabym jej przyjąć, nawet gdybyśmy chodzili ze sobą rok, co dopiero tydzień.

Skrzywił się.

— Wiedziałem, że to powiesz. Cały ranek szukałem idealnego prezentu dla ciebie, a kiedy to zobaczyłem, byłem przekonany, że powinno się znaleźć właśnie na twojej ręce. — Odebrał mi bransoletkę i zapiął na moim nadgarstku. — Miałem rację. Na tobie wygląda cudownie.

Kręcąc głową z niedowierzaniem, przyglądałam się bransoletce, zahipnotyzowana blaskiem klejnotów błyszczących w słońcu.

— To najpiękniejsza rzecz, jaką w życiu widziałam. Nigdy nie dostałam czegoś równie... — „drogiego", miałam to na końcu języka, ale się powstrzymałam — ...wymyślnego. Nie wiem, co powiedzieć.

Parker roześmiał się i pocałował mnie w policzek.

— Obiecaj, że włożysz ją jutro.

Uśmiechnęłam się od ucha do ucha.

— Obiecuję.

— Cieszę się, że ci się podoba. Twoja mina była warta wyprawy do siedmiu sklepów, które dziś odwiedziłem.

Westchnęłam.

— Do siedmiu sklepów?

Przytaknął. Ujęłam jego twarz w dłonie.

— Dziękuję. Jest piękna. — Pocałowałam go w policzek.

— Muszę już iść — rzucił, mocno mnie przytulając. — Umówiłem się na lunch z rodzicami. Zadzwonię później, dobrze?

— Jasne. Dziękuję! — zawołałam za nim, gdy schodził po schodach.

Wróciłam do salonu, nie odrywając oczu od bransoletki.

— Jasna cholera, Abby! — America chwyciła mnie za rękę. — Skąd to masz?

— Od Parkera. Prezent urodzinowy.

Zagapiła się na mnie i na bransoletkę.

— Kupił ci bransoletkę wysadzaną brylantami? Po tygodniu? Gdybym cię nie znała, powiedziałabym, że masz magiczną cipkę!

Roześmiałam się na cały głos. Shepley — zmęczony, lecz zadowolony — wychynął ze swojej sypialni.

— O czym tak szczebioczecie, ptaszyny?

America uniosła moją dłoń.

— Spójrz! Parker podarował jej to w prezencie urodzinowym!

Jej chłopak zmrużył powieki, a po chwili wybałuszył oczy.

— No, no.

— Piękne, prawda? — Mare pokiwała głową.

Do salonu niepewnym krokiem wszedł Travis. Wyglądał na wykończonego.

— Hałasujecie jak jasna cholera — mruknął, zapinając dżinsy.

— Sorki — powiedziałam, wyrywając rękę z uścisku Mare. Przypomniałam sobie chwilę, gdy o mało co... — Nie potrafiłam spojrzeć mu w oczy.

Travis jednym haustem opróżnił moją szklankę z sokiem.

— Kto, u diabła, pozwolił mi się tak spić?

America uśmiechnęła się szyderczo.

— Nikt inny, tylko ty sam. Kiedy Abby wyszła z Parkerem, kupiłeś sobie butelkę i wypiłeś wszystko, zanim wróciła.

— Niech to szlag — burknął, kręcąc głową. — Dobrze się bawiłaś? — spytał, zwracając się do mnie.

— Żartujesz?! — Rozeźliło mnie jego pytanie.

— Powiedziałem coś nie tak?

America się roześmiała.

— Wyciągnąłeś ją siłą z samochodu Parkera, wściekły niczym rozjuszony byk, kiedy zobaczyłeś, że obściskują się jak uczniacy. Szyby zaparowały i tak dalej.

Travis nadal nie mógł się na niczym skupić, próbując sobie

przypomnieć wydarzenia minionego wieczoru. Postarałam się pohamować gniew. Skoro nie przypominał sobie, że wyciągnął mnie z samochodu, być może nie pamiętał też, że omal nie podałam mu na tacy swojego dziewictwa.

— Bardzo się gniewasz? — spytał zatroskany.

— Bardzo — odparłam zła, że to, co czuję, nie ma nic wspólnego z Parkerem.

Zawiązałam mocniej pasek szlafroka i ruszyłam do sypialni. Podreptał za mną.

— Gołąbku?! — zawołał, gdy zatrzasnęłam mu drzwi przed nosem. Po chwili uchylił je nieśmiało i wszedł do pokoju. Wyglądał na skruszonego. Najwidoczniej spodziewał się, że zaraz go zbesztam.

— Pamiętasz, co mi mówiłeś wczoraj wieczorem? — spytałam.

— Nie. Czemu? Byłem niemiły? — Z jego przekrwionych oczu przebijała troska, co rozwścieczyło mnie jeszcze bardziej.

— Nie. Nie byłeś niemiły. Chodzi o to, że... — Zakryłam twarz rękami, po czym znieruchomiałam, czując, jak ujmuje mój nadgarstek.

— A to skąd się wzięło? — spytał, piorunując mnie wzrokiem.

— To moje — odparowałam, wyrywając mu dłoń.

Wpatrywał się w moją bransoletkę.

— Nie widziałem jej nigdy wcześniej. Wygląda na nową.

— Bo jest.

— Skąd ją masz?

— Parker podarował mi ją kwadrans temu.

Wyraz zakłopotania na jego twarzy ustąpił czystej złości.

— A ten dupek co tu robił, do cholery?! Został na noc?!

Skrzyżowałam ręce na piersi.

— Wybrał się dziś po prezent dla mnie i postanowił mi go wręczyć z samego rana.

— Twoje urodziny są dopiero jutro. — Poczerwieniał na twarzy, z trudem tłumiąc gniew.

— Nie mógł się doczekać — powiedziałam, dumnie unosząc podbródek.

— Nic dziwnego, że musiałem cię wyciągać z samochodu... Najwidoczniej zamierzałaś... — Urwał.

— Najwidoczniej co zamierzałam? — spytałam, mrużąc oczy.

Odetchnął głęboko, wypuszczając powietrze przez nos.

— Nieważne. Po prostu wściekłem się i chciałem powiedzieć coś, czego nie powinienem.

— Dotąd nic cię nie powstrzymywało.

— Wiem. Pracuję nad sobą — odparł, kierując się w stronę drzwi. — Zostawię cię teraz, żebyś mogła się ubrać.

Złapał za klamkę, ale zatrzymał się, pocierając ramię. Bezwiednie dotknął palcami pulsującego boleśnie fioletowego siniaka, podniósł łokieć i zauważył stłuczenie. Przyglądał mu się przez chwilę, po czym odwrócił się do mnie.

— Spadłem ze schodów... A ty zaprowadziłaś mnie do łóżka... — Próbował ułożyć sobie w głowie wspomnienia z minionej nocy.

Serce mi waliło. Przełknęłam ślinę, widząc, że wszystko sobie przypomina. Zmrużył oczy.

— Byliśmy... — Zrobił krok w moją stronę. Zerknął na szafę i na łóżko.

— Nie. Nic się nie stało — powiedziałam, kręcąc głową.

Zmarszczył czoło, układając w logiczny ciąg ostatnie wydarzenia.

— Zaparowane szyby w porsche Parkera... Wyciągam cię z samochodu... A potem próbuję... — Potrząsnął głową. Znów skierował się do drzwi, a kiedy pociągnął za klamkę, zauważyłam jego zbielałe knykcie. — Przy tobie zamieniam się w pieprzonego psychola — rzucił przez ramię. — Przestaję myśleć jasno.

— Więc to moja wina?

Odwrócił się i zmierzył mnie wzrokiem od stóp do głów.

— Sam nie wiem. Nie wszystko pamiętam. Ale nie przypominam sobie, żebyś protestowała. — Popatrzył mi prosto w oczy.

Postąpiłam krok w jego stronę, gotowa sprzeczać się o ten drobiazg, ale przecież miał rację.

— Co mam ci powiedzieć? — spytałam.

Zerknął na bransoletkę, po czym spojrzał na mnie z wyrzutem.

— Miałaś nadzieję, że nie będę pamiętał?

— Wręcz przeciwnie! Wkurzyłam się, że nic nie pamiętasz!

Wlepił we mnie brązowe oczy.

— Dlaczego?

— Bo gdybym... gdybyśmy... a ty niczego byś... Nie wiem! Wkurzyłam się po prostu!

Podszedł do mnie bardzo blisko i dotknął moich policzków. Oddychał szybko, przyglądając się uważnie mojej twarzy.

— Co my w ogóle wyprawiamy, Gołąbku?

Powędrowałam spojrzeniem od paska jego spodni do mięśni brzucha i tatuaży na piersi, aż w końcu utkwiłam wzrok w brązowych tęczówkach.

— Ty mi powiedz.

Rozdział siódmy

Dziewiętnastka

— Abby? — Shepley dyskretnie zastukał do drzwi. — Mare ma parę spraw do załatwienia. Pyta, czy chcesz jechać z nią do miasta.

Travis nie odrywał ode mnie wzroku.

— Gołąbku?

— Tak! — zawołałam do Shepleya. — Też muszę coś załatwić.

— W porządku, wobec tego zaczeka na ciebie, aż będziesz gotowa. — Shepley oddalił się korytarzem.

— Gołąbku?

Wyjęłam z szafy kilka rzeczy i ruszyłam do łazienki.

— Możemy porozmawiać o tym później? — spytałam. — Mam dziś sporo do zrobienia.

— Jasne — odparł Travis z powściągliwym uśmiechem.

Ulżyło mi, kiedy znalazłam się w łazience. Szybko zamknęłam za sobą drzwi. Miałam tu mieszkać jeszcze dwa tygodnie — mało prawdopodobne, żeby udało mi się odłożyć tę rozmowę, przynajmniej nie na tak długo. Rozumując logicznie, zdawałam sobie sprawę, że Parker jest mężczyzną dla mnie — atrakcyjny, inteligentny i ewidentnie mną zainteresowany. Dlaczego więc wciąż zawracałam sobie głowę Travisem?

Bez względu na powody oboje byliśmy bliscy obłędu. Ja odkrywałam w sobie dwie różne osoby — uległa i grzeczna w towarzystwie Parkera, zmieniałam się we wściekłą, zdezorientowaną, sfrustrowaną, ilekroć zjawiał się koło mnie Travis. Z kolei on, co nie umknęło uwadze całej uczelni, dotąd tylko nieprzewidywalny, zrobił się niebezpiecznie wybuchowy.

Kiedy się ubrałam, pożegnałyśmy chłopaków i pojechałyśmy do miasta. America żartowała z porannych „sekscesów" z Shepleyem, a ja, słuchając jednym uchem, kiwałam głową w odpowiednich momentach. Nie mogłam się skupić. Brylanciki w bransoletce rzucały świetliste refleksy na podsufitkę auta, przypominając mi o wyborze, jakiego nagle musiałam dokonać. Travis oczekiwał ode mnie deklaracji, a ja nie miałam dla niego gotowej odpowiedzi.

— Dobra, Abby, co jest? Milczysz przez całą drogę.

— Cała ta sprawa z Travisem... To nie ma sensu.

— Dlaczego? — Zmarszczyła nos.

— Spytał mnie dzisiaj, co właściwie wyprawiamy.

— Właśnie! Co wyprawiacie? Jesteś z Parkerem czy nie?

— On mi się podoba. Ale spotykamy się dopiero od tygodnia. Jak dotąd to nic poważnego.

— Czujesz coś do Travisa, prawda?

Pokręciłam głową.

— Nie wiem, co do niego czuję. Zresztą to nie ma znaczenia, bo nie mogłabym z nim być. Nie zniosłabym go na co dzień.

— Żadne z was nie potrafi powiedzieć, co czuje. Na tym polega problem. Oboje jesteście tak przerażeni tym, co może się stać, że bronicie się przed tym rękami i nogami. Wiem na pewno, że gdybyś spojrzała mu głęboko w oczy i powiedziała, że go pragniesz, nigdy więcej nie obejrzałby się za inną kobietą.

— Wiesz?

— Tak. Z pewnego źródła.

Zamyśliłam się. Travis rozmawiał o mnie z Shepleyem, ale ten nie chciał, żebyśmy byli razem, więc nic nie powiedział Mare — wiedział, że wszystko by mi powtórzyła. Wniosek? America podsłuchała ich rozmowę. Chciałam ją spytać, co usłyszała, ale ugryzłam się w język.

— Travis złamałby mi serce — odezwałam się, kręcąc głową. — Nie potrafi być wierny jednej kobiecie.

— Dotąd nie potrafił zaprzyjaźnić się z dziewczyną, tymczasem wy dwoje zaszokowaliście całą uczelnię.

Westchnęłam, dotykając palcami bransoletki.

— Sama nie wiem. Może nadal moglibyśmy się przyjaźnić.

Mare pokręciła głową.

— Tyle tylko, że to coś więcej niż przyjaźń. Wiesz co? Mam już dość tej rozmowy. Pójdziemy do fryzjera i do kosmetyczki. A potem kupię ci coś ładnego na urodziny.

— Właśnie tego mi trzeba!

Manikiur, pedikiur, wosk, modelowanie włosów... Po kilku godzinach tych zabiegów włożyłam błyszczące żółte szpilki i wcisnęłam się w nową szarą sukienkę. America była zachwycona.

— Taką Abby znam i kocham! — Roześmiała się. — Musisz się tak ubrać na jutrzejsze przyjęcie.

— Przecież taki był plan od początku, prawda? — Zabrzęczała moja komórka. — Halo?

— Kolacja! Gdzie wyście przepadły, do cholery?! — usłyszałam w słuchawce głos Travisa.

— Postanowiłyśmy trochę sobie dogodzić. Chyba umiecie samodzielnie jeść?

— Bardzo śmieszne. Martwiliśmy się o was.

Uśmiechnęłam się, zerkając na Mare.

— Nic nam nie jest.

— Powiedz mu, że zaraz cię odwiozę — rzuciła moja przyjaciółka. — Muszę tylko zajrzeć do Brazila, ma jakieś notatki dla Shepa. Za chwilę będziemy w domu.

— Słyszałeś? — spytałam.

— Tak. Do zobaczenia wkrótce, Gołąbku.

Dojechałyśmy na miejsce w milczeniu. America przekręciła kluczyk w stacyjce, wpatrzona w blok mieszkalny na wprost nas. Zastanawiałam się, czemu Shepley nalegał, żebyśmy tu wstąpiły. Mieszkaliśmy ledwie przecznicę stąd, mógł więc sam odebrać notatki.

— Co z tobą, Mare?

— Brazil przyprawia mnie o gęsią skórkę. Kiedy ostatnio byliśmy u niego z Shepem, próbował ze mną flirtować.

— Pójdę z tobą. Jeśli choćby do ciebie mrugnie, wbiję mu w oczy moje nowe szpilki.

America objęła mnie z wdzięcznością.

— Dzięki, Abby.

Gdy znalazłyśmy się na tyłach budynku, wzięła głęboki oddech i zapukała do drzwi, ale nikt nie otwierał.

— Chyba go nie ma — zauważyłam.

— Jest — rzuciła poirytowana. Walnęła pięścią w drewniane drzwi, które otworzyły się gwałtownie.

— WSZYSTKIEGO NAJLEPSZEGO! — wrzasnął tłum ludzi w środku.

Cały sufit zasłaniały różowe i czarne balony z helem na długich srebrnych sznurkach, które wisiały między głowami gości. Tłum rozstąpił się i na środek wyszedł Travis. Zbliżył się do mnie z szerokim uśmiechem, pogłaskał mnie po twarzy i pocałował w czoło.

— Wszystkiego najlepszego, Gołąbku.

— To dopiero jutro — powiedziałam. Nadal byłam w szoku, ale próbowałam się uśmiechać.

Wzruszył ramionami.

— No cóż, skoro już dostałaś cynk, musieliśmy w ostatniej chwili dokonać pewnych zmian, żeby nie zepsuć niespodzianki. Ale udało się?

— Jasne!

Finch uścisnął mnie mocno.

— Wszystkiego najlepszego, kochana! — zawołał, po czym pocałował mnie w usta.

America szturchnęła mnie w bok.

— Całe szczęście, że dałaś się wyciągnąć do miasta, inaczej wyglądałabyś jak zmokła kura!

— Wyglądasz świetnie — ocenił Travis, mierząc mnie wzrokiem.

Brazil przytulił do mnie policzek.

— Wiesz, że ta historia o odrażającym i złym Brazilu to był tylko pretekst, żeby cię tu ściągnąć?

Spojrzałam na Mare.

— Skuteczny, prawda? — Roześmiała się.

Po kolei obejmowali mnie i składali życzenia. W końcu nachyliłam się do przyjaciółki.

— Gdzie Parker? — spytałam szeptem.

— Przyjdzie później — odparła. — Shepley nie mógł się do niego dodzwonić. Zawiadomił go dopiero po południu.

Gdy Brazil pogłośnił muzykę, wybuchła wrzawa.

— Chodź, Abby.

Zaprowadził mnie do kuchni. Ustawił na blacie rząd kieliszków do wódki i wyjął z barku butelkę tequili Patrón.

— Z najlepszymi życzeniami od drużyny futbolowej. — Uśmiechnął się, napełniając kieliszki. — Oto jak świętujemy urodziny: kończysz dziewiętnaście lat, dostajesz dziewiętnaście kolejek. Możesz je wypić lub komuś oddać, ale im więcej wypijesz, tym więcej zarobisz. — Machnął mi przed nosem plikiem banknotów dwudziestodolarowych.

— O mój Boże! — zapiszczałam.

— Pij i zarabiaj, Gołąbku! — zawołał Travis.

Spojrzałam podejrzliwie na Brazila.

— Dwadzieścia dolarów za każdą wypitą kolejkę?

— Dokładnie tak, chudzinko. Sądząc po twojej posturze, do końca wieczoru stracę najwyżej sześćdziesiąt.

— Nie sądź po pozorach, Brazil — odcięłam się, sięgając po pierwszy kieliszek. Podniosłam go do ust, odchyliłam głowę do tyłu i opróżniłam zawartość jednym haustem.

— Jasna cholera! — wykrzyknął Travis.

— Cóż za marnotrawstwo, Brazil — orzekłam, wycierając kąciki ust. — Ta tequila to nie Patrón, tylko Cuervo.

Pełen samozadowolenia uśmiech zniknął mu z twarzy. Pokręcił głową i wzruszył ramionami.

— Wobec tego próbuj. Mam tu portfele dwunastu zawodników, którzy twierdzą, że wypijesz najwyżej dziesięć.

Zmrużyłam oczy.

— Podwójna wygrana, jeśli wypiję piętnaście.

— Hola, Abby! — zawołał Shepley. — Chcesz wylądować w szpitalu w urodziny?

— Da radę — stwierdziła America, patrząc na Brazila.

— Czterdzieści dolców za kolejkę? — Chyba poczuł się niepewnie.

— Wymiękasz? — spytałam.

— Nie, skąd! Dwadzieścia za każdą kolejkę, a kiedy wypijesz piętnaście, podwoję całą wygraną.

— Oto jak świętujemy urodziny w Kansas. — Wychyliłam drugi kieliszek.

Godzinę i trzy kolejki później tańczyłam w salonie z Travisem w takt ballady rockowej. Szeptał mi do ucha słowa piosenki, a pod koniec pierwszego refrenu przechylił mnie do tyłu, po czym podniósł gwałtownie. Westchnęłam.

— Nie rób tego, kiedy przekroczę dziesiątą kolejkę, dobrze?

— Mówiłem ci już, że wyglądasz dzisiaj zjawiskowo?

Pokręciłam głową i przytuliłam się do niego, opierając głowę na jego ramieniu. Objął mnie mocno i pocałował w szyję. Nagle zapomniałam, że muszę podjąć decyzję, zapomniałam o bransoletce i mojej rozdwojonej osobowości. Czułam, że jestem na właściwym miejscu.

Rozbrzmiała bardziej rytmiczna muzyka i otworzyły się drzwi.

— Parker! — Podbiegłam, żeby go uścisnąć. — Tak się cieszę, że przyszedłeś!

— Przepraszam za spóźnienie, Abs. — Pocałował mnie w usta. — Wszystkiego najlepszego.

— Dziękuję. — Kątem oka zerkałam na Travisa, który nam się przyglądał.

Parker ujął mój nadgarstek.

— Jednak ją włożyłaś.

— Obiecałam. Zatańczymy?

Pokręcił głową.

— Nie umiem tańczyć.

— A chcesz zobaczyć, jak wychylam szóstą kolejkę tequili? — Pokazałam mu pięć dwudziestodolarówek. — Jeśli wypiję piętnaście, podwoję wygraną.

— To trochę niebezpieczne.

Nachyliłam się do niego i wyszeptałam mu do ucha:

— Połykam je jak wodę. Bawiłam się w to z ojcem, odkąd skończyłam szesnaście lat.

— Naprawdę? — Zmarszczył czoło z dezaprobatą. — Piłaś tequilę z własnym ojcem?

Wzruszyłam ramionami.

— To był jego sposób na tworzenie więzi.

— Nie zostanę długo — oznajmił, omiatając wzrokiem tłum. — Jutro muszę wstać wcześnie. Jadę na polowanie z tatą.

— Całe szczęście, że przyjęcie jest dzisiaj. Jutro nie mógłbyś przyjść — zauważyłam zaskoczona, że miał już inne plany na niedzielę.

Uśmiechnął się i wziął mnie za rękę.

— Zdążyłbym wrócić na czas.

Pociągnęłam go do kuchni. Wychyliłam następną kolejkę i odstawiłam kieliszek na blat do góry nogami, tak jak poprzednich pięć. Brazil wręczył mi kolejny banknot. Gdy tanecznym krokiem wróciłam do salonu, Travis złapał mnie wpół i zaczęliśmy tańczyć razem z Mare i jej chłopakiem.

Shepley klepnął mnie w tyłek.

— Jeden!

Następna była America.

— Dwa!

A zaraz potem całe towarzystwo — z wyjątkiem Parkera. Zanim wybrzmiało „dziewiętnaście", Travis zatarł ręce.

— Moja kolej! — zawołał.

— Tylko nie za mocno! Już jestem obolała!

Uniósł dłoń ze złowieszczym uśmieszkiem. Zamknęłam oczy. Kiedy znów je otworzyłam, zatrzymał dłoń w powietrzu, po czym delikatnie mnie poklepał.

— Dziewiętnaście! — wykrzyknął.

Wszyscy głośno wiwatowali, a America zaintonowała pijacką wersję *Happy Birthday*. Roześmiałam się, gdy zamiast mojego imienia cała sala zaśpiewała „Gołąbku!".

Znów rozbrzmiała powolna ballada. Parker pociągnął mnie na prowizoryczny parkiet i szybko zrozumiałam, czemu wcześniej nie chciał tańczyć.

— Przepraszam — wymamrotał po tym, jak trzeci raz nadepnął mi na palce.

Oparłam głowę na jego ramieniu.

— Radzisz sobie całkiem nieźle — skłamałam.

Pocałował mnie w skroń.

— Co robisz w poniedziałek wieczorem?

— Jem z tobą kolację?

— Właśnie. W moim nowym mieszkaniu.

— Znalazłeś mieszkanie!

Roześmiał się i skinął głową.

— Zamówimy coś z dostawą do domu. Nie umiem gotować.

— Mimo wszystko bym się skusiła — odparłam z uśmiechem.

Rozejrzał się po pokoju, po czym wyprowadził mnie na korytarz. Delikatnie przyparł mnie do ściany i pocałował miękkimi wargami. Z początku nie protestowałam, gdy zaczął wędrować rękami po moim ciele, lecz kiedy włożył mi język do ust, poczułam się niezręcznie.

— Wystarczy — powiedziałam, odsuwając się od niego.

— Coś nie tak?

— Po prostu nie powinnam obściskiwać się z tobą po kątach, kiedy mam gości.

Uśmiechnął się i znów mnie pocałował.

— Masz rację, przepraszam. Chciałem tylko złożyć na

twoich ustach pamiętny pocałunek urodzinowy, zanim się pożegnam.

— Wychodzisz?

Pogłaskał mnie po policzku.

— Muszę wstać za cztery godziny.

— W porządku. Widzimy się w poniedziałek, tak?

— Widzimy się jutro. Wpadnę, jak tylko wrócę z polowania.

Odprowadziłam go do drzwi. Na pożegnanie pocałował mnie w policzek. America, Shepley i Travis gapili się na mnie.

— Tatuś poszedł! — wrzasnął Travis, gdy drzwi się zamknęły. — Czas rozkręcić imprezę!

Wszyscy wznieśli radosne okrzyki, a on pociągnął mnie na środek parkietu.

— Chwila, mam jeszcze coś do załatwienia! — Wzięłam go za rękę i zaprowadziłam do kuchni. Wychyliłam kolejkę. Travis też sięgnął po kieliszek i wypił do dna. Roześmiałam się, chwyciłam następny i wypiłam. Travis zrobił to samo.

— Jeszcze siedem, Abby. — Brazil wręczył mi dwie dwudziestodolarówki.

Wytarłam usta. Wróciliśmy do salonu, gdzie zaczęłam tańczyć najpierw z Mare, a następnie z Shepleyem. Ale gdy chciał ze mną zatańczyć Chris Jenks z drużyny futbolowej, Travis odciągnął go, chwytając za koszulę, i pokręcił głową. Chris wzruszył ramionami, a po chwili przyprowadził sobie inną dziewczynę.

Dziesiąta kolejka mocno mnie trzepnęła i kiedy weszłyśmy z Mare na kanapę, tańcząc jak niezdary z podstawówki, poczułam lekkie zawroty głowy. Chichotałyśmy, wymachując rękami do taktu, aż w końcu zatoczyłam się i omal nie upadłam, ale Travis w porę przytrzymał mnie za biodra.

— Dopięłaś swego — powiedział. — Wypiłaś więcej niż jakakolwiek znana nam dziewczyna. Wystarczy.

— Akurat! — wybełkotałam. — Na dnie tego kieliszka czeka na mnie sześćset dolców. Kto jak kto, ale ty nie będziesz mi zabraniał ryzykować dla kasy.

— Gołąbku, jeśli brakuje ci forsy...

— Na pewno nie pożyczę od ciebie — mruknęłam szyderczo.

— Miałem na myśli zastawienie bransoletki... — Uśmiechnął się.

Klepnęłam go w ramię. America zaczęła odliczanie do północy, a kiedy wskazówki zegara zatrzymały się na dwunastej, wszyscy wznieśliśmy gromkie okrzyki.

Skończyłam dziewiętnaście lat.

America i Shepley ucałowali mnie w oba policzki, a potem Travis podniósł mnie i wykonał pełny obrót.

— Wszystkiego najlepszego, Gołąbku — powiedział miękko.

Zapatrzyłam się w jego ciepłe brązowe oczy, czując, że zaraz w nich utonę. Na moment wszystko zastygło w bezruchu, kiedy tak spoglądaliśmy na siebie z bardzo bliska.

— Pijemy! — zawołałam, chwiejnym krokiem ruszając do kuchni.

— Marnie wyglądasz, Abby. Chyba wystarczy na dziś — rzucił Brazil.

— Nie poddaję się tak łatwo! Chcę zobaczyć swoje pieniądze!

Włożył pod ostatnie dwa kieliszki po banknocie dwudziestodolarowym, po czym zawołał do kumpli:

— Wypije! Szykujcie piętnaście!

Jęknęli i przewracając oczami, sięgnęli do portfeli. Za ostatnim kieliszkiem utworzył się stosik banknotów. Travis wychylił cztery kolejki, które zostały z moich dziewiętnastu.

— Nigdy bym nie uwierzył, że stracę pięćdziesiąt dolców, zakładając się z dziewczyną, że wypije piętnaście kolejek — poskarżył się Chris.

— Radzę ci uwierzyć, Chris — mruknęłam, chwytając za oba kieliszki. Wypiłam i odczekałam chwilę, aż miną mi nudności.

Travis postąpił krok w moją stronę.

— Gołąbku?

Uniosłam palec. Brazil się uśmiechnął.

— Nie da rady — stwierdził.

— Da radę. — America pokręciła głową. — Oddychaj głęboko, Abby.

Zamknęłam oczy, wzięłam głęboki oddech i podniosłam ostatni kieliszek.

— Jezusie święty, Abby, zapijesz się na śmierć! — zawołał Shepley.

— Bez obaw — uspokoiła go Mare.

Odchyliłam głowę do tyłu i wlałam do gardła ostatnią tequilę. Usta zdrętwiały mi już po ósmej i przestały reagować na procenty. Kiedy Brazil wręczył mi plik banknotów, rozległy się gwizdy i głośne okrzyki.

— Dziękuję — powiedziałam, chowając pieniądze w staniku. Byłam z siebie dumna.

— Wyglądasz teraz niesamowicie seksownie — wyszeptał mi Travis do ucha, prowadząc mnie z powrotem do salonu.

Tańczyliśmy do rana, podczas gdy powoli odpływałam w nicość.

Rozdział ósmy

Plotki

Gdy w końcu udało mi się otworzyć oczy, zobaczyłam, że moja poduszka to dżins i czyjeś nogi. Travis ze zwieszoną głową siedział oparty o wannę. Nieprzytomny. Jeśli ja czułam się marnie, on wyglądał równie źle. Zrzuciłam z siebie koc i wstałam. Na widok swojego odbicia w lustrze nad umywalką wydałam stłumiony okrzyk przerażenia.

Byłam blada jak śmierć.

Rozmazany tusz do rzęs, czarne ślady łez na policzkach, usmarowane szminką usta, rozczochrane włosy...

Travisa spowijały prześcieradła, ręczniki i koce. Usłał sobie miękkie posłanie na czas, gdy wydalałam z siebie piętnaście kolejek tequili, które wypiłam poprzedniego wieczoru. Siedział przy mnie całą noc, odgarniając mi włosy z twarzy, kiedy rzygałam do muszli.

Odkręciłam kran, włożyłam rękę pod wodę i czekałam, aż osiągnie właściwą temperaturę. Gdy zmywałam z twarzy resztki makijażu, usłyszałam jęk. Travis poruszył się i przeciągnął, po czym rozejrzał się przerażony.

— Jestem tu — powiedziałam. — Lepiej połóż się do łóżka. Prześpij się.

— Wszystko dobrze? — spytał, przecierając oczy.

— Tak. To znaczy... o tyle o ile. Poczuję się lepiej, kiedy wezmę prysznic.

Travis wstał.

— Odebrałaś mi wczoraj tytuł mistrzowski. Nie wiem, jak do tego doszło, ale nie rób tego nigdy więcej.

— Dorastałam z tym, Trav. To nic wielkiego.

Ujął mój podbródek i kciukami starł spod oczu resztki tuszu.

— Dla mnie było.

— Dobrze. Nigdy więcej. Zadowolony?

— Tak. Ale muszę ci coś powiedzieć, jeśli obiecasz, że się nie wkurzysz.

— Jezu. Co zrobiłam?

— Nic, ale musisz zadzwonić do Mare.

— Gdzie jest?

— W akademiku. W nocy pokłócili się z Shepleyem.

Szybko wzięłam prysznic i narzuciłam na siebie ubranie, które Travis zostawił na umywalce. Gdy wyszłam z łazienki, zastałam go w salonie z Shepleyem; obaj byli pogrążeni w rozmowie.

— Co się właściwie stało?

Shepley zrobił smutną minę.

— Jest na mnie wściekła.

— Dlaczego?

— Byłem zły, że pozwoliła ci tyle wypić. Autentycznie myślałem, że wylądujesz w szpitalu. I tak... od słowa do słowa... w końcu zaczęliśmy na siebie wrzeszczeć. Oboje byliśmy pijani. Powiedziałem coś, czego nie powinienem... — Pokręcił smutno głową i wbił wzrok w podłogę.

— Co takiego? — spytałam.

— Wyzwałem ją od najgorszych i kazałem się wynosić.

— Pozwoliłeś, żeby wyszła pijana? Kompletnie ci odbiło? — Sięgnęłam po torebkę.

— Spokojnie, Gołąbku. Shep i bez tego czuje się okropnie.

Wyjęłam z torebki komórkę i zadzwoniłam do Mare.

— Halo? — Jej głos brzmiał fatalnie.

— Właśnie się dowiedziałam. — Westchnęłam. — Wszystko w porządku? — Poszłam do przedpokoju, żeby Shepley mnie nie słyszał, ale obejrzałam się na niego ze wzrokiem pełnym przygany.

— Nic mi nie jest. Shep to dupek — wyrzuciła z siebie z urazą.

Po mistrzowsku skrywała uczucia, ale nie przede mną.

— Powinnam była wyjść razem z tobą.

— Byłaś nieprzytomna, Abby — odparła lekceważąco.

— Przyjedź po mnie. Pogadamy.

Odetchnęła głęboko.

— Sama nie wiem. Nie chcę go widzieć.

— Wobec tego zabronię mu wychodzić.

Zapanowało milczenie. Usłyszałam w słuchawce brzęk kluczy.

— No dobrze. Zaraz będę.

Wróciłam do salonu z torebką zarzuconą na ramię. Obaj przyglądali mi się z zaciekawieniem, kiedy otworzyłam drzwi w oczekiwaniu na Mare. Shepley podskoczył na kanapie.

— Przyjdzie?

— Nie chce cię widzieć, Shep. Powiedziałam jej, że zostaniesz w środku.

Westchnął i opadł na sofę.

— Nienawidzi mnie.

— Porozmawiam z nią. Ale lepiej przygotuj sobie jakieś superprzeprosiny.

Dziesięć minut później, gdy zadźwięczał klakson, zamknęłam za sobą drzwi. Kiedy schodziłam ze schodów, Shepley wyminął mnie pędem, dopadł czerwonej hondy i zastukał w szybę. Zatrzymałam się w miejscu, patrząc, jak America gapi się przed siebie, ignorując go. Opuściła szybę. Shepley najwidoczniej się tłumaczył, a wkrótce potem zaczęli się kłócić. Wróciłam do mieszkania, żeby im nie przeszkadzać.

— Gołąbku? — zagadnął mnie Travis.

— To nie wygląda dobrze.

— Dogadają się, bez obaw. Chodź. — Wziął mnie za rękę.

— Było aż tak źle? — spytałam.

Skinął głową.

— Bardzo źle. Ale to tylko koniec miesiąca miodowego. Będzie dobrze.

— Jak na kogoś, kto nigdy nie miał dziewczyny, dobrze orientujesz się w związkach — zauważyłam.

— Mam czterech braci i mnóstwo przyjaciół. — Travis uśmiechnął się do siebie.

— Ona jest niemożliwa! — zawołał Shepley, który wpadł do środka jak burza, trzaskając drzwiami.

— Mój ruch — powiedziałam i pocałowałam Travisa w policzek.

— Powodzenia.

Usiadłam w samochodzie obok Mare. Westchnęła.

— On jest niemożliwy!

Kiedy się roześmiałam, rzuciła mi gniewne spojrzenie.

— Przepraszam. — Skruszona, postarałam się ukryć uśmiech.

Ruszyłyśmy na przejażdżkę. America wrzeszczała, ciskała gromy na Shepleya, zupełnie jakby siedział obok. Milczałam, pozwalając jej się wykrzyczeć w typowy dla niej sposób.

— Nazwał mnie nieodpowiedzialną! Mnie! Jak gdybym cię nie znała! Ile razy widziałam, jak ogrywasz ojca na setki dolarów, pijąc dwa razy tyle! Shep nie ma o tym zielonego pojęcia! Nie wie, jak wyglądało twoje życie! Nie wie tego, co ja wiem, i traktuje mnie jak dziecko, nie jak swoją dziewczynę! — Pogłaskałam ją po dłoni, ale wyrwała rękę. — Uważał, że to przez ciebie się rozstaniemy, a w końcu sam się o to postarał. Właśnie... skoro mówimy o tobie, to co, do cholery, wyprawiałaś z Parkerem?

Zaskoczyła mnie nagła zmiana tematu.

— O co ci chodzi?

— W końcu to Travis urządził dla ciebie przyjęcie, Abby, a ty obściskujesz się po kątach z Parkerem. I zastanawiasz się, czemu wszyscy o tobie gadają!

— Chwileczkę! Powiedziałam Parkerowi, że nie powinniśmy tego robić. Co za różnica, czy przyjęcie urządził Travis, czy nie? Nie jestem z nim!

America, patrząc przed siebie, wypuściła powietrze z płuc.

— Co jest, Mare? Jesteś na mnie zła?

— Nie. Po prostu nie zadaję się ze skończonymi idiotkami.

Pokręciłam głową i wyjrzałam przez okno. Nie chciałam powiedzieć czegoś, czego będę żałować. America zawsze potrafiła dopiec mi do żywego.

— Czy ty w ogóle nie widzisz, co się dzieje? — spytała. — Travis zrezygnował z walk. Nigdzie się bez ciebie nie rusza. Od tamtej nieszczęsnej nocy z dwiema laluniami nie przyprowadził do domu żadnej dziewczyny i dotąd nie zamordował Parkera. Ludzie plotkują, że romansujesz z nimi dwoma jednocześnie, a ty się dziwisz. Wiesz, dlaczego tak mówią, Abby? Bo to prawda!

Powoli nachyliłam się do niej, piorunując ją wzrokiem.

— Co cię napadło, do cholery?

— Umawiasz się teraz z Parkerem i jesteś cała szczęśliwa — odparła szyderczym tonem. — Dlaczego nie przeprowadzisz się z powrotem do akademika?

— Bo przegrałam zakład, dobrze o tym wiesz!

— Daj spokój, Abby! Wychwalasz Parkera pod niebiosa, w kółko opowiadasz o cudownych randkach, godzinami gadasz z nim przez telefon, a w nocy kładziesz się obok Travisa. Nie rozumiesz, że cała ta sytuacja jest chora? Gdyby Parker naprawdę tak bardzo ci się podobał, już dawno przeniosłabyś swoje rzeczy.

Zacisnęłam zęby.

— Zawsze dotrzymuję umowy, Mare.

— Wiesz, co myślę? — Chwyciła mocniej kierownicę. — W rzeczywistości pragniesz Travisa, ale sądzisz, że potrzebujesz Parkera.

— To może tak wyglądać, ale...

— Właśnie tak to wygląda. Więc jeśli nie podoba ci się,

co ludzie o tobie opowiadają, zrób coś. To nie jest wina Travisa. Dla ciebie zmienił się o sto osiemdziesiąt stopni. Zbierasz owoce tych wysiłków, a Parker też na tym korzysta.

— Jeszcze tydzień temu chciałaś mnie spakować i zabronić mu się do mnie zbliżać! Teraz go bronisz?

— Abigail! Nie bronię go, głupia! Po prostu troszczę się o ciebie! Oboje za sobą szalejecie! Zrób coś z tym!

— Jak możesz myśleć, że powinnam z nim być? — jęknęłam. — Miałaś trzymać mnie z daleka od ludzi takich jak on!

Zacisnęła wargi, wyraźnie zniecierpliwiona.

— Za wszelką cenę chciałaś się uwolnić od ojca. I tylko dlatego zainteresowałaś się Parkerem, który jest dokładnym przeciwieństwem Micka. Uważasz, że z Travisem wylądujesz z powrotem tam, skąd przyszłaś. Ale on nie jest taki jak twój ojciec, Abby.

— Nie twierdzę, że jest. Mimo wszystko boję się, że mogłabym pójść w jego ślady.

— Travis nie pozwoliłby ci na to. Nie zdajesz sobie sprawy, ile dla niego znaczysz. Gdybyś tylko mu powiedziała...

— Nie. Nie po to porzuciłam dawne życie, żeby znowu wszyscy gapili się na mnie jak w Wichita. Skupmy się na kwestii bieżącej. Shepley na ciebie czeka.

— Nie chcę o nim rozmawiać — ucięła, zatrzymując się na czerwonym świetle.

— Jest nieszczęśliwy, Mare. Kocha cię.

Oczy napełniły jej się łzami, a dolna warga zadrżała.

— Mam to gdzieś.

— Nieprawda.

— Wiem... — zakwiliła, składając głowę na moim ramieniu. Płakała bezgłośnie, aż zmieniło się światło.

Pocałowałam ją w czoło.

— Zielone — rzuciłam.

Wyprostowała się i wytarła nos.

— Potraktowałam go okropnie. Na pewno nie chce mnie teraz widzieć.

— Mylisz się. Przecież wie, że byłaś wściekła.

Otarła twarz, powoli zawracając. Martwiłam się, że niełatwo przyjdzie mi ją przekonać, żeby weszła ze mną na górę, ale Shepley zbiegł ze schodów, zanim zdążyła wyjąć kluczyk ze stacyjki.

Gwałtownym ruchem otworzył drzwi i padł jej do stóp.

— Przepraszam, kochanie! Nie powinienem był się wtrącać. Proszę, nie odchodź. Nie wiem, co bym bez ciebie zrobił.

Rozpromieniona ujęła jego twarz w dłonie.

— Arogancki dupek z ciebie, ale kocham cię mimo wszystko.

Obsypał ją pocałunkami, jakby nie widzieli się od miesięcy. Uśmiechnęłam się zadowolona z dobrze wykonanego zadania. Travis przywitał mnie w progu z szelmowską miną.

— I żyli długo i szczęśliwie — skwitował, zamykając za mną drzwi.

Gdy opadłam na kanapę, usiadł obok i oparł moje nogi na swoich kolanach.

— Na co miałabyś dziś ochotę?

— Spać... Odpoczywać... Spać.

— Mógłbym najpierw wręczyć ci prezent?

Szturchnęłam go w ramię.

— No co ty? Masz dla mnie prezent?

Uśmiechnął się niepewnie.

— To nie jest bransoletka wysadzana brylantami, ale pomyślałem, że ci się spodoba.

— Na pewno.

Zdjął z kolan moje nogi i zniknął w sypialni Shepleya. Uniosłam brwi, słysząc, jak szepczą między sobą. Po chwili zjawił się z kartonowym pudełkiem. Postawił je na podłodze u moich stóp i przykucnął obok.

— Szybko, chcę zobaczyć twoją minę.

— Szybko?

Zdjęłam pokrywę i otworzyłam usta ze zdumienia na widok pary wpatrzonych we mnie wielkich ciemnych oczu.

— Szczeniak?! — zapiszczałam, sięgając do pudełka.

Przytuliłam do policzka czarne kosmate zwierzątko, które zaczęło lizać mnie po twarzy ciepłym, mokrym językiem.

Travis promieniał radością.

— Podoba ci się?

— Czy mi się podoba? Jest boski! Kupiłeś mi szczeniaka!

— To cairn terrier. Pojechaliśmy po niego w czwartek po zajęciach. Podróż zajęła nam całe trzy godziny.

— Więc kiedy powiedziałeś, że musicie odstawić samochód do warsztatu...

— Wybraliśmy się po prezent dla ciebie.

Roześmiałam się.

— Żywe srebro!

— Dziewczyna z Kansas musi mieć swojego Toto. — Travis pomógł mi ułożyć na kolanach małą puszystą kulkę.

— Naprawdę wygląda jak Toto! Tak się będzie nazywał!

Zmarszczyłam nos. Szczeniak wiercił mi się na kolanach.

— Może mieszkać tutaj. Zajmę się nim, kiedy wrócisz do akademika. — Uniósł kąciki warg w półuśmiechu. — Dzięki temu będę miał gwarancję, że wpadniesz tu od czasu do czasu, kiedy już się wyprowadzisz.

— Przecież i tak bym przychodziła, Trav.

— Za twój uśmiech oddałbym wszystko.

— Chyba musisz się przespać, Toto. Taaak... — wyszeptałam psu do ucha.

Travis pokiwał głową, przyciągnął mnie do siebie i wstał ze mną na rękach.

— Chodźmy.

Zaniósł mnie do sypialni, odchylił kołdrę i ułożył mnie na łóżku. Zasłonił okno i położył się obok.

— Dziękuję, że byłeś ze mną w nocy — powiedziałam, głaszcząc miękką sierść Toto. — Nie musiałeś spać na podłodze w łazience.

— To była jedna z najlepszych nocy w moim życiu — oświadczył z poważną miną.

Spojrzałam na niego z powątpiewaniem.

— Jedna z najlepszych nocy w twoim życiu? Na zimnych, twardych kafelkach między wanną a sedesem, w towarzystwie rzygającej kretynki? To smutne, Travis.

— Wcale nie. Towarzyszyłem ci, kiedy było ci niedobrze, a potem zasnęłaś w moich ramionach. Czego chcieć więcej? Wygodnie nie było i prawie w ogóle nie spałem, ale w ten sposób obchodziłem z tobą twoje dziewiętnaste urodziny, a poza tym pijana wyglądasz uroczo.

— No pewnie. W przerwach między torsjami muszę się wydawać zjawiskowa.

Poklepał Toto, wtulonego w zagłębienie mojej szyi, i przyciągnął mnie do siebie.

— Nie znam innej dziewczyny, która wyglądałaby równie pociągająco z głową w muszli. To o czymś świadczy.

— Dzięki, Trav. Następnym razem nie będziesz musiał mnie niańczyć.

— Nikt nie odgarnie ci włosów jak ja.

Roześmiałam się i zamknęłam oczy. Wkrótce zasnęłam.

❦

— Wstawaj, Abby! — wrzasnęła America, potrząsając mną z całych sił.

Toto polizał mnie po policzku.

— Wstaję, już wstaję!

— Za pół godziny zaczynają się zajęcia!

Podskoczyłam.

— Jezu! Spałam... czternaście godzin!

— Biegnij pod prysznic! Masz być gotowa za dziesięć minut albo jadę bez ciebie!

— Nie zdążę wziąć prysznica!

Gdy zaczęłam zdejmować ciuchy, w których zasnęłam, Travis oparł się na łokciu i roześmiał się.

— Jesteście śmieszne, dziewczyny. Świat się nie skończy, jeśli spóźnicie się na zajęcia.

— Dla Mare owszem. Nie opuszcza zajęć i nie znosi się spóźniać.

Włożyłam czysty T-shirt i dżinsy.

— Nie każ jej czekać. Zawiozę cię — zaproponował.

Podskoczyłam najpierw na jednej, potem na drugiej nodze, wkładając buty.

— Moja torba została u niej w samochodzie.

— Jak chcesz. — Wzruszył ramionami. — Tylko nie zrób sobie krzywdy.

Wziął na ręce Toto i podrapał go za uchem. America wypchnęła mnie na korytarz i zbiegłyśmy na dół po schodach.

— Nie wierzę, że kupił ci szczeniaka! — Obejrzała się przez ramię, wyprowadzając samochód z parkingu.

Travis stał w porannym słońcu ze szczeniakiem na rękach, boso, w samych bokserkach. Spoglądał na małego teriera jak dumny ojciec.

— Nigdy jeszcze nie miałam psa — powiedziałam. — To może być coś fajnego.

Moja przyjaciółka zerknęła na Travisa w lusterku wstecznym.

— Spójrz tylko. — Pokręciła głową. — Travis Maddox. Psia mama.

— Toto jest słodki. Prędzej czy później zmiękczy nawet ciebie.

— Wiesz, że nie możesz go zabrać do akademika. Travis chyba o tym nie pomyślał.

— Powiedział, że zatrzyma go u siebie.

Uniosła brwi.

— No jasne. Myśli przyszłościowo, trzeba mu to przyznać. — Pokręciła głową, dodając gazu.

Westchnęłam i oparłam się w fotelu. Gdy opadła adrenalina,

znów poczułam się ociężała, jakbym dotąd nie obudziła się z pourodzinowej śpiączki. America szturchnęła mnie w bok, kiedy wykładowca ogłosił koniec zajęć, i poczłapałam za nią do stołówki.

Przy wejściu czekał na nas Shepley. Od razu zauważyłam, że coś jest nie tak.

— Mare. — Złapał ją za rękę.

Zadyszany Travis, który do nas podbiegł, oparł ręce na biodrach.

— Ściga cię wataha rozwścieczonych dziewczyn? — spytałam przekornie.

Pokręcił głową.

— Chciałem cię... dogonić, zanim... wejdziesz — wysapał.

— Co się dzieje? — spytała America.

— Krążą plotki... — zaczął Shepley. — Wszyscy mówią o tym, że Travis zabrał Abby do domu i... Co do szczegółów wersje są różne, ale... Kiepsko to wygląda.

— Chyba nie mówisz poważnie! — zawołałam.

Mare przewróciła oczami.

— Nie przejmuj się, Abby. Ludzie od tygodni plotkują o tobie i Travisie. Nie pierwszy raz ktoś twierdzi, że ze sobą sypiacie.

Chłopcy wymienili spojrzenia.

— Co? — spytałam. — Chodzi o coś więcej, tak?

Shepley skrzywił się.

— Mówią, że przespałaś się z Parkerem u Brazila, a potem... wyszłaś z Travisem i... no wiesz.

Otworzyłam usta ze zdumienia.

— Świetnie! Teraz jestem uczelnianą dziwką?!

Travis spochmurniał.

— To moja wina. Gdyby chodziło o kogoś innego, nie mówiliby tak o tobie. — Wszedł do stołówki, zaciskając pięści.

America i Shepley ruszyli za nim.

— Miejmy nadzieję, że nikt nie okaże się na tyle głupi, żeby go sprowokować — powiedziała moja przyjaciółka.

— Albo ją — dodał Shepley.

Travis usiadł po przeciwnej stronie stołu, kilka krzeseł ode mnie, i zapatrzył się w kanapkę z peklowaną wołowiną. Czekałam, aż na mnie spojrzy; chciałam mu posłać pocieszający uśmiech. Miał opinię kobieciarza, ale to ja wyszłam z Parkerem do przedpokoju.

Widząc, że gapię się na jego kuzyna, Shepley trącił mnie łokciem.

— Ma wyrzuty sumienia. Pewnie stara się zaprzeczyć plotkom.

— Nie musisz siedzieć tak daleko, Trav. Chodź, usiądź tutaj — powiedziałam, wskazując krzesło naprzeciwko mnie.

— Urodziny się udały, Abby? — Chris Jenks wrzucił mi na talerz liść sałaty.

— Nie zaczynaj z nią, Jenks — mruknął Travis ostrzegawczym tonem.

Chris się uśmiechnął. Miał pulchne zaróżowione policzki.

— Podobno Parker jest wściekły. Kiedy wczoraj przyszedł, zastał was w łóżku.

— Po prostu drzemali, Chris — powiedziała America.

Spojrzałam na Travisa.

— Parker wczoraj był?

Poruszył się niespokojnie na krześle.

— Miałem ci powiedzieć.

— Kiedy? — spytałam ze złością.

America nachyliła się do mnie.

— Doszły go plotki i przyjechał, żeby się z tobą rozmówić. Próbowałam go zatrzymać, ale wszedł do pokoju i... zrozumiał to wszystko opacznie.

Oparłam łokcie na stole, kryjąc twarz w dłoniach.

— Coraz lepiej...

— Czyli że naprawdę nie spaliście ze sobą? Cholera, szkoda. Myślałem, że Abby będzie jednak odpowiednią dziewczyną dla ciebie, Trav.

— Dosyć, Chris — wtrącił się Shepley.

— Jeśli ty z nią nie spałeś, to może ja spróbuję? — Chris puścił oko do kolegów z drużyny.

Ze wstydu zapiekły mnie policzki. America wrzasnęła, widząc, że Travis gwałtownie wstaje z krzesła. Sięgnął przez stół. Jedną ręką chwycił Jenksa za szyję, drugą za podkoszulek. Chris osunął się na blat. Kilkanaście krzeseł zastukało o podłogę, gdy wszyscy naraz wstali od stołu. Travis okładał futbolistę pięściami, przed każdym kolejnym ciosem unosząc wysoko łokieć. Chris desperacko zasłaniał twarz rękami.

Nikt nie próbował powstrzymać Travisa. Nie panował nad sobą, a znając go, wszyscy bali się wejść mu w paradę. Pozostali futboliści tylko się krzywili, patrząc, jak ich kolega, rozpłaszczony na podłodze wyłożonej kafelkami, staje się ofiarą tej bezlitosnej napaści.

— Travis! — krzyknęłam, okrążając stół.

Zatrzymał pięść w powietrzu i puścił Jenksa. Dysząc ciężko, odwrócił się do mnie twarzą. Nigdy wcześniej nie wyglądał równie przerażająco. Przełknęłam ślinę i cofnęłam się o krok, gdy mnie mijał. Chciałam za nim pobiec, ale America chwyciła mnie za ramię. Shepley pocałował ją i ruszył za kuzynem.

— Jezu — szepnęła moja przyjaciółka.

Gdy koledzy z drużyny podnieśli Chrisa z podłogi, wzdrygnęłam się na widok jego czerwonej, opuchniętej twarzy. Z nosa leciała mu krew, więc Brazil podał mu chusteczkę.

— Pojebany sukinsyn — jęknął Chris, siadając na krześle. Dotknął twarzy, po czym zwrócił się do mnie: — Przepraszam, Abby. Tylko żartowałem.

Nie wiedziałam, co powiedzieć. Nie potrafiłam wytłumaczyć, co właściwie się stało.

— Nie spała z żadnym z nich — wtrąciła się America.

— Nigdy nie wiesz, kiedy się zamknąć, co, Jenks? — rzucił zdegustowany Brazil.

America pociągnęła mnie za ramię.

— Chodźmy.

Czym prędzej popędziłyśmy do samochodu. Kiedy wrzuciła bieg, złapałam ją za rękę.

— Czekaj! Dokąd jedziemy?

— Do Shepa. Nie chcę, żeby został sam na sam z Travisem. Widziałaś go? Facet całkiem stracił głowę!

— Ja też wolę zejść mu z drogi! — zawołałam.

Spojrzała na mnie z niedowierzaniem.

— Ewidentnie dzieje się z nim coś złego — powiedziała. — Nie chcesz wiedzieć co?

— W tym momencie mój instynkt samozachowawczy bierze górę nad ciekawością.

— Jedyne, co go powstrzymało, to twój głos, Abby. Ciebie wysłucha. Musisz z nim porozmawiać.

Westchnęłam, puściłam jej rękę i osunęłam się na fotelu.

— No dobrze, jedźmy.

Na parkingu stały dodge Shepleya i harley Travisa. Zaparkowała między nimi, weszła na schody i oparła ręce na biodrach. Trudno było jej odmówić talentu dramatycznego.

— Szybciej, Abby! — zawołała.

Ruszyłam za nią z wahaniem, ale zatrzymałam się na widok Shepleya, który zbiegł po schodach i szeptał jej coś do ucha. Zerknął na mnie, pokręcił głową i znów nachylił się do swojej dziewczyny.

— Co? — spytałam.

— Shep nie chce... — Urwała. — Shep uważa, że nie powinnyśmy wchodzić. Travis ciągle jest wściekły.

— Że ja nie powinnam wchodzić, tak?

Z zakłopotaniem wzruszyła ramionami i spojrzała na Shepleya.

Poklepał mnie po ramieniu.

— Nie zrobiłaś nic złego, Abby. Travis po prostu nie chce... Nie chce cię teraz widzieć.

— Skoro nie zrobiłam nic złego, to czemu nie chce mnie widzieć?

— Nie jestem pewien. Nie rozmawialiśmy o tym. Chyba wstydzi się, że byłaś świadkiem, jak stracił nad sobą panowanie.

— Cała stołówka była świadkiem, jak stracił nad sobą panowanie! Co ja mam z tym wspólnego?!

— Więcej, niż myślisz — odparł, odwracając wzrok.

Przez chwilę przyglądałam się obojgu, po czym wyminęłam

ich, wbiegłam na górę po schodach i wpadłam do mieszkania. W salonie nie zastałam nikogo, a drzwi do pokoju Travisa były zamknięte. Zapukałam.

— Travis, to ja. Otwórz.

— Odejdź, Gołąbku! — zawołał.

Wsadziłam głowę do środka. Siedział na krawędzi łóżka, zapatrzony w okno. Toto, nieszczęśliwy, że pan nie zwraca na niego uwagi, drapał go łapką w plecy.

— Co się z tobą dzieje, Travis?

Nie odpowiedział. Stanęłam obok niego, krzyżując ręce na piersiach. Nie wyglądał już równie przerażająco jak przedtem. Wydawał się smutny. Bezbrzeżnie, beznadziejnie smutny.

— Nie porozmawiasz ze mną? — zapytałam.

Czekałam, ale wciąż milczał. Kiedy skierowałam się do drzwi, westchnął.

— Pamiętasz, jak Brazil przyczepił się do mnie w stołówce, a ty przyszłaś mi z odsieczą? No właśnie... Poniosło mnie, to wszystko.

— Byłeś wściekły, zanim Chris się odezwał — przypomniałam mu, siadając koło niego na łóżku.

Wciąż wyglądał przez okno.

— Mówiłem serio. Musisz odejść, Gołąbku. Bóg jeden wie, że ja nie potrafię odejść od ciebie.

Położyłam mu dłoń na ramieniu.

— Przecież nie chcesz, żebym sobie poszła.

Objął mnie ramieniem, pocałował w czoło i przytulił policzek do mojej skroni.

— Nie ma znaczenia, jak bardzo się staram. Ostatecznie i tak mnie znienawidzisz.

— Musimy nadal być przyjaciółmi — powiedziałam. — Nie przyjmuję odmowy do wiadomości.

Zmarszczył czoło i przytulił mnie mocno, nie odrywając oczu od okna.

— Często patrzę na ciebie, kiedy śpisz. Zawsze wydajesz się taka spokojna. Ja nie mam w sobie takiego spokoju. Burzą się we mnie złość i gniew... Z wyjątkiem tych chwil, kiedy widzę cię śpiącą... Tak było, kiedy wszedł Parker — ciągnął. — Nie spałem. On nagle się pojawił i stanął jak wryty. Był w szoku. Wiedziałem, co sobie pomyślał, ale nie chciałem mu tego tłumaczyć. Wolałem, żeby nabrał przekonania, że coś między nami zaszło. A teraz wszyscy sądzą, że tej samej nocy spałaś z nami dwoma.

Gdy Toto trącił mnie nosem, podrapałam go za uszami. Travis pogłaskał szczeniaka i wziął mnie za rękę.

— Jeśli wierzy plotkom, sam jest sobie winien — rzuciłam, wzruszając ramionami.

— Trudno mu się dziwić. Widział nas razem w łóżku.

— Wie, że z tobą mieszkam. Byłam kompletnie ubrana. Na litość boską!

Travis westchnął.

— Pewnie był zbyt wściekły, żeby to zauważyć. Wiem, że Parker ci się podoba, Gołąbku. Powinienem mu to wytłumaczyć. Przynajmniej tyle jestem ci winien.

— To już bez znaczenia.

— Nie jesteś na mnie zła? — spytał zaskoczony.

— Dlatego tak się zdenerwowałeś? Bo sądziłeś, że będę zła, kiedy powiesz mi prawdę?

— Powinnaś być. Ja bym się wkurzył, gdyby ktoś, ot tak sobie, naraził na szwank moją reputację.

— Nie dbasz o reputację. Gdzie się podział Travis, któremu jest wszystko jedno, co ludzie o nim myślą? — spytałam z przekąsem.

— Tak było, zanim zobaczyłem twoją minę, kiedy usłyszałaś plotki na swój temat. Nie chcę, żeby przeze mnie spotykały cię przykrości.

— Nigdy byś mnie nie skrzywdził.

— Wolałbym odrąbać sobie rękę. — Westchnął.

Zanurzył twarz w moich włosach. Zabrakło mi słów, a Travis najwyraźniej wyrzucił już z siebie wszystko, co miał do powiedzenia, więc siedzieliśmy w milczeniu. Od czasu do czasu przytulał mnie mocniej, a ja chwytałam go za koszulę, nie wiedząc, jak inaczej mogłabym go pocieszyć.

Gdy słońce zaczęło zachodzić, usłyszałam ciche pukanie do drzwi.

— Abby?

— Wejdź, Mare — powiedział Travis.

America i Shepley wkroczyli do pokoju. Moja przyjaciółka uśmiechnęła się, widząc nas objętych.

— Chcemy wyskoczyć na miasto coś zjeść. Pei Wei?

— Fu! Znowu chińszczyzna? Nie wierzę!

Uśmiechnęłam się; Travis znów był sobą. Mare też to zauważyła.

— Chińszczyzna — potwierdziła. — Idziecie z nami czy nie?

— Umieram z głodu — przyznałam.

— Nie dziwię się, w końcu przeze mnie nie zjadłaś lunchu. — Travis zmarszczył czoło, wstał i pociągnął mnie za sobą. — Chodźmy, trzeba cię nakarmić.

Objął mnie i nie puścił, póki nie dojechaliśmy do Pei Wei.

— No i? Co ci powiedział? — spytała szeptem America, gdy wyszedł do toalety.

— Nic. — Wzruszyłam ramionami.

— Przez dwie godziny siedzieliście razem w pokoju. Naprawdę nic ci nie powiedział?

— Zwykle nie jest zbyt rozmowny, kiedy tak się wścieka — zauważył Shepley.

— Musiał coś powiedzieć — upierała się jego dziewczyna.

— No tak... Trochę go poniosło i nie wyznał Parkerowi prawdy... Właściwie to wszystko. — Ustawiłam obok siebie solniczkę i pieprzniczkę.

Shepley pokręcił głową i zamknął oczy.

— O co chodzi? — America się zaniepokoiła.

— Travis jest... — Westchnął i przewrócił oczami. — Nieważne.

Była wyraźnie zniecierpliwiona.

— No nie, do diabła. Nie możesz tak po prostu...

Urwała, gdy Travis wrócił do stolika i objął mnie ramieniem.

— Co, do cholery? Nie ma jeszcze jedzenia?!

Długo jeszcze śmialiśmy się i żartowaliśmy, aż do zamknięcia restauracji. Potem, gdy zajechaliśmy na parking przed domem, Shepley wziął Mare na barana i zaniósł ją na górę. Travis został ze mną na parkingu, dziwnie się ociągając. Kiedy zniknęli nam z oczu, uśmiechnął się do mnie nieśmiało.

— Jestem ci winien przeprosiny.

— Już przeprosiłeś.

— Za Parkera. Nie chcę, żebyś myślała, że jestem psychopatą, który napada na ludzi z byle powodu. Zaatakowałem Chrisa, bo...

— No?

— Nie dlatego, że się z tobą droczył, ale dlatego, że powiedział, że chce być następny w kolejce...

— Sama sugestia, że jest jakaś kolejka, była wystarczającym powodem, żebyś stanął w mojej obronie.

— Właśnie. Wkurzyłem się, bo dał do zrozumienia, że chce się z tobą przespać.

Kiedy to sobie wyjaśniliśmy, chwyciłam poły koszuli Travisa i przywarłam czołem do jego piersi.

— Wiesz co? Mam gdzieś, co mówią. Nie obchodzi mnie, że straciłeś panowanie nad sobą ani dlaczego pokiereszowałeś twarz Chrisowi. Nie chcę, żeby o mnie plotkowano, ale tłumaczenie wszystkim, na czym polega nasz związek, potwornie mnie męczy. Jezu, niech spadają!

Spojrzał na mnie łagodnie.

— Nasz związek? Czy ty w ogóle słuchasz mnie czasami?

— O co ci chodzi?

— Wejdźmy do środka. Jestem zmęczony.

America i Shepley zdążyli zamknąć się w swoim pokoju. Wzięłam prysznic, Travis wyprowadził Toto, a ja przebrałam się w piżamę. Pół godziny później oboje byliśmy w łóżku. Oparłam głowę na jego ramieniu i odetchnęłam głęboko.

— Jeszcze tylko dwa tygodnie. Co zrobisz, kiedy wrócę do akademika?

— Nie wiem.

Było ciemno, ale wyobrażałam sobie, jak się krzywi.

— Hej. — Dotknęłam jego ramienia. — Żartowałam.

Patrzyłam przez dłuższą chwilę, jak oddycha, mruga, próbuje się odprężyć. Trochę się wiercił, po czym spojrzał na mnie.

— Ufasz mi, Gołąbku?

— Tak. Czemu pytasz?

— Chodź do mnie.

Przyciągnął mnie do siebie. Zesztywniałam, lecz po chwili złożyłam głowę na jego ramieniu. Cokolwiek się działo, potrzebował mnie, a ja nie mogłam zostawić go samego. I czułam się przy nim dobrze.

Rozdział dziewiąty

Obietnica

Finch pokręcił głową.

— Dobra, to z kim w końcu jesteś? Z Parkerem? Z Travisem? Pogubiłem się.

— Parker nie chce ze mną gadać, więc stoi to pod znakiem zapytania — odparłam, poprawiając na ramieniu plecak.

Finch wypuścił chmurę dymu i wypluł z ust tytoń.

— Czyli z Travisem?

— Jesteśmy tylko przyjaciółmi, Finch.

— Przyjaciółmi, którzy uprawiają seks? Zdajesz sobie sprawę, że wszyscy tak myślą, chociaż nie chcecie się do tego przyznać?

— Niech myślą, co chcą. Mam to gdzieś.

— Od kiedy? Gdzie się podziała zalękniona, tajemnicza, powściągliwa Abby, którą znam i kocham?

— Umarła, zestresowana plotkami i domysłami.

— Szkoda. Tak lubiłem się z niej śmiać i wytykać ją palcami. — Roześmiał się, gdy trzepnęłam go w ramię. — Tak lepiej. Najwyższy czas, żebyś przestała udawać.

— O co ci chodzi?

— Skarbie, rozmawiasz z człowiekiem, który udaje przez całe życie. Wyczułem cię na odległość.

— Co chcesz przez to powiedzieć, Finch? Że jestem lesbijką, tylko nie chcę się ujawnić?

— Nie. Ale coś ukrywasz. Te sweterki, fałszywa skromność, wyrafinowanie, kolacje w wytwornych lokalach z Parkerem Hayesem... To nie jesteś ty. Albo tańczyłaś na rurze w prowincjonalnym miasteczku, albo zaliczyłaś odwyk. Stawiam na to drugie.

Roześmiałam się na cały głos.

— Pudło!

— Więc zdradzisz mi swój sekret?

— Wtedy to przestanie być sekret, nie sądzisz?

Na jego twarzy zagościł szelmowski uśmiech.

— Wyjawiłem ci swój, teraz kolej na ciebie.

— Nie chcę być posłańcem złych wiadomości, ale twoja orientacja seksualna nie jest dla nikogo tajemnicą, Finch.

— Cholera! A myślałem, że wszyscy biorą mnie za tajemniczego, seksownego kociaka! — Zaciągnął się papierosem.

Wzdrygnęłam się, zanim spytałam:

— Dobrze ci było w domu?

— Moja mama jest wspaniała... Z tatą... nie było lekko, ale w końcu się dogadaliśmy.

— Moim ojcem jest Mick Abernathy.

— Kto to taki?

Roześmiałam się.

— No widzisz? To nic wielkiego, skoro nawet nie wiesz, kto to.

— Powiedz.

— Popapraniec. Nałogowy hazardzista, pijak, choleryk... To u nas dziedziczne. Przyjechałyśmy tu z Mare, żebym mogła zacząć wszystko od początku, nienaznaczona piętnem córki człowieka skończonego.

— Hazardzista nieudacznik z Wichita?

— Urodziłam się w Nevadzie. Wtedy jeszcze wszystko, czego dotknął Mick, zamieniało się w złoto. Kiedy skończyłam trzynaście lat, szczęście się od niego odwróciło.

— Obwiniał ciebie.

— America wiele poświęciła, przyjeżdżając tu ze mną, żebym mogła się stamtąd wyrwać, ja tymczasem spotykam Travisa.

— A kiedy na niego patrzysz...

— Wracają wspomnienia.

Finch pokiwał głową i rzucił niedopałek na ziemię.

— Cholera, Abby. To jest do dupy.

Zmrużyłam oczy.

— Jeśli powtórzysz komukolwiek, co ode mnie usłyszałeś, naślę na ciebie mafię. Znam paru odpowiednich facetów.

— Kitujesz.

Wzruszyłam ramionami.

— Możesz wierzyć lub nie.

Finch przyjrzał mi się podejrzliwie. Po chwili twarz mu się rozjaśniła.

— Jesteś najfajniejszą osobą, jaką znam.

— To smutne, Finch. Powinieneś częściej wychodzić z domu. — Przystanęłam przed wejściem do stołówki.

Ujął mnie za podbródek.

— Wszystko się ułoży. Ja głęboko wierzę, że nic nie dzieje się bez przyczyny. Przyjechałyście tutaj, America poznała Shepa, ty trafiłaś do Kręgu i wywróciłaś do góry nogami świat Travisa Maddoxa. Pomyśl o tym. — Na pożegnanie pocałował mnie w usta.

— Hej! — zawołał Travis. Złapał mnie w pasie, podniósł i postawił na ziemi obok siebie. — A niech tam, Finch, przynajmniej o ciebie nie muszę się martwić. Dasz mi szansę?

Finch nachylił się do niego i mrugnął.

— Później, cukiereczku.

Travis odwrócił się do mnie i uśmiech zniknął z jego twarzy.

— Skąd ta marsowa mina?

Pokręciłam głową, czując przypływ adrenaliny.

— Po prostu nie lubię tego określenia. Cukiereczku... Źle mi się kojarzy.

— Niedoszły pastor tak do ciebie mówił?

— Nie — mruknęłam niechętnie.

Travis zacisnął pięść.

— Mam spuścić łomot Finchowi? Dać nauczkę? Zlikwiduję go, jeśli chcesz.

— Gdybym chciała go zlikwidować, powiedziałabym mu po prostu, że Prada zbankrutowała. Sam odebrałby sobie życie.

Travis roześmiał się i pchnął drzwi.

— Chodźmy. Umieram z głodu.

Usiedliśmy obok siebie przy stole. W żartach szczypaliśmy się i szturchaliśmy w żebra. Travis był w świetnym nastroju, tak jak tego wieczoru, gdy przegrałam zakład. Wszyscy to zauważyli, a kiedy wszczął ze mną udawaną bójkę o jedzenie, zagapiła się na nas cała stołówka.

Wzniosłam oczy ku niebu.

— Czuję się jak małpa w zoo.

Travis przyglądał mi się przez chwilę, upewnił się, że inni studenci na niego patrzą, po czym wstał.

— *I can't...* — wrzasnął.

Spojrzałam na niego w zdumieniu. Wszyscy odwrócili się w jego stronę. Kiwał głową w rytm niesłyszalnej muzyki.

Shepley zamknął oczy.

— O nie...

Travis uśmiechnął się.

— *...get no... sa... tis... faction* — zaśpiewał na całe gardło, po czym wskoczył na stół.

Wskazał palcem członków drużyny futbolowej, którzy chórem podjęli piosenkę. Cała sala klaskała do taktu.

Travis przemknął obok mnie tanecznym krokiem. Dłoń zaciśnięta w pięść udawała mikrofon. Wszyscy śpiewali razem z nim, a gdy zaczął rytmicznie poruszać biodrami, rozległy się gwizdy i piski żeńskiej części publiczności. Znów mnie minął, nie przestając śpiewać, wspierany głosami futbolistów.

Niektórzy wstali i tańczyli razem z nim, ale większość po prostu przyglądała mu się z rozbawieniem.

Travis przeskoczył na sąsiedni stół. America zapiszczała, klaszcząc w ręce, i szturchnęła mnie w bok. Pokręciłam głową. Mogło się wydawać, że umarłam i ocknęłam się w filmie *High School Musical*.

Drużyna futbolowa nuciła główny temat.

— *Na, na, nanana! Na, na, na! Na, na, nanana!*

Travis uniósł „mikrofon", zeskoczył na podłogę, nachylił się przez stół i zaśpiewał mi prosto w twarz. Wszyscy klaskali w rytm piosenki, a kiedy skończył, stanął przede mną zadyszany i uśmiechnięty.

Rozległy się brawa i gwizdy. Pocałował mnie w czoło, po czym ukłonił się nisko, wrócił na krzesło i się roześmiał.

— Teraz już nie gapią się na ciebie, prawda? — wysapał.

— Dzięki. Naprawdę nie musiałeś.

— Abs?

Podniosłam głowę. Przy stole stał Parker. Wszyscy znów spojrzeli na mnie.

— Musimy porozmawiać. — Parker był wyraźnie zdenerwowany. Zerknęłam na Mare i na Travisa. — Proszę. — Wsunął ręce do kieszeni.

Skinęłam głową i wyszłam za nim na zewnątrz. Przystanęliśmy obok budynku, z dala od okien.

— Nie chciałem robić zamieszania. Wiem, że nie znosisz zwracać na siebie uwagi.

— Mogłeś po prostu zadzwonić — powiedziałam.

Pokiwał głową ze wzrokiem wbitym w ziemię.

— Nie sądziłem, że zastanę cię w stołówce. Usłyszałem zgiełk, zobaczyłem ciebie i bez namysłu wszedłem. Przepraszam. — Po chwili milczenia znów się odezwał. — Nie wiem, co zaszło między tobą a Travisem. To nie moja sprawa... W końcu byliśmy tylko na kilku randkach. Z początku się wściekłem, ale potem dotarło do mnie, że nie przejmowałbym się tak, gdybym czegoś do ciebie nie czuł.

— Nie spałam z nim, Parker. Odgarniał mi włosy z twarzy, kiedy rzygałam do toalety tequilą. Romantyczne, prawda?

Roześmiał się.

— Chyba nie mogło nam się udać... dopóki mieszkasz

z Travisem. Prawda jest taka, Abby, że naprawdę mi się podobasz. Nie mogę przestać o tobie myśleć — wyznał.

Uśmiechnęłam się, a on wziął mnie za rękę i przesunął palcami po bransoletce.

— Pewnie cię wystraszyłem tym idiotycznym prezentem, ale nigdy wcześniej nie znalazłem się w podobnej sytuacji. Mam wrażenie, jakbym stale musiał rywalizować z Travisem o twoje względy.

— Wcale mnie nie wystraszyłeś.

Zacisnął wargi.

— Chciałbym znów się z tobą umówić za parę tygodni, kiedy już się od niego wyprowadzisz. Mamy szansę lepiej się poznać, pod warunkiem że nikt nie będzie się wtrącał.

— Słusznie.

Pochylił się, zamknął oczy i pocałował mnie w usta.

— Zadzwonię wkrótce.

Pomachałam mu na pożegnanie i wróciłam do stołówki. Kiedy mijałam Travisa, złapał mnie wpół i posadził sobie na kolanach.

— Trudno się zrywa?

— Parker chce spróbować jeszcze raz, gdy przeprowadzę się z powrotem do akademika.

— Cholera. Muszę wymyślić nowy zakład — mruknął, stawiając przede mną talerz.

Kolejne dwa tygodnie przeleciały jak z bicza trzasł. Poza zajęciami spędzałam z Travisem każdą wolną chwilę, w większości sam na sam. Zabierał mnie do restauracji, na drinki i na tańce do klubu Red Door, czasem do kręgielni. Dwa razy wziął udział w walce. Wygłupialiśmy się razem, uprawialiśmy w żartach zapasy albo mościliśmy się z Toto na kanapie, żeby obejrzeć film. Travis manifestacyjnie ignorował dziewczyny, które na jego widok trzepotały rzęsami. Wszyscy twierdzili, że bardzo się zmienił.

Gdy nadszedł nasz ostatni wieczór, America i Shepley w niewytłumaczalny sposób zniknęli. Travis mozolił się nad kolacją na moją cześć. Kupił wino, serwetki, a nawet nowe sztućce. Ustawił talerze na barze i usiadł na stołku naprzeciwko mnie. Pierwszy raz miałam nieodparte wrażenie, że jesteśmy na randce.

— Naprawdę znakomite, Trav. Zrobiłeś mi niespodziankę — powiedziałam, zajadając pikantny makaron z kurczakiem, który przyrządził w tajemnicy przede mną.

Zdobył się na wymuszony uśmiech. Widziałam, że stara się podtrzymać beztroską atmosferę.

— Gdybym zdradził się wcześniej, oczekiwałabyś takiej kolacji co wieczór. — Uśmiech zniknął z jego twarzy; Travis zapatrzył się na blat.

Dłubałam widelcem w talerzu.

— Też będzie mi ciebie brakowało, Trav.

— Ale wpadniesz czasem, co?

— No pewnie, że tak! A ty będziesz odwiedzał mnie w akademiku i pomagał mi w nauce, tak jak przedtem.

— To nie to samo. — Westchnął. — Zaczniesz znowu umawiać się z Parkerem, nie będziesz mieć dla mnie czasu... Oddalimy się od siebie.

— Niewiele się zmieni.

Zaśmiał się.

— Kto by pomyślał, sądząc po naszym pierwszym spotkaniu, że będziemy tak tu sobie siedzieć? Jeszcze trzy miesiące temu nie uwierzyłbym, że tak trudno przyjdzie mi pożegnać się z dziewczyną.

Ścisnęło mnie w żołądku.

— Nie chcę, żebyś czuł się nieszczęśliwy.

— Więc zostań — poprosił.

Miał tak zbolałą minę, że poczułam, jak wzbiera we mnie poczucie winy.

— Nie mogę tu zamieszkać, Travis. To wariactwo.

— Kto tak twierdzi? Właśnie przeżyłem najlepsze dwa tygodnie w całym moim życiu.

— Ja też.

— To dlaczego zdaje mi się, że więcej cię nie zobaczę?

Nie wiedziałam, co odpowiedzieć. Twarz miał napiętą, ale nie był zły. Zapragnęłam do niego podejść, więc wstałam, okrążyłam bar i usiadłam mu na kolanach. Nie spojrzał na mnie. Zarzuciłam mu ręce na szyję, przytulając twarz do jego policzka.

— Wkrótce sobie uświadomisz, jak bardzo działałam ci na nerwy, i przestaniesz za mną tęsknić — wyszeptałam mu do ucha.

Westchnął głęboko, gładząc mnie po plecach.

— Obiecujesz?

Odchyliłam się do tyłu i spojrzałam mu głęboko w oczy. Ujęłam jego twarz w dłonie, kciukami głaszcząc szczękę. Serce mi się krajało, gdy na niego patrzyłam. Opuściłam lekko powieki. Chciałam musnąć kąciki jego warg, ale się poruszył, tak że mimo woli pocałowałam go w usta.

To mnie zaskoczyło, ale nie cofnęłam się od razu, on też nie, chociaż nie posunął się dalej.

W końcu wyprostowałam się, próbując zbyć uśmiechem tę niezręczną sytuację.

— Jutro mój wielki dzień. Sprzątnę kuchnię i idę spać.

— Pomogę ci.

W milczeniu zmyliśmy naczynia. Toto zasnął u naszych stóp. Travis wytarł ostatni talerz, odstawił go do szafki i poprowadził mnie korytarzem do swojego pokoju, ściskając moją dłoń trochę zbyt mocno. Odległość między kuchnią a sypialnią wydawała się dwa razy dłuższa niż zwykle. Oboje wiedzieliśmy, że za kilka godzin będziemy musieli się pożegnać.

Tym razem nawet nie udawał, że nie patrzy, kiedy wkładałam jeden z jego podkoszulków. Rozebrał się do bokserek i wszedł pod kołdrę. Czekał, aż położę się obok niego.

Zgasił światło i przyciągnął mnie do siebie. Nie pytał o zgodę ani nie przepraszał. Napiął ramiona i westchnął, a ja wtuliłam twarz w jego szyję. Zacisnęłam mocno powieki, delektując się tą chwilą. Wiedziałam, że będę za nią tęsknić przez resztę życia, i chciałam przeżyć ją jak najpełniej.

Travis wyjrzał przez okno; drzewa rzucały cienie na jego twarz. Zamknął oczy. Z ciężkim sercem patrzyłam, jak cierpi, ponieważ wiedziałam, że jestem nie tylko tego przyczyną, ale też jedyną osobą, która mogłaby położyć temu kres.

— Trav? Wszystko dobrze? — spytałam.

— Jeszcze nigdy nie było tak źle — odparł po dłuższym milczeniu.

Przywarłam czołem do jego podbródka. Uścisnął mnie mocniej.

— Nie przesadzaj — powiedziałam. — Przecież będziemy się widywać codziennie.

— Wiesz, że to nieprawda.

Przytłaczał nas żal. Poczułam nieodpartą potrzebę ocalenia nas obojga. Z wahaniem podniosłam głowę. To, co chciałam zrobić, miało zmienić wszystko. Tłumaczyłam sobie, że dla Travisa intymna zażyłość to tylko sposób na zabicie czasu. Znów zamknęłam oczy, próbując zdusić w sobie lęk. Musiałam coś zrobić — w przeciwnym razie czekała nas bezsenna noc w poczuciu beznadziei i odliczanie kolejnych minut do rana.

Serce mi waliło, kiedy dotknęłam ustami jego szyi, całując go czule. Spojrzał na mnie zaskoczony, a kiedy dotarło do niego, czego chcę, twarz mu złagodniała.

Pochylił się nade mną i pocałował mnie w usta. Delikatnie i słodko. Ciepło jego warg przeniknęło mnie aż do palców u stóp. Przyciągnęłam go mocno do siebie. Skoro już zrobiliśmy pierwszy krok, nie zamierzałam na tym poprzestać.

Rozchyliłam usta. Dotknęliśmy się językami.

— Pragnę cię — wyszeptałam.

Nagle Travis jakby się zawahał. Chciał się wycofać, ale ja byłam zdecydowana skończyć to, co zaczęłam, i całowałam go coraz bardziej namiętnie. Próbował się odsunąć i ostatecznie znalazł się na klęczkach. Podniosłam się razem z nim, przyklejona do jego warg.

W końcu chwycił mnie za ramiona i przytrzymał.

— Chwila — wyszeptał z rozbawioną miną, oddychając ciężko. — Nie musisz tego robić, Gołąbku. Nie o to chodzi dzisiejszej nocy.

Ale kiedy spojrzałam mu w oczy, wiedziałam, że nie zdoła dłużej nad sobą zapanować.

Znów zbliżyłam do niego twarz. Odprężył się nieco, ale tylko na tyle, że zdołałam ledwie musnąć go ustami. Podniosłam na niego wzrok. Wahałam się chwilę, zanim wyszeptałam:

— Nie każ mi błagać.

Po tych czterech słowach przestał się opierać. Pocałował mnie mocno, gorąco. Przebiegłam palcami po jego plecach i szarpnęłam za gumkę bokserek. Całował mnie coraz bardziej niecierpliwie. Opadłam na materac, przygnieciona jego ciężarem. Pieścił językiem moje usta, a kiedy zdobyłam się na odwagę i wsunęłam dłoń pod bokserki, jęknął cicho.

Zdjął mi podkoszulek, powędrował dłonią w dół i zsunął ze mnie majtki. Potem zaczął pieścić moje uda. Westchnęłam, gdy dotknął miejsca, którego żaden mężczyzna nigdy wcześniej nie dotykał. Drżąc z podniecenia, zgięłam nogi w kolanach. Gdy znalazł się nade mną, wbiłam palce w jego plecy.

— Gołąbku — wydyszał. — To nie musi być dzisiaj. Zaczekam, aż będziesz gotowa.

Sięgnęłam do górnej szuflady stolika nocnego. Otworzyłam ją, wymacałam foliowe opakowanie, przytknęłam je do ust i rozerwałam zębami. Travis wolną ręką zdjął bokserki i rzucił je w kąt, jakby nie mógł znieść, że dzieli nas choćby skrawek materiału.

Zaszeleścił folią i po chwili poczułam go między udami. Zamknęłam oczy.

— Patrz na mnie, Gołąbku.

Spojrzałam na niego. Miał w oczach zdecydowanie i jednocześnie łagodność. Przechylił głowę, całując mnie czule, po czym napiął mięśnie i powoli, z rozmysłem we mnie wszedł. Kiedy się cofnął, poczułam dyskomfort i zagryzłam wargi. Potem z bólu zacisnęłam powieki i naprężyłam mięśnie ud. Travis znów mnie pocałował.

— Patrz na mnie — wyszeptał.

Gdy otworzyłam oczy, naparł na mnie całym ciałem. Krzyknęłam, cudownie rozpalona od wewnątrz. Odprężyłam się, a Travis zaczął poruszać rytmicznie biodrami. Niepokój całkowicie mnie opuścił. Travis delikatnie szczypał moje ciało, jakby nie mógł się mną nasycić, a kiedy przyciągnęłam go mocniej do siebie, jęknął cicho z rozkoszy.

— Pragnąłem cię od tak dawna, Abby. Jesteś dla mnie wszystkim.

Złapał mnie za udo i podparł się łokciem, pochylony tuż nade mną. Poczułam na skórze cienką strużkę potu i wygięłam plecy w łuk. Travis wędrował ustami po mojej brodzie i szyi.

— Travis... — Westchnęłam.

Kiedy wypowiedziałam jego imię, przycisnął twarz do mojego policzka. Zaczął się poruszać coraz szybciej, jęczał coraz głośniej, aż wreszcie przywarł do mnie, drżąc na całym ciele.

Po jakimś czasie rozluźnił się i uspokoił oddech.

— Nieźle jak na pierwszy pocałunek — odezwałam się zmęczonym głosem, choć z zadowoloną miną.

Przyjrzał się z uśmiechem mojej twarzy.

— Twój ostatni pierwszy pocałunek.

Nie wiedziałam, co powiedzieć.

Opadł na brzuch obok mnie, objął mnie w pasie i oparł czoło o mój policzek. Głaskałam palcami jego nagie plecy, dopóki nie zasnął.

Przez parę godzin leżałam z otwartymi oczami, nasłuchując miarowych oddechów Travisa i szelestu liści na wietrze. Tymczasem wrócili America i Shepley. Słyszałam, jak przeszli na paluszkach korytarzem, szepcząc coś do siebie.

Poprzedniego dnia spakowaliśmy moje rzeczy i wzdrygnęłam się na myśl o tym, jak przykry czeka nas ranek. Wcześniej sądziłam, że gdy tylko Travis się ze mną prześpi, zaspokoi swoją ciekawość, tymczasem on oczekiwał, że to będzie już na zawsze. Zacisnęłam powieki, wyobrażając sobie jego minę, gdy dowie się, że to, co zaszło między nami, nie oznacza początku, lecz koniec. Nie mogłam pójść tą drogą i wiedziałam, że mnie znienawidzi, kiedy mu o tym powiem.

Wyswobodziłam się z jego objęć i wstałam, żeby się ubrać. Z butami w ręku poszłam do pokoju Shepleya. America siedziała na łóżku, a jej chłopak właśnie ściągał koszulę.

— Wszystko w porządku, Abby?

Dałam znak Mare, żeby wyszła ze mną na korytarz.

Przyjrzała mi się uważnie.

— Co jest?

— Musisz mnie zawieźć do akademika. Nie mogę czekać do rana.

Uniosła kąciki ust w znaczącym uśmiechu.

— Nigdy nie znosiłaś pożegnań.

Pomogli mi znieść bagaże do samochodu. Przez całą drogę wyglądałam przez szybę. Kiedy wniosłyśmy do pokoju ostatnią torbę, przyjaciółka chwyciła mnie w objęcia.

— Będzie nam dziwnie bez ciebie.

— Dzięki za podwiezienie. Słońce wzejdzie za parę godzin, lepiej już jedź. — Uścisnęłam ją mocno.

Nie obejrzała się, wychodząc. Zagryzłam wargi w zdenerwowaniu — wiedziałam, jak bardzo się wścieknie, kiedy dotrze do niej, co zrobiłam.

Podkoszulek strzelił, gdy zdejmowałam go przez głowę; materiał elektryzował się w chłodnym powietrzu. Zima była tuż-tuż. Poczułam się nieco zagubiona i zwinęłam się w kłębek pod grubą kołdrą. Wciąż czułam na skórze zapach Travisa.

Łóżko wydało mi się zimne i obce w porównaniu z jego ciepłym materacem. Spędziłam miesiąc w ciasnym mieszkaniu z osławionym kobieciarzem z Uniwersytetu Eastern i, bez względu na wszystkie nasze sprzeczki i nocne wizyty nieproszonych gości, nie pragnęłam niczego bardziej, niż znaleźć się tam z powrotem.

❦

Telefon zaczął dzwonić o ósmej i przez kolejną godzinę dzwonił co pięć minut.

— Abby! — jęknęła Kara. — Odbierz, do cholery!

Wyłączyłam komórkę. Dopiero gdy usłyszałam łomotanie do drzwi, zdałam sobie sprawę, że wbrew planom nie będzie mi dane zaszyć się w pokoju na cały dzień.

Kara szarpnęła za klamkę.

— Co jest?!

America wpadła do środka jak burza i stanęła przy moim łóżku.

— Co się dzieje, do diabła?! — wrzasnęła. Miała zaczerwienione, podpuchnięte oczy i była ubrana w piżamę.

Usiadłam.

— Mare?

— Travis zmienił się we wrak człowieka! Nie chce z nami gadać, zdemolował mieszkanie, rzucał sprzętem stereo... Shep nie potrafi przemówić mu do rozumu!

Potarłam powieki wierzchem dłoni i zamrugałam.

— Nie wiem...

— Akurat! Powiesz mi, o co chodzi, i to zaraz!

Kara chwyciła za kosmetyczkę i wybiegła, trzaskając drzwiami. Zmarszczyłam czoło, obawiając się, że poskarży się kierownikowi akademika lub, co gorsza, dziekanowi.

— Jezu, America, ciszej — wyszeptałam.

Zacisnęła zęby.

— Co zrobiłaś?

Zakładałam, że Travis będzie na mnie zły, ale nie wzięłam pod uwagę, że wpadnie w szał.

— Nie wiem... naprawdę nie wiem. — Przełknęłam ślinę.

— Zamierzył się na Shepa, kiedy dowiedział się, że pomogliśmy ci w wyprowadzce. Abby! Powiedz mi, co się stało! — Spojrzała na mnie błagalnie szklistymi oczami. — To mnie przeraża!

Zdobyłam się jedynie na półprawdę.

— Nie potrafiłam się z nim pożegnać. Wiesz, jak trudno mi to przychodzi.

— Chodzi o coś innego, Abby. Travis zwyczajnie oszalał! Słyszałam, jak cię woła, a potem szukał cię po całym mieszkaniu! Wpadł do pokoju Shepleya i pytał, gdzie jesteś! Potem próbował się do ciebie dodzwonić. Bez końca! — Westchnęła. — Miał taką minę... Jezu, Abby. Nigdy dotąd nie widziałam go w takim stanie. Zerwał pościel z łóżka, podarł poduszki, roztrzaskał pięścią lustro, wyłamał drzwi z zawiasów... W życiu tak się nie bałam!

Zamknęłam oczy, czując, że zbiera mi się na płacz.

Przyjaciółka rzuciła we mnie komórką.

— Musisz do niego zadzwonić. Przynajmniej mu powiedz, że nic ci nie jest.

— Dobrze, zadzwonię.

Szturchnęła mnie.

— Teraz!

Podniosłam telefon i zawahałam się. Nie wiedziałam, co mam mu powiedzieć. America wyrwała mi komórkę, wystukała numer i podała mi ją. Odetchnęłam głęboko.

— Mare? — W głowie Travisa brzmiał niepokój.

— To ja.

Odezwał się po chwili milczenia.

— Co się stało, do cholery? Budzę się rano, ciebie nie ma... Poszłaś sobie tak po prostu, nawet się nie pożegnałaś. Czemu?

— Przepraszam...

— Przepraszasz? O mało nie oszalałem! Nie odbierasz telefonu, wymykasz się chyłkiem... Dlaczego?! Sądziłem, że wreszcie się dogadaliśmy!

— Musiałam to sobie przemyśleć...

— Przemyśleć? Co? — Umilkł na chwilę. — Sprawiłem ci ból?

— Nie! Nic podobnego! Naprawdę tak mi przykro. America na pewno ci mówiła, że nie potrafię się żegnać.

— Muszę się z tobą zobaczyć. — Wydawał się zrozpaczony.

Westchnęłam.

— Mam dziś sporo zajęć, Trav. Chcę się rozpakować, zrobić pranie...

— Żałujesz — rzucił łamiącym się głosem.

— Nie o to chodzi... Przecież jesteśmy przyjaciółmi. To się nie zmieni.

— Przyjaciółmi?! A ostatnia noc? — Teraz już był wściekły.

Zacisnęłam powieki.

— Wiem, czego chcesz... Po prostu nie mogę... teraz...

— Potrzebujesz czasu? — spytał spokojniejszym głosem. — Mogłaś powiedzieć. Nie musiałaś uciekać.

— Tak było łatwiej.

— Łatwiej? Dla kogo?

— Nie mogłam zasnąć. Wyobrażałam sobie, jak rano pakujemy moje rzeczy do samochodu Mare i... Nie potrafiłam, Trav.

— Wystarczy, że się wyprowadziłaś. Nie możesz całkiem zniknąć z mojego życia!

Zdobyłam się na uśmiech.

— Zobaczymy się jutro. Żadnych dziwactw, dobrze? Po prostu muszę przemyśleć sobie parę spraw. To wszystko.

— Dobrze. Poczekam.

Rozłączyłam się. America zgromiła mnie wzrokiem.

— Spałaś z nim? Ty świnio! Nie zamierzałaś mi o tym powiedzieć?

Przewróciłam oczami i opadłam na poduszkę.

— Przecież tu nie chodzi o ciebie, Mare. Wszystko się tak cholernie skomplikowało...

— No i? Powinniście być szaleńczo szczęśliwi, zamiast wyważać drzwi albo się ukrywać!

— Nie mogę z nim być — wyszeptałam, skupiając wzrok na suficie.

Wzięła mnie za rękę.

— Daj mu trochę czasu — powiedziała cicho. — Zaufaj mi. Rozumiem wszystkie twoje obawy, ale zobacz, jak bardzo się dla ciebie zmienił. Pomyśl o ostatnich dwóch tygodniach, Abby. Travis to nie Mick.

— Ja jestem Mickiem! Związałam się z Travisem i wszystko, co chciałam zmienić w swoim życiu... Bach! — Pstryknęłam palcami. — Tak po prostu!

— Travis nie pozwoliłby na to.

— Przecież to nie zależy od niego!

— Złamiesz mu serce, Abby. Złamiesz mu serce! Jesteś jedyną dziewczyną, której zaufał na tyle, żeby się w niej zakochać!

Odwróciłam głowę; nie potrafiłam spojrzeć jej w oczy.

— Potrzebne mi szczęśliwe zakończenie, Mare. Po to tu przyjechałyśmy, prawda?

— Dasz radę.

— Póki szczęście się ode mnie nie odwróci.

America wyrzuciła ręce w górę.

— Jezu, Abby, znowu?! Rozmawiałyśmy o tym!

Zadzwonił telefon. Zerknęłam na wyświetlacz.

— To Parker.

Pokręciła głową.

— Jeszcze nie skończyłyśmy.

— Halo? — Zignorowałam jej gniewne spojrzenie.

— Abs! Pierwszy dzień wolności! Jak się czujesz?

— Czuję się... wolna... — odparłam bez entuzjazmu.

— Kolacja jutro wieczorem? Stęskniłem się za tobą.

— Tak. — Otarłam nos rękawem. — Jutro.

Rozłączyłam się. America uniosła brwi.

— Spyta mnie, kiedy wrócę. Spyta, o czym z tobą rozmawiałam. Co mam mu powiedzieć?

— Powiedz mu, że będzie tak, jak obiecałam. Jutro o tej porze przestanie za mną tęsknić.

Rozdział dziesiąty

Pokerowa twarz

Z miejsca, gdzie usiadłam, w odległym kącie stołówki, ledwie widziałam Mare i Shepleya. Pochylona nad blatem patrzyłam, jak Travis przez chwilę gapi się na puste krzesło, które zwykle zajmowałam, po czym siada na przeciwległym krańcu stołu. Czułam się głupio, ukrywając się, ale nie byłam gotowa siedzieć na wprost niego przez okrągłą godzinę. Kiedy skończyłam jeść, wzięłam głęboki oddech i wyszłam przed budynek, gdzie Travis właśnie dopalał papierosa.

Przez większą część nocy obmyślałam plan, dzięki któremu mieliśmy się znaleźć tam, gdzie byliśmy wcześniej. Gdybym potraktowała nasze spotkanie tak jak on, ogólnie rzecz biorąc, traktował seks, miałabym większe szanse. Ryzykowałam, że stracę go na dobre, ale łudziłam się, że wybujałe męskie ego każe mu puścić całą rzecz w niepamięć.

— Hej — powiedziałam.

Skrzywił się.

— Hej. Myślałem, że zastanę cię w stołówce.

— Wpadłam i wypadłam. Mam mnóstwo nauki. — Wzruszyłam ramionami, udając obojętność.

— Potrzebujesz pomocy?

— To matma. Poradzę sobie.

— Mógłbym ci udzielić wsparcia moralnego. — Uśmiechnął się, a chowając ręce do kieszeni, napiął mięśnie.

Przypomniałam sobie w szczegółach minioną noc; jego naprężone ciało, kiedy we mnie wchodził.

— Co mówiłeś? — spytałam z roztargnieniem, owładnięta tą nagłą erotyczną myślą.

— Mamy udawać, że tamtej nocy w ogóle nie było?

— Nie, czemu? — Udałam zakłopotanie, a Travis westchnął, widocznie sfrustrowany moim zachowaniem.

— Nie wiem... Bo pozbawiłem cię dziewictwa? — spytał szeptem.

— Daj spokój. Pewnie zdarzyło ci się to nie pierwszy raz.

Tak jak się obawiałam, zezłościł go mój swobodny ton.

— Tu akurat się mylisz.

— Travis... Nie chcę nieporozumień między nami.

Zaciągnął się papierosem i rzucił na ziemię niedopałek.

— No cóż... Jeśli czegoś się nauczyłem w ciągu ostatnich kilku dni, to tego, że nie zawsze dostaje się to, czego się chce.

— Witaj, Abs. — Parker na powitanie pocałował mnie w policzek.

Travis rzucił mu mordercze spojrzenie.

— Przyjadę po ciebie o szóstej — powiedział Parker.

— W porządku.

— Do zobaczenia niedługo.

Wszedł do budynku. Patrzyłam za nim przez chwilę, obawiając się reakcji Travisa.

— Spotykasz się z nim dziś wieczorem? — syknął wściekle przez zęby. Zaciśnięte szczęki poruszały się nieznacznie pod napiętą skórą.

— Mówiłam ci, że będzie chciał się ze mną umówić, kiedy wrócę do akademika. Wczoraj zadzwonił.

— Od tamtej rozmowy coś się zmieniło, nie sądzisz?

— Czemu?

Odszedł na parę kroków. Bliska łez przełknęłam ślinę. Travis zawrócił i nachylił się do mnie.

— To dlatego powiedziałaś, że nie będę za tobą tęsknił. Wiedziałaś, że umówisz się z Parkerem, i uważałaś, że... co?! Tak po prostu o tobie zapomnę? Nie ufasz mi? A może nie jestem dla ciebie dość dobry? Powiedz, do cholery! Co takiego zrobiłem, że traktujesz mnie w ten sposób?!

Nie dałam się sprowokować. Spojrzałam mu prosto w oczy.

— Nic nie zrobiłeś. Od kiedy seks jest dla ciebie sprawą życia i śmierci?

— Odkąd kochałem się z tobą!

Rozejrzałam się i zdałam sobie sprawę, że urządzamy scenę. Ludzie przechodzili obok wolnym krokiem, gapiąc się na nas i szepcząc do siebie. Poczułam, jak płoną mi uszy, a po chwili cała oblałam się rumieńcem. Oczy zaczęły mi łzawić.

Travis zacisnął powieki, próbując się opanować.

— O to ci chodzi? — spytał po chwili. — Myślisz, że to nic dla mnie nie znaczyło?

— Jesteś Travisem Maddoxem.

Pokręcił głową z niesmakiem.

— Można by pomyśleć, że wymawiasz mi moją przeszłość.

— Cztery tygodnie to już przeszłość? — powiedziałam. Kiedy gniew wykrzywił mu twarz, roześmiałam się. — Żartuję, Travis, przecież nic się nie stało. Nie ma sensu robić z tego problemu.

Przyjrzał mi się obojętnym wzrokiem i odetchnął głęboko przez nos.

— Tak to sobie wymyśliłaś. — Przez chwilę wydawał się nieobecny. — Wobec tego udowodnię ci. — Zmrużył oczy, zdeterminowany jak przed walką. — Jeśli sądzisz, że znów będę się pieprzył z kim popadnie, jesteś w błędzie. Nie chcę nikogo innego. Mamy zostać przyjaciółmi? W porządku, bądźmy przyjaciółmi. Ale oboje wiemy, że to, co zaszło między nami, nie sprowadzało się tylko do seksu.

Odszedł wzburzony. Wypuściłam z płuc powietrze; dopiero teraz dotarło do mnie, że wstrzymywałam oddech. Travis obejrzał się jeszcze za siebie, po czym poszedł prosto na zajęcia. Pojedyncza łza spłynęła mi po policzku, ale szybko ją otarłam. Gdy wlokłam się na zajęcia, odprowadzały mnie ciekawskie spojrzenia kolegów z roku.

Parker siedział w drugim rzędzie; usiadłam w ławce obok niego.

Uśmiechnął się szeroko.

— Nie mogę się doczekać wieczoru.

Westchnęłam, starając się wyprzeć z pamięci rozmowę z Travisem.

— Co mamy w planach?

— No cóż, urządziłem się wreszcie w nowym mieszkaniu. Pomyślałem, że zjemy kolację u mnie.

— Wobec tego ja też nie mogę się doczekać — powiedziałam bez przekonania.

Ponieważ America odmówiła mi pomocy, musiałam zdać się na Karę. Zgodziła się, choć niechętnie, wybrać ze mną sukienkę na randkę z Parkerem. Włożyłam ją przez głowę i zaraz ściągnęłam, decydując się na dżinsy. Całe popołudnie dumałam nad tym, że mój plan się nie powiódł, i przeszła mi ochota na strojenie się. Dzień był chłodny, więc pod cienki kaszmirowy sweter w kolorze kości słoniowej włożyłam koszulkę bez rękawów i postanowiłam zaczekać przy drzwiach. Kiedy lśniące porsche Parkera zatrzymało się przed akademikiem, wyszłam z pokoju, zanim zdążył wysiąść z samochodu.

Wydawał się zawiedziony.

— Chciałem wejść po ciebie na górę. — Otworzył mi drzwi.

— A więc oszczędziłam ci wspinaczki — odparłam, zapinając pas.

Usiadł obok, pogłaskał mnie po twarzy i pocałował miękkimi, aksamitnymi wargami.

— Brakowało mi twoich ust — wyszeptał.

W jego oddechu wyczuwałam miętę, pachniał obłędnie wodą kolońską, miał ciepłe, delikatne dłonie i wyglądał fantastycznie w dżinsach i zielonej koszuli, a jednak czegoś mi w nim brakowało. Początkowa fascynacja najwyraźniej minęła i po cichu obwiniałam o to Travisa.

Mimo wszystko zdobyłam się na uśmiech.

— Potraktuję to jako komplement.

Jego mieszkanie wyglądało dokładnie tak, jak sobie wyobrażałam: nieskazitelnie czyste, pełne drogich sprzętów i najpewniej urządzone przez matkę.

— I jak ci się podoba? — spytał. Przypominał dziecko, które chwali się nową zabawką.

— Bardzo.

Spoważniał, wziął mnie w objęcia i pocałował w szyję. Zesztywniałam. Nagle zapragnęłam znaleźć się jak najdalej stąd.

Wtedy zabrzęczała moja komórka. Uśmiechnęłam się przepraszająco, zanim odebrałam.

— Jak randka, Gołąbku?

Odwróciłam się plecami do Parkera.

— O co ci chodzi, Travis? — wyszeptałam. Chciałam postarać się o ostry ton, ale w rzeczywistości poczułam ulgę, słysząc jego głos.

— Wybieram się jutro na kręgle. Potrzebuję partnera.

— Na kręgle? Nie mogłeś zadzwonić później? — Poczułam się jak hipokrytka, bo przecież tylko czekałam na pretekst, żeby nie całować się z Parkerem.

— Skąd mam wiedzieć, kiedy skończycie? O, przepraszam. To zabrzmiało niewłaściwie... — Zamilkł, wyraźnie z siebie zadowolony.

— Zadzwonię do ciebie jutro, dobrze? Porozmawiamy.

— Nie, niedobrze. Chcesz, żebyśmy byli przyjaciółmi, ale nie możesz wyskoczyć ze mną na miasto? — powiedział, a kiedy przewróciłam oczami, naburmuszył się. — Nie przewracaj oczami. Pójdziesz ze mną czy nie?

— Skąd wiesz, że przewracam oczami? Śledzisz mnie? — spytałam, zerkając na zasłonięte okno.

— Zawsze przewracasz oczami. No więc? Tak czy nie? Tracisz cenny czas z Parkerem.

Znał mnie tak dobrze. Omal nie poprosiłam go, żeby zaraz po mnie przyjechał. Mimo woli uśmiechnęłam się na tę myśl.

— Tak — powiedziałam ściszonym głosem, z trudem powstrzymując śmiech.

— Przyjadę po ciebie o siódmej.

Odwróciłam się do Parkera z miną Kota z Cheshire.

— Travis? — domyślił się.

— Tak. — Byłam zła, że mnie przyłapał.

— Nadal jesteście tylko przyjaciółmi?

Przytaknęłam.

Usiedliśmy przy stole. Parker zamówił do domu chińszczyznę. Znów poczułam do niego sympatię i przypomniałam sobie, jaki potrafi być czarujący. Wreszcie się odprężyłam, chichotałam z byle czego. Jednocześnie uświadomiłam sobie — chociaż starałam się pozbyć tej myśli — że to perspektywa jutrzejszego spotkania z Travisem poprawiła mi nastrój.

Po kolacji zasiedliśmy na kanapie, żeby obejrzeć film, ale zaraz po czołówce Parker przewrócił mnie na plecy. Dobrze, że zdecydowałam się na dżinsy, w sukience byłoby mi trudniej wywinąć się z jego objęć. Powędrował ustami po moim obojczyku, a dłoń zatrzymał na pasku. Próbował niezdarnie rozpiąć klamrę, a kiedy mu się udało, wyślizgnęłam się spod niego i wstałam.

— Dobra. Wygląda na to, że nie zdobędziesz dzisiaj więcej punktów — powiedziałam, zapinając pasek.

— Słucham?

— Pierwsza baza... druga baza? Nieważne. Zrobiło się późno, muszę iść.

Usiadł i złapał mnie za nogi.

— Nie idź, Abs. Nie myśl, że tylko po to cię tu zaprosiłem.

— Nie?

— Oczywiście, że nie. — Posadził mnie sobie na kolanach. — Przez ostatnie dwa tygodnie myślałem tylko o tobie. Przepraszam za niecierpliwość.

Pocałował mnie w policzek. Uśmiechnęłam się, gdy jego ciepły oddech połaskotał mnie w szyję. Odwróciłam się do niego twarzą i musnęłam ustami jego wargi, czekając, aż coś poczuję — ale nie czułam nic. Odsunęłam się i westchnęłam.

Zmarszczył czoło.

— Przeprosiłem...

— Jest późno.

Kiedy dojechaliśmy do akademika, pocałował mnie na dobranoc i uścisnął mi rękę.

— Spróbujmy jeszcze raz. Jutro w Biasetti's?

Zagryzłam usta.

— Jutro idę z Travisem na kręgle.

— Wobec tego w środę?

— W środę. — Obdarzyłam go sztucznym uśmiechem.

Parker wiercił się na siedzeniu. Najwyraźniej chciał mnie o coś zapytać.

— Abby? Niedługo odbędzie się przyjęcie dla par...

W duchu wzdrygnęłam się na myśl o rozmowie, która miała niechybnie nastąpić.

— Co jest? — spytał, śmiejąc się nerwowo.

— Nie mogę z tobą iść — powiedziałam, wysiadając z sa mochodu.

Odprowadził mnie do drzwi.

— Masz inne plany?

— Travis mnie zaprosił.

— Dokąd?

— Na przyjęcie — odparłam poirytowana.

Parker zaczerwienił się, przestępując z nogi na nogę.

— Wybierasz się z Travisem na przyjęcie dla par? On nie chodzi na takie imprezy. Zresztą jesteście tylko przyjaciółmi. To nie ma sensu.

— America nie chciała iść z Shepleyem, chyba że ja też się wybiorę.

Odprężył się.

— W takim razie możesz iść ze mną. — Uśmiechnął się, biorąc mnie za rękę i splatając palce z moimi.

Skrzywiłam się. To nie było dobre rozwiązanie.

— Nie mogę odmówić Travisowi, żeby potem pójść z tobą.

— Nie widzę problemu. — Wzruszył ramionami. — Skoro obiecałaś Mare, to przyjdziesz, a Travis będzie mógł się wymigać. Jest zagorzałym przeciwnikiem takich imprez. Uważa, że służą dziewczynom do wymuszania na nas pewnych deklaracji...

— To ja nie chciałam iść. Travis mnie namówił.

— No to masz pretekst, żeby się wycofać.

Był tak nieznośnie przekonany, że zmienię zdanie.

— Naprawdę nie chciałam.

Zniecierpliwił się.

— Wyjaśnijmy to sobie. Nie chcesz iść na przyjęcie dla

par. Travis chce, zaprasza ciebie; zgodziłaś się, więc nie możesz pójść ze mną, chociaż na początku w ogóle nie chciałaś się tam wybrać?

Z trudem napotkałam jego gniewne spojrzenie.

— Nie mogę mu tego zrobić. Przykro mi, Parker.

— Rozumiesz, na czym polega przyjęcie dla par? To impreza, na którą się przychodzi z partnerami.

Jego protekcjonalny ton sprawił, że przeszła mi cała sympatia do niego.

— No cóż, nie mam partnera, więc może w ogóle nie powinno mnie tam być.

— Miałem nadzieję, że spróbujemy jeszcze raz. Że coś jest między nami.

— Staram się...

— Czego ode mnie oczekujesz? Mam siedzieć w domu w samotności, podczas gdy ty będziesz bawić się z kimś innym na przyjęciu mojego bractwa? Mam zaprosić inną dziewczynę?

— Rób, co chcesz — rzuciłam poirytowana jego groźbą.

Podniósł na mnie wzrok i pokręcił głową.

— Nie chcę zapraszać innej dziewczyny.

— Nie spodziewam się, że zrezygnujesz z przyjęcia we własnym bractwie. Spotkamy się na miejscu.

— Chcesz, żebym zaprosił kogoś innego? A ty przyjdziesz z Travisem? Nie dostrzegasz absurdu całej tej sytuacji?

Skrzyżowałam ręce na piersi, gotowa do walki.

— Umówiłam się z nim, zanim zaczęliśmy się spotykać. Nie mogę się teraz wycofać.

— Nie możesz czy nie chcesz?

— Co za różnica? Przykro mi, że tego nie rozumiesz.

Gdy otworzyłam drzwi do budynku, złapał mnie za rękę.

— W porządku. — Westchnął z rezygnacją. — Chyba muszę się z tym pogodzić. Travis należy do grona twoich najbliższych przyjaciół. Rozumiem. Ale nie chcę, żeby to miało wpływ na to, co jest między nami. Zgadzasz się?

— Tak.

Przytrzymał mi drzwi, puszczając mnie przodem. Pocałował mnie na pożegnanie, zanim weszłam do środka.

— W środę o szóstej?

— Tak. — Pomachałam mu ze schodów.

America właśnie wyszła spod prysznica. Rozpromieniła się na mój widok.

— Hej! Jak poszło?

— Tak sobie — odparłam przybita.

— Aha...

— Nie mów nic Travisowi, dobrze?

Prychnęła.

— No jasne. Co się stało?

— Parker zaprosił mnie na przyjęcie dla par.

Owinęła się ciasno ręcznikiem.

— Ale nie wystawisz Trava?

— Nie. Parker nie jest tym zachwycony.

— Ja myślę. — Pokiwała głową. — Niedobrze.

Odgarnęła na bok kosmyki długich mokrych włosów. Po jej nagim ciele spływały krople wody. Mare była chodzącą sprzecznością. Złożyła papiery na Eastern, żebyśmy mogły studiować razem. Została moim samozwańczym sumieniem, gotowa interweniować na wypadek, gdyby moje wrodzone instynkty wzięły nade mną górę. A chociaż Travis był ostatnią osobą, z którą powinnam była się związać, została jego gorliwą entuzjastką.

Oparłam się o ścianę.

— Bardzo się wściekniesz, jeśli nie pójdę?

— Nie. Po prostu skreślę cię nieodwołalnie. A wcześniej urządzę ci niezłą pyskówkę.

— No cóż. Chyba nie mam wyjścia.

Wsunęłam klucz do zamka. Zabrzęczała komórka, a na wyświetlaczu pojawiło się zdjęcie Travisa ze śmieszną miną.

— Halo?

— Jesteś już w domu?

— Parker odwiózł mnie pięć minut temu.

— Będę u ciebie za kolejnych pięć.

— Zaczekaj! Travis! — zawołałam, ale zdążył się rozłączyć.

America się roześmiała.

— Randka z Parkerem nie spełniła twoich oczekiwań, za to uśmiechnęłaś się, kiedy zadzwonił Travis. Naprawdę jesteś tak tępa?

— Nie uśmiechnęłam się — zaprzeczyłam. — Jedzie tu. Zaczekasz na niego na zewnątrz i powiesz mu, że poszłam spać?

— Uśmiechnęłaś się. I nie, sama mu powiedz.

— Jasne, Mare, zejdę na dół i osobiście powiem mu, że śpię. To go z pewnością przekona.

Odwróciła się do mnie plecami i ruszyła w stronę swojego pokoju. Podniosłam ręce, po czym zwiesiłam je po bokach.

— Mare! Proszę!

— Baw się dobrze, Abby — rzuciła, znikając za drzwiami.

Kiedy zeszłam po schodach, zastałam na parkingu Travisa na motocyklu. Miał na sobie biały T-shirt w czarne wzory podobne do tatuaży na przedramionach.

— Nie jest ci zimno? — spytałam, otulając się kurtką.

— Ładnie wyglądasz. Jak randka?

— Hm... Dzięki — odparłam z roztargnieniem. — Co tu robisz?

Dodał trochę gazu; silnik zawarczał.

— Chciałem się przejechać, żeby poukładać myśli. Jedź ze mną.

— Zimno mi, Trav.

— Mam wziąć samochód Shepleya?

— Umówiłeś się ze mną na kręgle. Nie możesz zaczekać do jutra?

— Dopiero co spędzałem z tobą każdą wolną chwilę, a teraz widzę cię przez dziesięć minut dziennie, jeśli mam szczęście.

Uśmiechnęłam się, kręcąc głową.

— Minęły dopiero dwa dni.

— Tęsknię za tobą. Rusz tyłek i wsiadaj.

Nie potrafiłam dłużej się z nim spierać. Ja też tęskniłam. Bardziej, niż byłabym gotowa przyznać. Zasunęłam zamek błyskawiczny w kurtce i usiadłam na siodełku, zaciskając palce na szlufkach jego dżinsów. Travis pociągnął mnie za ręce i splótł je sobie na piersi. Kiedy się upewnił, że trzymam go dość mocno, ruszył z parkingu.

Przytuliłam policzek do jego pleców, zamknęłam oczy i wciągnęłam głęboko jego zapach. Tak samo pachniały mieszkanie i pościel w sypialni Travisa, i on sam, kiedy chodził po domu z ręcznikiem na biodrach. Miasto migało mi przed oczami. Nie zwracałam uwagi na prędkość, z jaką jedziemy, ani na zimny wiatr, który smagał mi twarz. Pochłonięta bliskością naszych ciał, nie wiedziałam nawet, gdzie jesteśmy. Jeździliśmy bez celu, nieograniczeni czasem, aż w końcu ulice całkiem opustoszały.

Travis zajechał na stację benzynową i zaparkował motocykl.

— Przynieść ci coś? — spytał.

Pokręciłam głową i zeskoczyłam na ziemię, żeby rozprostować nogi. Przez chwilę patrzył, jak przeczesuję palcami splątane włosy.

— Daj spokój. Jesteś piękna jak cholera.

— Aha, jak z teledysku z lat osiemdziesiątych — zażartowałam.

Zaśmiał się i ziewnął, odganiając ćmy, które fruwały wokół. W nocnej ciszy szczęknął głośno pistolet dystrybutora paliwa. Wydawało się, że jesteśmy ostatnimi ludźmi na ziemi.

Wyjęłam komórkę, żeby sprawdzić godzinę.

— Boże, Trav. Jest trzecia nad ranem.

— Chcesz wracać? — spytał zawiedzionym głosem.

Zagryzłam wargi.

— Lepiej tak.

— Ale idziemy wieczorem na kręgle?

— Przecież obiecałam.

— I pójdziesz ze mną na przyjęcie bractwa za dwa tygodnie?

— Sugerujesz, że nie dotrzymuję słowa? To obraźliwe.

Wyjął pistolet dystrybutora z baku i odwiesił.

— Po prostu nie potrafię przewidzieć, co zrobisz.

Usiadł na siodełku i pomógł mi wsiąść. Złapałam za szlufki jego spodni, lecz po namyśle objęłam go w pasie.

Westchnął, stawiając motocykl w pionie, najwidoczniej nieskory do odjazdu. Gdy chwycił za kierownicę, zbielały mu knykcie. Wziął głęboki oddech, jakby chciał coś powiedzieć, ale tylko pokręcił głową.

— Jesteś dla mnie ważny, wiesz? — Przytuliłam się do niego mocno.

— Nie rozumiem cię, Gołąbku. Myślałem, że znam kobiety, ale ty tak cholernie mącisz mi w głowie, że nie wiem, gdzie góra, gdzie dół.

— Ja też cię nie rozumiem. Słynny bawidamek z Uniwersytetu Eastern? Najwyraźniej kłamali w ulotkach — powiedziałam z przekąsem.

— Jesteś pierwszą dziewczyną, która poszła ze mną do łóżka tylko po to, żebym dał jej święty spokój.

— To nie tak, Travis — skłamałam, zawstydzona, że odgadł moje zamiary, chociaż nawet nie zdawał sobie z tego sprawy.

Pokręcił głową i odpalił silnik. Ruszyliśmy okrężną drogą do kampusu, wyjątkowo powoli, zatrzymując się na wszystkich żółtych światłach.

Na parkingu przed akademikiem znów ogarnął mnie smutek, tak jak tej nocy, gdy opuszczałam mieszkanie Travisa. Dawałam się ponieść emocjom, ale ilekroć próbowałam go odtrącić, bałam się, że w końcu mi się uda.

Odprowadził mnie do drzwi. Gdy unikając jego wzroku, wyjęłam klucze, złapał mnie za podbródek i musnął kciukiem moje usta.

— Całował cię? — spytał.

Odsunęłam się zaskoczona, że jego dotyk przeszył mnie na wskroś.

— Naprawdę potrafisz spieprzyć najdoskonalszy wieczór.

— Doskonały? To znaczy, że dobrze się bawiłaś?

— Z tobą zawsze dobrze się bawię.

Wbił oczy w ziemię, marszcząc czoło.

— Całował cię?

— Tak. — Westchnęłam z irytacją.

Zacisnął powieki.

— To wszystko?

— Nie twoja sprawa! — Szarpnęłam za klamkę.

Travis zatrzasnął drzwi i z przepraszającą miną zastąpił mi drogę.

— Muszę wiedzieć.

— Nie, nie musisz! Odsuń się, Travis!

— Gołąbku...

— Sądzisz, że skoro przestałam być dziewicą, będę się pieprzyć z każdym, kto mnie zechce? Wielkie dzięki! — wrzasnęłam, odpychając go.

— Cholera jasna! Nie powiedziałem nic takiego! Po prostu chciałbym być spokojniejszy.

— Dlatego pytasz, czy sypiam z Parkerem?

— Nic nie rozumiesz? To jest jasne dla wszystkich z wyjątkiem ciebie! — krzyknął ze złością.

— Widocznie jestem idiotką. Masz dziś gadane, Trav. — Pociągnęłam za klamkę.

Chwycił mnie w ramiona.

— To, co do ciebie czuję... Szaleję za tobą.

— Z tym szaleństwem to akurat prawda — burknęłam, odsuwając się od niego.

— Ćwiczyłem to w głowie przez cały wieczór, więc mnie wysłuchaj.

— Travis...

— Wiem, że oboje jesteśmy popieprzeni. Ja jestem porywczy, impulsywny, a ty załazisz mi za skórę jak nikt inny. W jednej chwili zachowujesz się tak, jakbyś mnie nie cierpiała, a zaraz potem do mnie lgniesz. Nigdy nic mi się nie udaje i nie zasługuję na ciebie, ale... Abby, kocham cię, do cholery. Kocham cię bardziej niż kogokolwiek i cokolwiek w całym moim życiu. Przy tobie nie potrzebuję wódki ani pieniędzy, ani walk, ani seksu na jedną noc... Pragnę tylko ciebie. Tylko o tobie myślę, tylko o tobie marzę, tylko ciebie chcę.

Zamierzałam udać obojętność, ale plan się nie powiódł. Nie potrafiłam pozostać nieczuła, kiedy wreszcie wyłożył karty na stół. Od pierwszego spotkania w nas obojgu coś się zmieniło, a cokolwiek to było, sprawiło, że staliśmy się sobie niezbędni. Z nieznanych mi powodów byłam dla niego kimś wyjątkowym, a on, chociaż starałam się z tym walczyć, był kimś wyjątkowym dla mnie.

Ujął moją twarz w dłonie i spojrzał mi w oczy.

— Spałaś z nim?

Pokręciłam głową, czując, że zbiera mi się na płacz. Travis przywarł do mnie wargami i wsunął mi język do ust. Nie będąc w stanie się opanować, złapałam go za koszulę i przyciągnęłam do siebie. Zamruczał swoim niezwykłym, głębokim głosem i objął mnie tak mocno, że zabrakło mi tchu.

Po chwili cofnął się, dysząc ciężko.

— Zadzwoń do Parkera. Powiedz mu, że nie chcesz go więcej widzieć. Powiedz, że jesteś ze mną.

Zamknęłam oczy.

— Nie mogę być z tobą, Travis.

— Dlaczego nie, do cholery?! — spytał, wypuszczając mnie z objęć.

Pokręciłam głową. Bałam się, jak zareaguje, kiedy powiem mu prawdę.

Zaśmiał się.

— Nie do wiary. Jedyna dziewczyna, której pragnę, nie chce ze mną być.

Przełknęłam ślinę, wiedząc, że za chwilę zbliżę się do prawdy bardziej, niżbym chciała.

— America i ja przyjechałyśmy tutaj po to, żeby moje życie potoczyło się w określonym kierunku. Albo żeby nie potoczyło się w określonym kierunku. Bójki, hazard, pijaństwo... Zostawiłam to wszystko za sobą. Przy tobie... tamto wraca, w nieodpartym, wytatuowanym pakiecie. Nie dlatego przeniosłam się setki kilometrów od domu, żeby przeżywać to jeszcze raz.

Travis uniósł mój podbródek, zmuszając mnie, żebym na niego spojrzała.

— Wiem, że zasługujesz na kogoś lepszego ode mnie. Myślisz, że tego nie wiem? Ale jeśli istnieje kobieta stworzona dla mnie, to jesteś nią ty. Zrobię wszystko, co zechcesz, Gołąbku. Słyszysz? Zrobię wszystko.

Cofnęłam się zawstydzona, że nie mogę mu powiedzieć całej prawdy. To ja nie byłam dla niego dość dobra. To ja wszystko bym zniszczyła, zniszczyłabym jego. Pewnego dnia znienawidziłby mnie, a wówczas nie potrafiłabym spojrzeć mu w oczy.

Znów zatrzasnął drzwi, kiedy je otworzyłam.

— Przestanę walczyć, gdy tylko skończę studia. Nie wypiję więcej kropli alkoholu. Będziemy żyli długo i szczęśliwie. Uda się nam, jeśli we mnie uwierzysz.

— Nie chcę, żebyś się zmieniał.

— Więc powiedz mi, co mam robić. Powiedz. Zrobię, co zechcesz.

Jeśli zdążyłam porzucić myśl o związku z Parkerem, to jedynym powodem było to, co czułam do Travisa. Zastanawiałam się, jak od tej chwili mogło potoczyć się moje życie, i rozważałam różne możliwości. Zaufać Travisowi i skoczyć na głęboką wodę, ryzykując wielką niewiadomą, czy odtrącić go ze świadomością, jak to się skończy, czyli wybrać życie bez niego? Przerażały mnie obie te perspektywy.

— Pożyczysz mi swój telefon? — spytałam.

Zdezorientowany Travis ściągnął brwi.

— Jasne. — Wyjął z kieszeni komórkę.

Wystukałam numer i zamknęłam oczy w oczekiwaniu na sygnał.

— Travis? Co ty wyprawiasz, do diabła? Wiesz, która jest godzina? — odezwał się Parker niskim, ochrypłym głosem. Serce zabiło mi mocniej. Oczywiście zobaczył, z czyjego telefonu dzwonię.

Słowa, które chciałam wypowiedzieć, same cisnęły mi się na usta.

— Przepraszam, że dzwonię o tej porze, ale to nie mogło czekać. Nie mogę... Nie pójdę z tobą w środę na kolację.

— Abby, jest czwarta nad ranem. Co się dzieje?

— Właściwie w ogóle nie chcę się z tobą spotykać.

— Abs...?

— Jestem... prawie na pewno zakochana w Travisie — oznajmiłam, szykując się na jego reakcję.

Po chwili wymownego milczenia rozłączył się.

Wbiłam wzrok w ziemię. Oddałam Travisowi komórkę i z ociąganiem spojrzałam na jego twarz — zarazem wstrząśniętą, zmieszaną i pełną uwielbienia.

— Rozłączył się — powiedziałam niepewnie.

Przyjrzał mi się z nadzieją.

— Kochasz mnie?

— Twoje tatuaże. — Wzruszyłam ramionami.

Uśmiechnął się. Jak zwykle zrobiły mu się dołeczki w policzkach.

— Jedź ze mną do domu. — Znów objął mnie mocno.

— Mówiłeś to wszystko tylko po to, żeby zaciągnąć mnie do łóżka?

— Chcę jedynie trzymać cię w ramionach przez całą noc.

— Chodźmy — rzuciłam.

Mimo że gnaliśmy jak opętani, w dodatku skrótami, droga do mieszkania wydawała się nie mieć końca. Gdy wreszcie dojechaliśmy na miejsce, Travis wniósł mnie po schodach na górę. Chichotałam, kiedy szarpał się z zamkiem. Postawił mnie na podłodze, zamknął za nami drzwi i odetchnął z ulgą.

— Od twojej wyprowadzki przestałem czuć się tutaj jak w domu — powiedział, całując mnie w usta.

Toto potruchtał do nas korytarzem. Machał ogonkiem

i skakał na mnie łapami. Przemówiłam do niego czule i wzięłam go na ręce.

Łóżko Shepleya zaskrzypiało, a po chwili usłyszałam tupot jego stóp. Wyjrzał z pokoju, mrużąc oczy.

— Travis, do cholery, chyba nie zamierzasz znowu się w to bawić! Kochasz Ab... — Skupił wzrok i zrozumiał swój błąd. — ...by. Hej, Abby.

— Hej, Shep. — Postawiłam Toto na podłodze.

Travis pociągnął mnie za rękę, mijając wciąż zaszokowanego kuzyna. Kopniakiem zamknął drzwi do sypialni, wziął mnie w ramiona i zaczął całować bez chwili wahania, jakby robił to już setki razy. Zdjęłam mu T-shirt, a on ściągnął mi z ramion kurtkę. Odsunęłam się, żeby zdjąć sweter i koszulkę, po czym znów do niego przywarłam. Rozebraliśmy się błyskawicznie i opadliśmy na łóżko. Sięgnęłam do szuflady i zanurzyłam w niej rękę, szukając po omacku szeleszczącej folii.

— Cholera — zaklął zasapany i wściekły. — Wszystkie wyrzuciłem.

— Co takiego?

— Pomyślałem, że... skoro nie jestem z tobą, nie będą mi potrzebne.

— Żartujesz! — zawołałam, opierając się o wezgłowie łóżka.

Travis zmarszczył czoło.

— Jak widać, przyjąłem błędne założenie.

Uśmiechnęłam się i go pocałowałam.

— Nigdy z nikim nie byłeś bez...?

— Nigdy — przyznał.

Zamyśliłam się, a on roześmiał się na widok mojej miny.

— Co robisz?

— Ciii... Liczę.

Przyglądał mi się przez chwilę, po czym nachylił się i pocałował mnie w szyję.

— Przestań, nie mogę się skupić... — Westchnęłam. — Dwudziesty piąty i dwa dni — wymruczałam.

Travis się zaśmiał.

— O czym ty mówisz, do diabła?

— Jest w porządku — powiedziałam, wsuwając się pod niego.

Objął mnie i czule pocałował.

— Na pewno?

Powędrowałam dłońmi od jego ramion do pośladków i mocno przyciągnęłam go do siebie. Zamknął oczy i jęknął.

— Mój Boże, Abby — wyszeptał, powoli i rytmicznie poruszając biodrami. — Jasna cholera, jak cudnie.

— Inaczej?

Spojrzał mi w oczy.

— Z tobą i tak jest inaczej, ale... — Wziął głęboki oddech, znów naprężył mięśnie i na chwilę zacisnął powieki. — Po tym już nigdy nie będę taki sam.

Przesuwał wargami po mojej szyi, a kiedy dotarł do ust, zatopiłam palce w mięśniach jego ramion, zatracając się w namiętnym pocałunku.

Travis uniósł mi ręce nad głowę, splótł palce z moimi i z każdym ruchem do przodu ściskał mi dłonie. Poruszał się teraz z brutalną siłą. Wbiłam paznokcie w jego dłonie, z całą mocą napinając ciało.

Krzyknęłam, zagryzłam wargi i zacisnęłam powieki.

— Abby — wyszeptał jakby rozdarty. — Muszę...

— Nie przestawaj — poprosiłam.

Znów zaczął się rytmicznie poruszać, jęcząc tak głośno, że zakryłam mu usta. Kilka razy odetchnął ciężko, głęboko, spojrzał mi w oczy i obsypał mnie pocałunkami. Potem dotknął mojej twarzy i zaczął całować powoli, czule, w usta, policzki, czoło, nos, znów w usta.

Wyczerpana, uśmiechnęłam się i westchnęłam. Gdy Travis położył się obok mnie i przykrył nas kołdrą, oparłam policzek na jego piersi. Pocałował mnie w czoło, splatając dłonie za moimi plecami.

— Nie wychodź tym razem, dobrze? Rano chcę się obudzić przy tobie.

Poczułam się winna, że o to prosi.

— Nigdzie się nie wybieram.

Rozdział jedenasty

Zazdrość

Kiedy się obudziłam, leżałam nago na brzuchu, zaplątana w pościel Travisa Maddoxa. Nie otworzyłam oczu od razu. Travis głaskał mnie palcami po plecach i ramionach.

Odetchnął głęboko z zadowoleniem i odezwał się ściszonym głosem:

— Kocham cię, Abby. Będziesz ze mną szczęśliwa, przysięgam.

Łóżko drgnęło, kiedy się poruszył, obcałowując mi plecy od dołu do góry, aż po samą szyję. Potem wstał, wyszedł z sypialni i powlókł się leniwie korytarzem. Rury zadudniły, kiedy odkręcił wodę pod prysznicem.

Otworzyłam oczy, usiadłam na łóżku i przeciągnęłam się. Bolały mnie wszystkie mięśnie, łącznie z tymi, o których dotąd nie wiedziałam. Owinęłam się kołdrą i wyjrzałam przez okno. Żółte i czerwone liście opadały spiralą na ziemię.

Gdzieś na podłodze zabrzęczała komórka Travisa. Przeszukałam zmięte ubrania i znalazłam telefon w kieszeni jego dżinsów. Wyświetlał się tylko numer, bez nazwiska.

— Halo?

— Hm... Jest Travis? — usłyszałam kobiecy głos.

— Bierze prysznic. Coś mu powtórzyć?

— Prysznic, jasne. Powiedz mu, że dzwoniła Megan, dobrze?

Travis wszedł do pokoju, ciasno owinięty ręcznikiem. Uśmiechnął się, kiedy podałam mu telefon.

— Do ciebie.

Pocałował mnie, zerknął na wyświetlacz i pokręcił głową.

— Tak...? Moja dziewczyna... Czego chcesz, Megan? — Chwilę słuchał. — No cóż, jest wyjątkowa, co mam ci powiedzieć? — Po dłuższym milczeniu przewrócił oczami. Mogłam sobie tylko wyobrazić, co ona mówi. — Nie bądź świnią, Megan. Słuchaj, nie dzwoń do mnie więcej... Zrozumiesz, jak się zakochasz. — Spojrzał na mnie miękko. — Tak, w Abby. Mówię serio, Megan, nie dzwoń więcej. Na razie.

Rzucił telefon na łóżko i usiadł koło mnie.

— Trochę się wkurzyła. Co ci mówiła?

— Nic, pytała o ciebie.

— Wykasowałem tych kilka numerów, które miałem w telefonie, co nie znaczy, że ich właścicielki przestaną do mnie dzwonić. Może będę musiał powiedzieć im wprost, żeby więcej tego nie robiły.

Spojrzał na mnie wyczekująco. Uśmiechnęłam się mimo woli. Takiego dotąd go nie znałam.

— Ufam ci, wiesz?

— Masz prawo żądać, żebym zasłużył na twoje zaufanie.

— Idę pod prysznic. Opuściłam już jedne zajęcia.

— Widzisz? Zaczynam mieć na ciebie dobry wpływ.

Gdy wstałam, Travis poprawił prześcieradło.

— Megan mówiła, że w weekend w klubie Red Door będzie impreza z okazji Halloween. W zeszłym roku poszliśmy razem. Było fajnie.

— Nie wątpię.

— Przychodzi mnóstwo ludzi. Bilard, tanie drinki... Wybierzemy się?

— Raczej nie. Nie lubię przebieranek. Nigdy nie lubiłam.

— Ja też nie. Ale chętnie bym poszedł. — Wzruszył ramionami.

— Wieczorem idziemy na kręgle, tak? — spytałam. Zastanawiałam się, czy wcześniej zaprosił mnie tylko po to, żeby ze mną pobyć, a teraz może już nie miał takiej potrzeby.

— No jasne! Znów z tobą wygram!

— Nie tym razem — rzuciłam, mrużąc oczy. — Mam ostatnio nowe supermoce.

Zaśmiał się.

— Jakie? Ostry język?

Pocałowałam go w szyję i przesunęłam językiem po jego uszach. Znieruchomiał.

— Potrafię rozproszyć uwagę przeciwnika — wyszeptałam.

— Opuścisz kolejne zajęcia — powiedział, przewracając mnie na plecy.

❦

W końcu udało mi się namówić go do wyjścia. Mieliśmy jeszcze szansę zdążyć na zajęcia z historii. Pognaliśmy do kampusu i usiedliśmy w ławce, zanim profesor Chaney rozpoczął wykład. Travis przekręcił czerwoną bejsbolówkę tyłem na przód i na oczach wszystkich pocałował mnie w usta.

W drodze do stołówki ujął moją dłoń i splótł ze mną palce. Wydawał się taki dumny, że może trzymać mnie za rękę, jakby oznajmiał całemu światu, że wreszcie jesteśmy razem. Finch na nasz widok rozpromienił się w uśmiechu. Fakt, że otwarcie okazywaliśmy sobie czułość, zwrócił też uwagę pozostałych studentów — wszyscy, których mijaliśmy, przyglądali się nam i szeptali między sobą.

Przed wejściem do stołówki Travis wydmuchał dym i zgasił papierosa. Zauważył, że się waham. America i Shepley byli już w środku, a Finch zapalił kolejnego papierosa, co oznaczało, że będę musiała wkroczyć na salę z Travisem. Byłam pewna, że odkąd pocałował mnie na oczach wszystkich na wykładzie z historii, plotki rozgorzały na nowo, i bałam się wziąć udział w spektaklu, na jaki zapewne czekała cała stołówka.

— Co jest, Gołąbku? — Travis pociągnął mnie za rękę.

— Wszyscy się na nas gapią.

Podniósł moją dłoń do ust i pocałował.

— Przejdzie im, kiedy otrząsną się z szoku. Pamiętasz, jak zaczęliśmy pojawiać się razem? Po jakimś czasie zaspokoili swoją ciekawość i przywykli. Chodź.

Jednym z powodów, dla których wybrałam Uniwersytet Eastern, była niewielka liczba studentów, ale związana z tym żądza sensacji czasem mnie irytowała. Zabawne — wszyscy zdawali sobie sprawę, jak idiotyczne jest rozpowiadanie plotek rodem z magla, a jednocześnie bezwstydnie brali w tym udział.

Gdy usiedliśmy tam, gdzie zawsze, America uśmiechnęła się do mnie znacząco. Gawędziła jakby nigdy nic, za to członkowie drużyny futbolowej gapili się na mnie z rozdziawionymi ustami.

Travis stuknął widelcem w moje jabłko.

— Nie jesz, Gołąbku?

— Nie. Weź je sobie, kochanie.

Moja przyjaciółka raptownie podniosła głowę, a mnie uszy zapłonęły ze wstydu.

— Wyrwało mi się — powiedziałam, kręcąc głową, po czym zerknęłam na Travisa. Na jego twarzy malowało się rozbawienie i uwielbienie.

Tego ranka kilka razy zwracaliśmy się do siebie „kochanie" i nie przyszło mi do głowy aż do teraz, że dla innych będzie to coś nowego.

— Oboje jesteście irytująco uroczy — stwierdziła America.

Shepley poklepał mnie po ramieniu.

— Zostajesz dziś na noc? — spytał, jedząc chleb. — Obiecuję, że tym razem nie wypadnę z pokoju z przekleństwem na ustach.

— Broniłeś mojego honoru, Shep. Wybaczam ci.

Travis ugryzł kawałek jabłka. Wydawał się szczęśliwy jak nigdy. Znów miał spokój w spojrzeniu i chociaż kilkanaście par oczu śledziło każdy nasz ruch, wszystko było... dobrze.

Przypomniałam sobie, ile razy upierałam się, że wiążąc się z Travisem, popełniłabym błąd; ile czasu straciłam, walcząc z uczuciem do niego. Teraz, gdy patrzyłam przez stół na jego łagodne brązowe oczy i roztańczone dołeczki w policzkach, nawet nie pamiętałam, co mnie tak niepokoiło.

— Wygląda na strasznie szczęśliwego. W końcu mu uległaś, Abby? — odezwał się Chris, puszczając oko do kolegów.

— Nie jesteś zbyt bystry, co, Jenks? — Shepley zmarszczył czoło.

Zaczerwieniłam się, a oczy Travisa zabłyszczały z wściekłości. Moje skrępowanie zeszło na drugi plan w obliczu jego złości. Lekceważąco pokręciłam głową.

— Nie zwracaj na niego uwagi.

Travis nieco się odprężył; w końcu odetchnął głęboko. Po chwili do mnie mrugnął. Sięgnęłam przez stół i wzięłam go za rękę.

— To prawda, co mówiłaś dzisiaj w nocy... — zaczął, ale nie skończył, bo Chris wybuchnął śmiechem na całą stołówkę.

— Święty Boże! Travis Maddox ujarzmiony?

— Mówiłaś poważnie, żebym się nie zmieniał? — spytał Travis, ściskając mnie za rękę.

Spojrzałam na Chrisa, chichoczącego z kolegami, po czym zwróciłam się do Travisa:

— Oczywiście. Naucz tego gnojka dobrych manier.

Uśmiechnął się figlarnie i podszedł do Chrisa. W stołówce zapanowała kompletna cisza. Chris przestał się śmiać i przełknął ślinę.

— Hej, tylko żartowałem.

— Przeproś.

Chris spojrzał na mnie wyraźnie podenerwowany.

— Przepraszam, Abby... To było dla żartu...

Rzuciłam mu gniewne spojrzenie. Kiedy Travis dał mu spokój, Chris zachichotał i wyszeptał coś do Brazila. Zamarłam z przerażenia, widząc, jak Travis zatrzymuje się w miejscu i zaciska pięści.

Brazil pokręcił głową i westchnął z desperacją.

— Kiedy dojdziesz do siebie, Chris, pamiętaj, że sam się o to prosiłeś.

Travis chwycił tacę Fincha i rzucił nią w Chrisa, tak że ten spadł z krzesła. Próbował się podnieść, ale Travis wyciągnął go spod stołu i zaczął okładać pięściami, a potem, kiedy tamten zwinął się w kłębek, kopnął go w plecy. Chris wygiął się w łuk; bronił się rękami i nogami, tymczasem Travis uderzył go w twarz. Gdy popłynęła krew, podniósł się, zasapany.

— Jeśli jeszcze raz na nią spojrzysz, gnojku, porachuję ci kości! — wrzasnął. Skrzywiłam się, kiedy na koniec kopnął Chrisa w goleń.

Pracownice stołówki wychynęły z zaplecza, wstrząśnięte krwawą jatką.

— Przepraszam — rzucił Travis, ocierając krew Chrisa ze swojego policzka.

Część studentów wstała, żeby ocenić sytuację. Inni nadal siedzieli, obserwując tę scenę z rozbawieniem. Futboliści, kręcąc głowami, gapili się na bezwładne ciało kolegi.

Travis odwrócił się do mnie, a Shepley wstał, chwycił mnie pod ramię, wziął swoją dziewczynę za rękę i wyprowadził nas na zewnątrz. Przeszliśmy parę kroków do akademika. Usiadłyśmy z Mare na schodkach, a Travis chodził tam i z powrotem po parkingu.

— Wszystko w porządku, Trav? — spytał Shepley.

— Daj mi chwilę... — Jego kuzyn oparł dłonie na biodrach.

Shepley wsunął ręce do kieszeni.

— Zaskoczyłeś mnie. Pohamowałeś się w ostatniej chwili.

— Abby kazała mi nauczyć go dobrych manier, Shep, nie zabić. Chociaż z trudem się powstrzymałem.

America wsunęła na nos wielkie ciemne okulary.

— Co takiego powiedział, że wyprowadził cię z równowagi?

— Coś, czego nigdy więcej nie powtórzy — burknął Travis.

Spojrzała na Shepleya, który wzruszył ramionami.

— Nie słyszałem.

Travis znów zacisnął pięści.

— Wracam tam — oznajmił, ale kuzyn ścisnął go za ramię.

— Twoja dziewczyna jest tutaj. Nie musisz tam wracać.

Travis spojrzał na mnie; widziałam, że za wszelką cenę stara się opanować.

— Powiedział... Wszyscy myślą, że Abby... Jezu, nawet tego nie powtórzę.

— Wyduś to z siebie wreszcie — mruknęła America, obgryzając paznokcie.

Dołączył do nas Finch, wyraźnie podekscytowany całą sytuacją.

— Z wyjątkiem gejów wszyscy na Eastern chcą się z nią przespać. W końcu usidliła samego Travisa Maddoxa. — Wzruszył ramionami. — Przynajmniej tak mówią.

Travis, odepchnąwszy go, ruszył z powrotem do stołówki. Shepley popędził za nim i złapał go za ramię. Zakryłam usta rękami, gdy Travis obrócił się gwałtownie, a Shep się uchylił. Zerknęłam na Mare, która wydawała się nieporuszona, jakby przywykła do kłótni między kuzynami.

Przyszła mi do głowy tylko jedna rzecz. Zbiegłam ze schodów i zastąpiłam mu drogę. Skoczyłam na niego, obejmując go w pasie nogami i zaciskając uda, po czym całowałam go w usta, długo i namiętnie. Poczułam, jak mija mu złość. Chwilę później, gdy się odsunęłam, już wiedziałam, że dobrze zrobiłam.

— Nie obchodzi nas, co sobie myślą, pamiętasz? Nie zaczynaj znowu — poprosiłam z uśmiechem. Miałam na niego większy wpływ, niż przypuszczałam.

— Gołąbku, nie mogę pozwolić, żeby tak o tobie mówili. — Zmarszczył czoło, opuszczając mnie na ziemię.

Zarzuciłam mu ręce na szyję.

— Jak? Uważają, że jestem wyjątkowa, bo nigdy wcześniej z nikim nie związałeś się na serio. Tak bardzo się mylą?

— Jasne, że nie, po prostu nie mogę znieść myśli, że teraz każdy chce się z tobą przespać. — Przylgnął do mnie czołem. — Chyba zwariuję.

— Daj spokój, Travis — wtrącił się Shepley. — Nie powalisz na ziemię ich wszystkich.

Travis westchnął.

— Właśnie, wszystkich. Jak byś się czuł, gdyby wszyscy tak myśleli o Mare?

— Skąd wiadomo, że tak o mnie nie myślą? — obruszyła się America. Roześmialiśmy się, a ona się naburmuszyła. — Wcale nie żartowałam.

Shepley przyciągnął ją do siebie i pocałował w policzek.

— Wiemy, kochanie, już dawno przestałem być o ciebie zazdrosny. Nie miałbym czasu na nic innego.

Uśmiechnęła się i objęła go czule. Potrafił udobruchać każdego, z pewnością nauczył się tego, dorastając z kuzynem i jego braćmi — taki mechanizm obronny.

Zachichotałam, kiedy Travis musnął nosem moje ucho. Po

chwili dostrzegłam Parkera i znów poczułam się nieswojo, tak samo jak przed wejściem do stołówki.

— Musimy porozmawiać.

Obejrzałam się za siebie i ostrzegawczo pokręciłam głową.

— To nie jest dobry moment, Parker. W zasadzie to fatalny moment. Travis starł się z Chrisem podczas lunchu i chyba wciąż jeszcze nie doszedł do siebie. Lepiej już idź.

Spojrzał na Travisa i znów na mnie. Wydawał się stanowczy.

— Właśnie usłyszałem, co się stało w stołówce. Chyba nie wiesz, w co się pakujesz. Powinnaś trzymać się od niego z daleka, Abby, to jest jasne dla każdego. Zmienił się? Wszyscy tylko czekają, aż cię wystawi, tak jak ma w zwyczaju. Nie wiem, co ci powiedział, ale nie masz pojęcia, jakim jest człowiekiem.

Travis objął mnie.

— Może ją oświecisz?

Parker przestąpił z nogi na nogę.

— Wiesz, ile upokorzonych dziewczyn odwoziłem do domu z imprez po tym, jak spędziły z nim kilka godzin sam na sam? On cię zrani!

Travis zacisnął palce. Wzięłam go za rękę, żeby się odprężył.

— Powinieneś już iść, Parker — poradziłam mu.

— Wysłuchaj mnie, Abs.

— Nie nazywaj jej tak — rzucił Travis wściekłym głosem.

Parker nie odrywał ode mnie wzroku.

— Martwię się o ciebie.

— Doceniam. Niepotrzebnie.

Pokręcił głową.

— Potraktował cię jak wyzwanie. Miałaś myśleć, że różnisz

się od innych dziewczyn, tylko po to, żeby wrzucił cię razem z nimi do jednego worka. Za chwilę się tobą znudzi. Jest jak dziecko.

Travis podszedł do Parkera tak blisko, że niemal stykali się nosami.

— Powiedziałeś, co miałeś do powiedzenia. Moja cierpliwość się wyczerpała. — Parker spojrzał na mnie, ale Travis zastąpił mu drogę. — Nie waż się na nią patrzeć. Patrz na mnie, rozpieszczony dupku. — Parker wytrzymał jego spojrzenie. — Jeśli jeszcze raz ją zaczepisz, dopilnuję, żebyś kulał przez całe swoje studia medyczne.

Parker cofnął się o kilka kroków.

— Myślałem, że jesteś rozsądna — dodał, po czym pokręcił głową i odszedł.

Travis patrzył za nim przez chwilę.

— Wiesz, że to wszystko brednie? — zwrócił się do mnie. — Nie ma w tym ani krzty prawdy.

— Ale inni na pewno myślą tak jak on — mruknęłam świadoma wścibskich spojrzeń mijających nas studentów.

— Udowodnię im, że się mylą.

Travis potraktował swoją obietnicę bardzo serio. Nie gawędził z dziewczynami, które zaczepiały go w drodze na zajęcia, a czasem spławiał je w sposób wręcz niegrzeczny. Minął kolejny tydzień. Postanowiliśmy jednak wybrać się do klubu Red Door na imprezę z okazji Halloween. Zastanawiałam się z pewną obawą, czy Travis zdoła się opędzić od tłumu wstawionych studentek.

America, Finch i ja siedzieliśmy przy stoliku, a Shepley z Travisem grali w bilard przeciwko dwóm kolegom z Sigma Tau.

— Dawaj, skarbie! — zawołała Mare, stając na metalowym szczeblu stołka.

Shepley puścił do niej oko i uderzył kijem w bilę, która wpadła do narożnej prawej łuzy.

Zapiszczała z zachwytu.

Trzy dziewczyny, przebrane za Aniołki Charliego, podeszły do Travisa, gdy czekał na swoją kolejkę. Uśmiechnęłam się, widząc, że za wszelką cenę stara się je zignorować. Jedna z nich przejechała palcem po jego tatuażach. Travis cofnął rękę i kazał jej się odsunąć, żeby mógł uderzyć w bilę. Z nadąsaną miną odwróciła się do koleżanek.

— To nie do wiary. — America westchnęła. — Nie mają za grosz wstydu.

Finch pokręcił głową w zdumieniu.

— Travis tak na nie działa. To chyba syndrom niesfornego chłopca. Albo chcą go zbawić, albo jego grzeszki nie robią na nich wrażenia. Nie jestem pewien.

— Myślę, że jedno i drugie. — Roześmiałam się. Dziewczyny cierpliwie czekały, aż Travis łaskawie zwróci na nie uwagę. — Wyobrażacie sobie? Każda z nich ma nadzieję, że wybierze właśnie ją. I wszystkie wiedzą, że je wykorzysta i porzuci.

— Problemy z ojcem — skwitowała America, sącząc drinka.

Finch zgasił papierosa i pociągnął nas w stronę parkietu.

— Chodźcie, dziewczęta! Pedzio chce tańczyć!

— Pod warunkiem że przestaniesz tak o sobie mówić.

Wykrzywił usta w podkówkę i America się uśmiechnęła.

— Chodź, Abby, bo jeszcze Finch nam się rozpłacze.

Dołączyłyśmy do policjantów i wampirów podrygujących na parkiecie. Finch wyginał ciało niczym Justin Timberlake. Zerknęłam przez ramię na Travisa i zauważyłam, że obserwuje mnie kątem oka, chociaż udaje, że patrzy na Shepleya, który tymczasem wbił do łuzy ósemkę. Zgarnęli wygraną i podeszli do długiego baru przy parkiecie, na którym stały drinki. Finch wymachiwał w tańcu rękami, a w końcu wcisnął się między Mare a mnie. Travis przewrócił oczami i się roześmiał. Wrócili z Shepleyem do naszego stolika.

— Idę po coś do picia. Przynieść ci też?! — spytała mnie America, przekrzykując muzykę.

— Pójdę z tobą! — odkrzyknęłam.

Finch wolał dalej tańczyć. Przepchnęłyśmy się przez tłum do baru. Barmanki uwijały się jak w ukropie, ale i tak musiałyśmy się przygotować na dłuższe oczekiwanie.

— Chłopaki chcą dziś zarobić duży szmal — powiedziała moja przyjaciółka.

— Czemu ktoś zakłada się z Shepem, że wygra?! — wrzasnęłam jej prosto do ucha. — Nigdy tego nie pojmę!

— Z głupoty! Zakładają się też z Travisem. — Uśmiechnęła się.

Przy barze zjawił się facet w todze.

— Co panie piją? — spytał.

— Same kupujemy sobie drinki, dzięki — odparła America, nie patrząc na niego.

— Mam na imię Mike. — Wskazał na przyjaciela. — A to Logan.

Uśmiechnęłam się grzecznie, zerkając na przyjaciółkę, która całą sobą mówiła: „Odejdź". Tymczasem barmanka przyjęła nasze zamówienie, kiwnęła na dwóch mężczyzn stojących za nami i odwróciła się, żeby naszykować drinka dla Mare. Po chwili postawiła na barze szklankę różowego pienistego płynu i trzy piwa. Mike wręczył jej kilka banknotów.

— Fajne miejsce — ocenił, wodząc wzrokiem po sali.

— Owszem — burknęła z irytacją Mare.

— Widziałem, jak tańczyłaś — zwrócił się do mnie Logan. — Nieźle to wyglądało.

— Uhm... Dzięki — odparłam uprzejmie. Miałam się na baczności, wiedząc, że Travis jest niedaleko.

— Zatańczymy?

Pokręciłam głową.

— Raczej nie. Jestem tu z...

— Chłopakiem — dokończył Travis, który pojawił się tuż obok nie wiadomo skąd.

Spojrzał wilkiem na otaczających mnie facetów. Cofnęli się o parę kroków, wyraźnie onieśmieleni.

America rozanieliła się, gdy Shepley otoczył ją ramieniem. Travis rozejrzał się po sali.

— Spadajcie — zwrócił się do naszych adoratorów.

Spojrzeli na Mare i na mnie, po czym na wszelki wypadek postanowili wtopić się w tłum.

Shepley pocałował swoją dziewczynę.

— Nigdzie nie mogę z tobą pójść!

Zachichotała. Uśmiechnęłam się do Travisa, który przyglądał mi się ponuro.

— Co?

— Zgodziłaś się, żeby postawił ci piwo?

America, widząc jego minę, wyswobodziła się z objęć Shepleya.

— Wcale nie, Travis. Powiedziałam im, że dziękujemy.

Wyjął mi z dłoni butelkę.

— A to co?

— Chyba nie mówisz serio? — spytałam.

— Jak najbardziej. — Wyrzucił butelkę do kosza na końcu baru. — Powtarzałem ci setki razy... Nie możesz pić niczego, co stawiają ci obcy faceci. A jeśli czegoś ci dosypał?

America uniosła swoją szklankę.

— Widziałyśmy, co nam nalewają. Przesadzasz, Trav.

— Nie rozmawiam z tobą — warknął, wlepiając we mnie wzrok.

— Hej! — Tym razem naprawdę mnie zezłościł. — Nie odzywaj się do niej w ten sposób!

— Travis — wtrącił się Shepley. — Odpuść sobie.

— Nie chcę, żeby obcy faceci stawiali ci piwo.

Uniosłam brwi.

— Chcesz się kłócić?

— A gdybym ja postawił piwo jakiejś niuni przy barze? Nic by cię to nie obeszło?

Pokiwałam głową.

— Jasne. Od niedawna nie zwracasz uwagi na inne kobiety. Rozumiem. Teraz oczekujesz ode mnie, że zignoruję każdego faceta, który się do mnie odezwie.

— Właśnie tak.

Najwyraźniej starał się opanować złość. Poczułam się nieswojo. Patrzył na mnie gniewnie, podczas gdy ja, zgodnie z wrodzoną skłonnością, przeszłam do ofensywy.

— Nie mów do mnie tym tonem, Travis. Nie zniosę tak zazdrosnego chłopaka. Nie zrobiłam nic złego.

Spojrzał na mnie z niedowierzaniem.

— Podchodzę do baru i co widzę? Obcy facet kupuje ci piwo!

— Nie krzycz na nią, Trav — wtrąciła się America.

Shepley poklepał go po ramieniu.

— Wszyscy sporo wypiliśmy. Lepiej już chodźmy.

Zwykle potrafił załagodzić sytuację, ale tym razem mu się nie udało. Wściekłam się na Travisa, że zepsuł nam wszystkim wieczór.

— Powiem Finchowi, że wychodzimy — burknęłam. Odepchnęłam go i ruszyłam na parkiet, ale złapał mnie za nadgarstek.

— Pójdę z tobą.

Wyrwałam rękę.

— Potrafię przejść samodzielnie kilka kroków. Co się z tobą dzieje, Travis? — Dostrzegłam Fincha wśród tłumu tańczących i zaczęłam się przepychać w jego stronę. — Wychodzimy! — zawołałam.

— Co?! — wrzasnął, przekrzykując muzykę.

— Travis jest w gównianym nastroju. Wychodzimy!

Finch przewrócił oczami, pokręcił głową i pomachał mi na pożegnanie. Gdy odnalazłam wzrokiem przyjaciółkę i jej chłopaka, pociągnął mnie do tyłu mężczyzna w przebraniu pirata.

— Dokąd się wybierasz? — spytał z uśmiechem, trącając mnie biodrem.

Miał tak głupią minę, że musiałam się roześmiać. Chciałam już odejść, złapał mnie jednak za ramię. Szybko dotarło do mnie, że zrobił ten gest w mojej obronie.

— Hola! — zawołał, patrząc przed siebie wybałuszonymi oczyma.

Travis wtoczył się na parkiet i wymierzył cios pięścią prosto w twarz pirata. Siła uderzenia powaliła na podłogę nas oboje. Rozpłaszczyłam ręce na parkiecie, mrugając z niedowierzaniem. Wnętrze dłoni wypełniało mi coś ciepłego i mokrego. Odwróciłam rękę i się wzdrygnęłam — była cała we krwi płynącej z nosa mężczyzny, który zasłaniał twarz, skręcając się z bólu.

Travis pomógł mi wstać. Wydawał się równie wstrząśnięty jak ja.

— O cholera. Nic ci nie jest, Gołąbku?

Wywinęłam się z jego objęć.

— Odbiło ci?!

America złapała mnie za rękę i przepychając się przez tłum, pociągnęła na parking przed klubem. Shepley otworzył drzwi i wsiedliśmy do samochodu.

— Przepraszam, Gołąbku — zwrócił się do mnie Travis. — Nie wiedziałem, że ten facet cię trzyma.

— Twoja pięść znalazła się pięć centymetrów od mojej twarzy! — wrzasnęłam.

Shepley rzucił mi poplamioną olejem szmatkę. Starłam z dłoni krew, krzywiąc się z odrazą.

Travis spochmurniał, ponieważ zdał sobie sprawę z powagi sytuacji.

— Nie zamachnąłbym się, gdybym sądził, że mogę cię uderzyć. Wiesz o tym, prawda?

— Zamknij się, Travis. Po prostu się zamknij — powiedziałam, patrząc przed siebie.

— Gołąbku... — zaczął.

Shepley walnął w kierownicę.

— Zamknij się, Travis! Przeprosiłeś, a teraz zamilcz, do cholery!

Jazda do domu upłynęła w kompletnej ciszy. Shepley odchylił swój fotel, żebym mogła wysiąść. Spojrzałam na przyjaciółkę, a ona ze zrozumieniem pokiwała głową.

Pocałowała Shepa na dobranoc.

— Do jutra, kochanie.

Westchnął z rezygnacją.

— Kocham cię.

Travis dogonił mnie, gdy szłam do samochodu Mare.

— Nie bądź na mnie zła.

— Nie jestem zła. Jestem wściekła.

— Potrzebuje czasu, żeby ochłonąć — powiedziała America, otwierając drzwi.

Chciałam sięgnąć do klamki, ale Travis zablokował drzwi od strony pasażera.

— Nie zostawiaj mnie, Gołąbku. Zachowałem się okropnie. Przepraszam.

Podniosłam rękę i pokazałam mu resztki zaschniętej krwi.

— Odezwij się, jak dorośniesz.

Oparł się biodrem o drzwi.

— Nie możesz teraz odejść.

Uniosłam brwi. Shepley podbiegł do samochodu.

— Travis, jesteś pijany. Za chwilę zrobisz coś głupiego. Pozwól jej jechać do domu, ochłonąć. Porozmawiacie jutro, kiedy wytrzeźwiejesz.

Travis wyglądał na zrozpaczonego.

— Nie mogę pozwolić jej odejść — powiedział, patrząc mi prosto w oczy.

— Nic nie wskórasz, Trav. — Pociągnęłam za klamkę. — Odsuń się.

— Nic nie wskóram? Co masz na myśli?

— Twoją smutną minę. Jakoś mnie nie wzrusza.

Shepley przyglądał mu się przez chwilę, po czym zwrócił się do mnie:

— Abby... To jest właśnie ten moment, o którym mówiłem. Może powinnaś...

— Nie wtrącaj się, Shep — przerwała mu America, odpalając silnik.

— Spieprzyłem sprawę. Niejedno jeszcze spieprzę, Gołąbku, ale musisz mi wybaczyć.

— Rano będę miała na tyłku wielkiego siniaka! Uderzyłeś tego gościa, bo byłeś wściekły na mnie! Co mam o tym sądzić? To było ostrzeżenie!

— Nigdy w życiu nie uderzyłem dziewczyny — powiedział, zdumiony moimi słowami.

— A ja nie zamierzam być pierwsza! Odsuń się, do cholery!

Pokiwał głową i cofnął się o krok. Usiadłam obok przyjaciółki, zatrzaskując drzwi. Gdy wrzuciła wsteczny bieg, Travis spojrzał na mnie przez szybę.

— Ale zadzwonisz jutro, prawda?

— Jedź już, Mare — powiedziałam, nie patrząc na niego.

Noc mi się dłużyła. Wciąż popatrywałam na zegarek i krzywiłam się, widząc, że minęła kolejna godzina. Myślałam o Travisie. Zastanawiałam się, czy mam do niego dzwonić i czy on też nie może spać. Wreszcie postanowiłam włożyć do uszu słuchawki iPoda i wysłuchać najgłośniejszych i najokropniejszych piosenek z mojej listy.

Kiedy ostatni raz zerknęłam na zegarek, było po czwartej; za oknem świergotały ptaki. Uśmiechnęłam się, czując, że opadają mi powieki. Zdawało mi się, że minęło raptem parę minut, gdy usłyszałam pukanie do drzwi. America wpadła do pokoju jak burza. Wyjęła mi z uszu słuchawki i opadła na krzesło przy biurku.

— Cześć, słoneczko! — przywitała mnie. — Wyglądasz koszmarnie. — Różowy balonik gumy do żucia najpierw napęczniał, a po chwili pękł z trzaskiem.

— Zamknij się, Mare! — wrzasnęła Kara spod kołdry.

— Zdajesz sobie sprawę, że ludzie tacy jak ty i Travis zawsze będą się kłócić? — spytała America, opiłowując paznokcie.

Przekręciłam się na łóżku.

— Zostajesz oficjalnie zwolniona. Okropne z ciebie sumienie.

Roześmiała się.

— Po prostu dobrze cię znam. Gdybym dała ci teraz kluczyki, pojechałabyś prosto do niego.

— Nieprawda!

— Jak sobie chcesz — zaćwierkała.

— Jest ósma rano, Mare. Na pewno obaj jeszcze śpią jak susły.

W tej samej chwili rozległo się ciche pukanie do drzwi. Kara wyjęła rękę spod kołdry, sięgnęła do klamki i ją pociągnęła. Drzwi otworzyły się powoli i w progu stanął Travis.

— Mogę wejść? — spytał niskim, ochrypłym głosem.

Ciemne sińce pod oczami wskazywały na to, że noc miał bezsenną.

Usiadłam na łóżku, zaskoczona jego zmęczonym wyglądem.

— Nic ci nie jest? — spytałam.

Wszedł do pokoju i padł przede mną na kolana.

— Tak mi przykro, Abby, przepraszam. — Objął mnie w pasie, składając głowę na moich kolanach.

Przeciągnęłam dłonią po jego włosach i zerknęłam na Mare.

— To ja... już pójdę — bąknęła, niezgrabnie chwytając za klamkę.

Kara potarła oczy, westchnęła i sięgnęła po kosmetyczkę.

— Zawsze lśnię czystością, kiedy tu pomieszkujesz, Abby — mruknęła, trzaskając drzwiami.

Travis podniósł na mnie wzrok.

— Wiem, że wariuję, gdy chodzi o ciebie, ale Bóg jeden wie, że się staram, Gołąbku. Nie chcę tego spieprzyć.

— Więc postaraj się lepiej.

— To dla mnie trudne, wiesz? Cały czas się boję, że lada chwila zrozumiesz, jaki ze mnie dupek, a wtedy mnie zostawisz. Kiedy tańczyłaś wczoraj w klubie, widziałem, jak gapi się na ciebie kilkunastu facetów. Idziesz do baru i dziękujesz gościowi za piwo. A potem inny gość obłapia cię na parkiecie.

— Ale ja nie okładam pięściami każdej dziewczyny, która cię zaczepi. Nie mogę przez cały czas siedzieć zamknięta w mieszkaniu. Musisz zacząć się kontrolować.

— Obiecuję. Nigdy wcześniej nie chciałem mieć dziewczyny. Nie wiedziałem, jak to jest, kiedy tak bardzo ci na kimś zależy... Poukładam sobie to wszystko, przysięgam, tylko bądź cierpliwa.

— Wyjaśnijmy sobie coś. Nie jesteś dupkiem. Jesteś niezwykły. Nieważne, kto postawi mi drinka, kto poprosi mnie do tańca lub będzie ze mną flirtował. Wracam do domu z tobą. Prosiłeś, żebym ci zaufała, ale sam mi nie ufasz.

Zmarszczył czoło.

— To nieprawda.

— Jeśli sądzisz, że cię zostawię dla pierwszego lepszego faceta, który pojawi się na horyzoncie, to znaczy, że mi nie ufasz.

Objął mnie mocniej.

— Nie jestem dla ciebie dość dobry, Gołąbku, co nie znaczy, że ci nie ufam. Po prostu przygotowuję się na najgorsze.

— Nie mów tak. Kiedy jesteśmy sami, zachowujesz się nienagannie. Jest dobrze. A potem pozwalasz, żeby byle kto wszystko zepsuł. Nie oczekuję, że nagle zmienisz się o sto osiemdziesiąt stopni, ale nie możesz bić każdego, kto ośmieli się na mnie spojrzeć.

Pokiwał głową.

— Zrobię wszystko, co zechcesz. Tylko... powiedz, że mnie kochasz.

— Wiesz, że tak jest.

— Chcę usłyszeć, jak to mówisz. — Ściągnął brwi.

— Kocham cię — powiedziałam, muskając jego wargi. — A teraz weź się w garść.

Zaśmiał się i położył na łóżku. Nie ruszaliśmy się spod kołdry przez następną godzinę, całując się i chichocząc. Nawet nie zauważyliśmy, kiedy Kara wróciła spod prysznica.

— Mógłbyś wyjść? Muszę się ubrać. — Owinęła się ciaśniej paskiem od szlafroka.

Travis pocałował mnie w policzek i wyszedł na korytarz.

— Zaraz wracam.

Opadłam na poduszkę, a Kara grzebała w szafie.

— Co ci tak wesoło? — spytała ponuro.

— Bez powodu. — Westchnęłam.

— Abby, słyszałaś kiedyś o współuzależnieniu? Ty i twój chłopak to świetny przykład. Co jest dosyć przerażające, zważywszy na to, że dotąd w ogóle nie szanował kobiet, a teraz sądzi, że jesteś mu potrzebna jak powietrze.

— Może jestem — burknęłam. Nie chciałam, żeby popsuła mi nastrój.

— Nie zastanawiałaś się dlaczego? Przecież... spał z połową dziewczyn z uczelni. Czemu akurat ty?

— Twierdzi, że jestem inna.

— Jasne. Ale dlaczego?

— Co cię to w ogóle obchodzi? — rzuciłam niezbyt uprzejmie.

— To niebezpieczne pragnąć kogoś tak bardzo. Ty próbujesz go ratować, a on ma nadzieję, że ci się uda. To katastrofa.

Uśmiechnęłam się do sufitu.

— Nie ma znaczenia co i dlaczego. Kiedy jest dobrze... jest pięknie.

Przewróciła oczami.

— Jesteś beznadziejna.

Travis zapukał do drzwi i Kara wpuściła go do środka.

— Idę się pouczyć. Powodzenia — dodała nieszczerym głosem.

— O co poszło? — spytał Travis.

— Mówi, że my dwoje to katastrofa.

— Jakbym nie wiedział. — Uśmiechnął się. Nagle spoważniał i pocałował delikatną skórę za moim uchem. — Wróć ze mną do domu.

Wtuliłam się w niego i westchnęłam, czując na skórze jego miękkie wargi.

— Chyba tu zostanę. Bez przerwy u ciebie przesiaduję.

Podniósł głowę.

— No i? Nie podoba ci się tam?

Pogłaskałam go po policzku. Tak bardzo się przejmował.

— Podoba mi się, ale nie mogę tam mieszkać.

Przesunął koniuszkiem nosa po mojej szyi.

— Chcę, żebyś u mnie była. Każdej nocy.

— Nie wprowadzę się do ciebie.

— Nie proszę, żebyś się wprowadzała. Proszę, żebyś była.

Zaśmiałam się.

— To nie to samo?

Travis zmarszczył czoło.

— Więc nie zostaniesz dziś na noc?

Gdy pokręciłam głową, w zamyśleniu powiódł wzrokiem po pokoju.

— Co ty kombinujesz? — spytałam, mrużąc oczy.

— Próbuję wymyślić kolejny zakład.

Rozdział dwunasty

Z tej samej gliny

Włożyłam do ust małą białą pigułkę i popiłam szklanką wody. Stałam na środku łazienki mojego chłopaka w majtkach i staniku z zamiarem przebrania się.

— Co to? — spytał Travis, który leżał już w łóżku.

— Hm... Pigułki.

— Jakie pigułki?

— Antykoncepcyjne, Travis. Musisz uzupełnić zapasy w górnej szufladzie. Ostatnią rzeczą, jaką chciałabym się martwić, jest to, czy będę miała okres.

— Aha.

— Przynajmniej jedno z nas musi być odpowiedzialne.

— Boże, wyglądasz strasznie sexy. — Podparł głowę ręką. — Najpiękniejsza kobieta na Uniwersytecie Eastern została moją dziewczyną. Obłęd.

Przewróciłam oczami, włożyłam fioletową jedwabną halkę i weszłam do łóżka. Pocałowałam Travisa w szyję, po czym usiadłam na nim okrakiem. Zachichotałam, gdy odchylił głowę.

— Jeszcze raz? Wykończysz mnie, Gołąbku.

— Nie umrzesz — powiedziałam, obsypując go pocałunkami. — Złego diabli nie biorą.

— Nie umrę, bo zbyt wielu osłów wyłazi ze skóry, żeby zająć moje miejsce. Będę żył wiecznie z czystej złośliwości.

Roześmiałam się. Travis przewrócił mnie na plecy, zsunął jedwabne ramiączko halki i pocałował mnie w ramię.

— Dlaczego ja, Trav?

Odsunął się i spojrzał mi w oczy.

— Co masz na myśli?

— Spałeś z tymi wszystkimi dziewczynami, nie chciałeś się wiązać, nawet do nich nie dzwoniłeś... Dlaczego ja?

— Skąd w ogóle takie pytanie? — Pogłaskał mnie kciukiem po policzku.

Wzruszyłam ramionami.

— Z ciekawości.

— A dlaczego ja? Połowa facetów na Eastern tylko czeka, aż wszystko schrzanię.

Zmarszczyłam nos.

— To nieprawda. I nie zmieniaj tematu.

— Prawda. Gdybym od początku nie uganiał się za tobą, zalecałby się do ciebie nie tylko Parker Hayes. Który jest zbyt pochłonięty sobą, żeby się mnie bać.

— Unikasz odpowiedzi! W dodatku niezbyt umiejętnie.

— No dobrze. Dlaczego ty? — Uśmiechnął się od ucha do ucha i nachylił się, żeby mnie pocałować. — Spodobałaś mi się od dnia pierwszej walki, na którą przyszłaś.

— Niemożliwe — rzuciłam z powątpiewaniem.

— Ależ tak. W tym sweterku, cała we krwi... Wyglądałaś prześmiesznie! — Roześmiał się.

— Dzięki.

Uśmiech zniknął z jego twarzy.

— Kiedy na mnie spojrzałaś... To był ten moment. Wielkie oczy, niewinna twarzyczka... Żadnego udawania. Nie patrzyłaś na Travisa Maddoxa, tylko na... drugiego człowieka.

— Wiadomość z ostatniej chwili, Trav. Jesteś człowiekiem.

Odgarnął mi grzywkę z czoła.

— Przed tobą tylko Shepley traktował mnie normalnie. A ty się nie krygowałaś, nie próbowałaś ze mną flirtować, nie poprawiałaś włosów. Zobaczyłaś we mnie... mnie.

— A potem nieźle zalazłam ci za skórę.

Pocałował mnie w szyję.

— To przesądziło sprawę.

Przesunęłam dłońmi po jego plecach i wsunęłam palce pod bokserki.

— Mam tylko nadzieję, że szybko się zestarzejesz, inaczej się tobą nie znudzę.

— Obiecujesz?

Nie odpowiedziałam, bo zadzwonił telefon i Travis odebrał połączenie.

— Tak? O nie, do diabła, mam u siebie Gołąbka. Szykowaliśmy się do snu... Zamknij się, Trent, to nie jest śmieszne... Poważnie? Po co przyjechał? — Zerknął na mnie i westchnął. — Dobra. Będziemy za pół godziny... Słyszałeś, cymbale. Bo nigdzie nie ruszam się bez niej, dlatego. Mam ci przyłożyć?

Rozłączył się, kręcąc głową.

Uniosłam brwi.

— To najdziwniejsza rozmowa, jaką w życiu słyszałam.

— Mój brat, Trent. Przyjechał Thomas i tata urządza pokera.

— Pokera? — Przełknęłam ślinę.

— Tak. Zwykle ogrywają mnie ze wszystkich pieniędzy. Oszuści.

— Za pół godziny mam poznać twoją rodzinę?

Spojrzał na zegarek.

— Dokładnie za dwadzieścia siedem minut.

— Jezu, Travis! — jęknęłam, wyskakując z łóżka.

— Co ty wyprawiasz?

Zaczęłam gorączkowo grzebać w szafie. Wyjęłam dżinsy, naciągnęłam je, podskakując, po czym ściągnęłam halkę i zarzuciłam ją Travisowi na twarz.

— Nie wierzę! Uprzedziłeś mnie dwadzieścia minut wcześniej, że mam się spotkać z twoją rodziną? Zabiję cię!

Rozbawiony zdjął z twarzy halkę, podczas gdy ja rozpaczliwie usiłowałam doprowadzić się do porządku. Włożyłam czarny podkoszulek z dekoltem w serek i popędziłam do łazienki, żeby umyć zęby i wyszczotkować włosy. Travis wszedł za mną, ubrany i gotowy do wyjścia. Objął mnie w pasie.

— Wyglądam jak nieboskie stworzenie — stwierdziłam, marszcząc twarz w lustrze.

— Nie masz pojęcia, jaka jesteś piękna. — Pocałował mnie w szyję.

Naburmuszona pobiegłam do sypialni i włożyłam szpilki. Wziął mnie za rękę i poprowadził do drzwi. Przed wyjściem zasunęłam na suwak czarną skórzaną kurtkę i upięłam włosy w ciasny kok, żeby podczas jazdy motocyklem nie potargał ich wiatr.

— Spokojnie, Gołąbku. To tylko kilku facetów przy stole.

— Pierwszy raz mam się zobaczyć z twoim ojcem i braćmi... ze wszystkimi naraz... a ty każesz mi się uspokoić?

Usiadłam za nim. Odwrócił głowę, pogłaskał mnie po policzku i pocałował.

— Spodobasz im się tak samo jak mnie.

Kiedy dojechaliśmy na miejsce, rozpuściłam włosy i przeczesałam je palcami. Travis wprowadził mnie do środka.

— Jasna cholera! Przyjechał fajans! — zawołał jeden z chłopaków.

Travis skinął głową na powitanie. Przybrał zagniewaną minę, ale widziałam, że cieszy się ze spotkania. Dom miał nieco staroświecki wygląd — ściany pokryte wyblakłą żółto-brązową tapetą i włochaty dywan w różnych odcieniach brązu. Przeszliśmy korytarzem do zadymionego pokoju na wprost wejścia. Ojciec i bracia Travisa siedzieli przy okrągłym drewnianym stole z niedobranymi krzesłami.

— Hej, hej... Uważaj, co mówisz przy młodej damie — odezwał się ojciec Travisa, nie wyjmując z ust cygara.

— Gołąbku, to mój tata, Jim Maddox. Tato, to Gołąbek.

— Gołąbek? — spytał Jim z rozbawieniem.

— Abby — powiedziałam, ściskając mu dłoń.

Travis wskazał na braci.

— Trenton, Taylor, Tyler i Thomas.

Wszyscy czterej skinęli głowami. Z wyjątkiem Thomasa wyglądali jak nieco starsze wersje Travisa: krótko ostrzyżone włosy, brązowe oczy, umięśnione ciała w obcisłych T-shirtach, tatuaże. Thomas miał koszulę, luźno zawiązany krawat, piwne oczy i nieco dłuższe ciemnoblond włosy.

— A czy Abby ma jakieś nazwisko? — spytał ojciec Travisa.

Przytaknęłam.

— Abernathy.

— Miło mi cię poznać, Abby — powiedział Thomas z uśmiechem.

— Mnie także — dodał Trenton, patrząc na mnie szelmowskim wzrokiem. Ojciec trzepnął go w potylicę. — Au! Co takiego powiedziałem? — Potarł ręką tył głowy.

— Usiądź, Abby. Zaraz zobaczysz, jak ogrywamy Travisa — odezwał się jeden z bliźniaków. Nie potrafiłam ich odróżnić; byli do siebie podobni jak dwie krople wody, mieli nawet identyczne tatuaże.

Na ścianach wisiało mnóstwo starych zdjęć, na których legendy pokera pozowały wraz z ojcem i, jak przypuszczałam, z dziadkiem Travisa. Na półkach leżały talie zabytkowych kart.

— Znał pan Stu Ungara? — zdziwiłam się, wskazując zakurzoną fotografię.

Ojciec Travisa zmrużył oczy.

— Wiesz, kim jest Stu?

Przytaknęłam.

— Ojciec jest jego fanem.

Jim wstał.

— A to Doyle Brunson. — Pokazał palcem inne zdjęcie.

Uśmiechnęłam się.

— Mój tata kiedyś obserwował jego grę — odparłam. — Podobno jest niesamowity.

— Dziadek Trava był zawodowcem... Wszyscy traktujemy pokera bardzo serio. — Jim puścił do mnie oko.

Usiadłam między Travisem a jednym z bliźniaków. Trenton niezbyt wprawnie potasował talię. Chłopcy położyli na stole pieniądze, a Jim rozdzielił żetony.

— Chcesz zagrać, Abby? — zwrócił się do mnie Trenton.

Uśmiechnęłam się grzecznie, kręcąc głową.

— Chyba nie powinnam.

— Nie umiesz? — spytał Jim.

Nie potrafiłam powstrzymać uśmiechu. Miał tak poważną minę i przyglądał mi się z niemal ojcowską troską. Wiedziałam, jakiej odpowiedzi oczekuje, i nie chciałam go rozczarować.

Travis pocałował mnie w czoło.

— Zagraj... Nauczę cię.

— No to pożegnaj się z pieniędzmi, Abby. — Thomas się zaśmiał.

Zagryzłam wargi i sięgnęłam do torebki. Wyjęłam dwie pięćdziesiątki, podałam Jimowi i cierpliwie zaczekałam na żetony. Trenton uśmiechnął się triumfująco, ale go zignorowałam.

— Wierzę w zdolności pedagogiczne Travisa — powiedziałam.

Jeden z bliźniaków klasnął w dłonie.

— Będę bogaty!

— Tym razem zaczniemy skromnie — oznajmił Jim, rzucając na stół żeton wart pięć dolarów.

Trenton rozdał karty. Travis ułożył moje w wachlarz.

— Grałaś kiedyś w karty?

— Dawno temu.

— Wojna się nie liczy, Pollyanno — rzucił Trenton, spoglądając w swoje karty.

— Zamknij gębę, Trent. — Travis przyjrzał się moim. — Najlepsze są najwyższe, sekwencje albo kilka w jednym kolorze — poinstruował.

W pierwszym rozdaniu tylko kiwałam głową z uśmiechem. Oboje przegraliśmy, a mój stosik żetonów wyraźnie stopniał.

Wolejnym już nie pozwoliłam Travisowi patrzeć w moje karty.

— Myślę, że dam sobie radę.

— Na pewno?

— Na pewno, skarbie.

Trzy rozdania później odzyskałam swoje żetony. Zgarnęłam też sporo innych dzięki trójce asów, stritowi i wysokim parom.

— No nie! — jęknął Trenton. — Głupim szczęście sprzyja!

— Masz zdolną uczennicę, Trav — zauważył Jim.

Travis pociągnął piwo z butelki.

— Jestem z ciebie dumny, Gołąbku! — Był podniecony i uśmiechał się inaczej niż zwykle.

— Dzięki.

— Zwykle nauczycielami zostają ci, którzy sami nic nie potrafią — zadrwił Thomas.

— Bardzo śmieszne — mruknął Travis.

Cztery rozdania później dopiłam piwo i zmrużyłam oczy. Tylko jeden z graczy dotąd nie spasował.

— Twoja kolej, Taylor. Stchórzysz czy przyjmiesz to jak mężczyzna?

— Pieprzyć to. — Położył na stole resztę swoich żetonów.

Travis spojrzał na mnie ożywiony, podekscytowany jak kibice podczas jego walk.

— Co masz, Gołąbku?

— Taylor?

Ten uśmiechnął się szeroko.

— Kolor! — oznajmił, wykładając karty.

Pięć par oczu skupiło się na mnie. Rzuciłam swoje karty na stół.

— Płacz i zgrzytanie zębów, co, chłopcy? — Zachichotałam. — Asy i ósemki!

— Ful? Co, do cholery?! — wrzasnął Trenton.

— Tak mi przykro. — Zgarnęłam żetony.

Thomas zmrużył oczy.

— Ona nie jest głupia. Umie grać.

Travis przyjrzał mu się, po czym popatrzył na mnie.

— Grałaś już kiedyś, Gołąbku?

Wzruszyłam ramionami z niewinną miną. Odrzucił głowę do tyłu i wybuchnął śmiechem. Próbował coś powiedzieć, ale nie mógł wykrztusić słowa. Wreszcie walnął pięścią w stół.

— Twoja dziewczyna nas wykiwała! — Taylor wycelował we mnie palec.

— No nie! — jęknął Trenton, wstając.

— Niezły plan, Travis. Przyszedłeś na pokera z rekinem karcianym. — Jim puścił do mnie oko.

— Nie miałem pojęcia! — Travis pokręcił głową z niedowierzaniem.

— Akurat! — burknął Thomas, patrząc na mnie.

— Naprawdę! — Travis skręcał się ze śmiechu.

— Przykro mi to mówić, bracie, ale chyba właśnie zakochałem się w twojej dziewczynie — oznajmił Tyler.

— No, no. — Travis przestał się śmiać i zrobił groźną minę.

— Dosyć tego. Dałem ci fory, Abby, ale teraz wygram — zagroził Trenton.

Travis śledził kolejne rozdania, obserwując braci, którzy robili wszystko, żeby odzyskać pieniądze. Za każdym razem, gdy zgarniałam ich żetony, Thomas przyglądał mi się z uwagą. I za każdym razem, kiedy wykładałam karty na stół, Travis i Jim chichotali, Taylor przeklinał, Tyler wyznawał mi dozgonną miłość, a Trenton szalał z wściekłości.

Wymieniłam żetony na pieniądze i kiedy przeszliśmy do salonu, wręczyłam każdemu po sto dolarów. Jim nie chciał ich przyjąć, ale bracia mojego chłopaka byli mi wdzięczni. Travis wziął mnie za rękę i podprowadził do drzwi. Widziałam, że nie jest zadowolony, i ścisnęłam go za palce.

— Co jest? — spytałam.

— Oddałaś czterysta dolarów! — Skrzywił się.

— Gdyby to był poker w bractwie, zatrzymałabym je. Nie mogłam okraść twoich braci, których dopiero co poznałam.

— Oni zatrzymaliby twoje pieniądze!

— Bez żadnych wyrzutów sumienia — dodał Taylor.

Thomas siedział w kącie i przyglądał mi się w milczeniu.

— Co się tak gapisz, Tommy? — zaciekawił się Travis.

— Mówiłaś, że jak się nazywasz? — spytał Thomas.

Przestąpiłam z nogi na nogę. Chciałam zbyć jego pytanie jakąś dowcipną lub sarkastyczną uwagą, ale nic nie przychodziło mi do głowy. Przeklinałam się w duchu — nie powinnam była wygrywać wszystkich rozdań. Thomas już się domyślał, kim jestem.

Travis zauważył moje skrępowanie, odwrócił się do brata i opiekuńczo objął mnie w talii. Najwyraźniej był ciekaw, co Thomas ma do powiedzenia, choć jednocześnie czuł się nieswojo.

— Abernathy — odrzekłam. — A co?

— Rozumiem, czemu wcześniej nic nam nie powiedziałeś, Trav. — Thomas uśmiechnął się z satysfakcją. — Ale teraz wyszło szydło z worka.

— O czym ty mówisz, do diabła? — spytał Travis.

— Przypadkiem nie jesteś krewną Micka Abernathy'ego?

Wszyscy zwrócili głowy w moją stronę. Nerwowo przeczesałam palcami włosy.

— Słyszeliście o nim?

Travis spojrzał mi w oczy.

— To jeden z najlepszych pokerzystów wszech czasów. Znasz go?

Skrzywiłam się. Przyparli mnie do muru i w końcu musiałam wyznać prawdę.

— To mój ojciec.

W pokoju zawrzało.

— Niemożliwe!

— Wiedziałem!

— Graliśmy z córką Micka Abernathy'ego!

— Mick Abernathy? Jasna cholera!

Tylko Thomas, Jim i Travis milczeli.

— Mówiłam wam, chłopaki, że nie powinnam grać — powiedziałam.

— Gdybyś wspomniała, że jesteś córką Micka, potraktowalibyśmy cię bardziej serio — odezwał się Thomas.

Zerknęłam na swojego chłopaka, który przyglądał mi się lekko rozszerzonymi ze zdumienia oczami.

— Jesteś Szczęśliwą Trzynastką? — spytał.

Trenton rozdziawił usta, wskazując na mnie.

— Szczęśliwa Trzynastka w naszym domu! Niemożliwe! Nie wierzę!

— Gazety tak mnie nazwały. A historia, którą opisywały, nie była do końca prawdziwa — odparłam, wiercąc się niespokojnie.

— Muszę odwieźć Abby do domu, chłopaki — powiedział Travis. Nadal gapił się na mnie z niedowierzaniem.

Jim spojrzał na mnie znad okularów.

— Czemu nie była prawdziwa?

— Nie odebrałam ojcu szczęścia. Co za idiotyzm! — Zaśmiałam się nerwowo, nawijając na palec kosmyk włosów.

Thomas pokręcił głową.

— Mick udzielił wywiadu. Twierdził, że o północy w dniu twoich trzynastych urodzin szczęście się od niego odwróciło.

— A tobie zaczęło sprzyjać — dodał Travis.

— Wychowywali cię gangsterzy! — wykrzyknął Trenton podekscytowany.

— Niezupełnie. — Roześmiałam się. — Po prostu... często kręcili się po domu.

— Okropna historia. Mick zszargał twoje dobre imię we wszystkich gazetach. Przecież byłaś jeszcze dzieckiem. — Jim pokręcił głową.

— Głupim szczęście sprzyja — mruknęłam. Czułam się skrępowana.

— Mick Abernathy nauczył cię wszystkiego. — Jim nie potrafił ukryć zdumienia. — Wygrywałaś z zawodowcami w wieku trzynastu lat! — Spojrzał na Travisa i uśmiechnął się. — Nigdy się z nią nie zakładaj, synu. Ta dziewczyna nie przegrywa.

Travis nadal wydawał się wstrząśnięty i zdezorientowany.

— Musimy już iść, tato. Cześć, chłopaki.

Podniecone głosy jego braci cichły stopniowo, w miarę jak zmierzaliśmy w stronę motocykla. Upięłam włosy w kok i zasunęłam kurtkę na suwak. Czekałam, aż Travis pierwszy się odezwie. Tymczasem wsiadł na motocykl bez słowa, a ja zajęłam miejsce na siodełku za nim.

Na pewno czuł, że nie byłam z nim szczera, i może miał do mnie żal, że nie powiedziałam mu wcześniej o tak istotnej części mojego życia. Spodziewałam się, że w mieszkaniu zrobi mi straszną awanturę, i w drodze do domu rozważałam setki różnych usprawiedliwień.

W korytarzu pomógł mi się rozebrać. Rozpuściłam włosy i falami spłynęły mi na ramiona.

— Wiem, że jesteś wściekły — powiedziałam, nie patrząc mu w oczy. — Przepraszam, że wcześniej nic ci nie mówiłam, ale nie lubię rozmawiać na ten temat.

— Wściekły? Jestem tak nakręcony, że ledwie widzę na oczy! Bez zmrużenia powiek ograłaś moich braci, w oczach mojego ojca zostałaś legendą, a w dodatku teraz wiem, że celowo przegrałaś nasz zakład!

— Nie powiedziałabym...

— Sądziłaś, że wygrasz?

— No cóż... Raczej nie — odparłam, zdejmując szpilki.

Travis się uśmiechnął.

— Czyli że chciałaś tu ze mną zamieszkać. Chyba na nowo się w tobie zakochałem.

— Naprawdę nie jesteś na mnie zły? — spytałam, wrzucając buty do szafy.

Westchnął, kiwając głową.

— Zrobiłaś mnie w jajo, Gołąbku. Powinnaś mi była powiedzieć. Ale rozumiem, czemu tego nie zrobiłaś. Przyjechałaś tu, żeby zapomnieć. Otworzyły się przed tobą nowe perspektywy... Teraz to wszystko ma sens.

— Co za ulga.

— Szczęśliwa Trzynastka... — Pokręcił głową, zdejmując mi T-shirt.

— Nie nazywaj mnie tak, Travis. To budzi złe skojarzenia.

— Jesteś sławna, Gołąbku! — zawołał zaskoczony moimi słowami.

Rozpiął moje dżinsy i pomógł mi je ściągnąć.

— Ojciec mnie znienawidził. Nadal obwinia mnie o wszystkie swoje problemy.

Travis zdjął koszulę i przyciągnął mnie do siebie.

— Wciąż nie mogę uwierzyć, że mam przed sobą córkę Micka Abernathy'ego. Jesteśmy ze sobą tak długo, a ja o niczym nie miałem pojęcia.

Odsunęłam się od niego.

— Nie jestem córką Micka Abernathy'ego! Zostawiłam to za sobą. Jestem Abby. Po prostu Abby!

Podeszłam do szafy, zdjęłam z wieszaka podkoszulek i wciągnęłam go przez głowę.

Travis westchnął.

— Przepraszam. Fascynuje mnie twoja sława.

— Travis?! To tylko ja! — Przyłożyłam rękę do piersi. Tak bardzo chciałam, żeby mnie zrozumiał.

— Tak, ale...

— Ale nic! Teraz patrzysz na mnie tak... Właśnie dlatego nic ci nie powiedziałam! — Zamknęłam oczy. — Nie chcę tak żyć, Trav. Nawet z tobą.

— Hej! Wystarczy tych kłótni, Gołąbku. Nie dajmy się ponieść. — Otoczył mnie ramieniem. — Nie obchodzi mnie twoja przeszłość. Pragnę cię taką, jaka jesteś teraz.

— No to jest nas dwoje — skwitowałam.

— Tylko ty i ja, a reszta świata niech się schowa — powiedział, prowadząc mnie do łóżka.

Zwinęłam się w kłębek obok niego. Nie sądziłam, że poza mną i Mare ktokolwiek dowie się o Micku. Tym bardziej nie spodziewałam się, że zwiążę się z rodziną zapalonych pokerzystów. Westchnęłam ciężko, przytulając się do Travisa.

— Co się dzieje? — spytał.

— Nikt nie może się o tym dowiedzieć, Trav. Ty też miałeś o niczym nie wiedzieć.

— Kocham cię, Abby. Nie wspomnę o tym ani słowem. Możesz mi zaufać. — Pocałował mnie w czoło.

❦

— Panie Maddox! Mógłby się pan powstrzymać?! — Profesor Chaney skrzywił się, widząc, jak Travis łaskocze mnie w szyję językiem.

Odchrząknęłam, czerwieniąc się ze wstydu.

— Niestety, nie, profesorze. Proszę dobrze się przyjrzeć mojej dziewczynie.

Wszyscy wybuchnęli śmiechem, a mnie zapłonęły uszy. Profesor Chaney zerknął na mnie z rozbawieniem i pokręcił głową.

— Przynajmniej niech pan zaczeka do końca zajęć.

Wszyscy znów zachichotali, podczas gdy ja miałam ochotę zapaść się pod ziemię. Travis oparł ramię o poręcz mojego krzesła, a profesor na nowo rozpoczął wykład.

Travis odprowadził mnie na następne zajęcia.

— Przepraszam. Nie chciałem cię zawstydzić. Nie mogłem się powstrzymać.

— Następnym razem się postaraj.

Parker, który do nas podszedł, rozpromienił się w uśmiechu, kiedy skinęłam mu głową na powitanie.

— Hej, Abby. Do zobaczenia na zajęciach.

Gdy wchodził do sali, Travis odprowadzał go wściekłym wzrokiem.

— Hej! — Pociągnęłam go za rękę. — Nie zwracaj na niego uwagi.

— Rozpowiada na prawo i lewo, że nadal do niego wydzwaniasz.

— To nieprawda.

— Wiem. Ale inni nie wiedzą. Parker tylko czeka na właściwy moment. Powiedział Bradowi, że wkrótce mnie rzucisz i że przez telefon wylewasz mu swoje żale. Zaczyna mnie wkurwiać.

— Ma wybujałą wyobraźnię.

Zerknęłam na Parkera, a kiedy uśmiechnął się do mnie, spiorunowałam go wzrokiem.

— Wściekniesz się, jeśli zawstydzę cię jeszcze raz?

Wzruszyłam ramionami. Travis wprowadził mnie do sali, przystanął obok mojej ławki, a torbę położył na podłodze. Spojrzał na Parkera, po czym przyciągnął mnie do siebie — jedną rękę kładąc mi na karku, drugą na pośladku — i pocałował mnie namiętnie w sposób, w jaki dotychczas robił to tylko w zaciszu sypialni. Mimo woli zacisnęłam palce na jego koszuli.

Im dłużej to trwało, tym głośniejsze rozlegały się szepty i chichoty.

— Abby chyba właśnie zaszła w ciążę! — zawołał ze śmiechem ktoś z tylnego rzędu.

Odsunęłam się, nie otwierając oczu. Powoli odzyskiwałam panowanie nad sobą. W końcu spojrzałam na Travisa, który wpatrywał się we mnie, z trudem się powściągając.

— Niech wie — wyszeptał do mnie.

— Słusznie — powiedziałam.

Uśmiechnął się i pocałował mnie w policzek, kątem oka zerkając na Parkera, który gotował się ze złości.

— Zobaczymy się na obiedzie. — Travis puścił do mnie oko.

Opadłam z westchnieniem na krzesło, próbując opanować podniecenie.

Wychodząc z zajęć, znów natknęłam się na Parkera; stał oparty o ścianę przy drzwiach. Skinęłam mu głową bez entuzjazmu.

— Wiem, że z nim jesteś. Nie musi z mojego powodu gwałcić cię na oczach całej grupy.

Zatrzymałam się, gotowa przejść do ofensywy.

— Wobec tego może przestań opowiadać kumplom z bractwa, że wciąż do ciebie wydzwaniam. Jeszcze trochę i przegniesz pałę, a mnie nie będzie przykro, kiedy Travis skopie ci tyłek.

Zmarszczył nos.

— No proszę. Czy ty się słyszysz? Ewidentnie spędzasz z nim zbyt dużo czasu.

— Nie, to jestem ja. Po prostu nie poznałeś mnie od tej strony.

— Nie dałaś mi szansy.

Westchnęłam.

— Nie chcę się z tobą kłócić. Nie wyszło nam, jasne?

— Jasne? Nie, nic nie jest jasne. Sądzisz, że miło mi być pośmiewiskiem całej uczelni? Wszyscy są wdzięczni Travisowi, bo przy nim wydają się sobie lepsi. Travis Maddox wykorzystuje dziewczyny i porzuca. W porównaniu z nim największy gnojek może poczuć się jak książę z bajki.

— Kiedy wreszcie przejrzysz na oczy i zrozumiesz, że się zmienił?

— On cię nie kocha, Abby. Traktuje cię jak nową, drogą zabawkę. Chociaż, sądząc po tym, co wydarzyło się przed zajęciami, już trochę używaną.

Bez namysłu uderzyłam go w twarz.

— Gdybyś zaczekała dwie sekundy, wyręczyłbym cię — odezwał się Travis, zasłaniając mnie sobą.

Złapałam go za rękę.

— Travis, nie.

Parker wyglądał na przestraszonego. Na jego policzku pojawił się czerwony ślad po uderzeniu.

— Ostrzegałem cię. — Travis przyparł go do ściany.

Parker napiął mięśnie twarzy i rzucił mi gniewne spojrzenie.

— Zakończmy to, Travis. Widzę, że rzeczywiście jesteście dla siebie stworzeni.

— Dzięki — rzucił mój chłopak, obejmując mnie ramieniem.

Parker oderwał się od ściany i szybko odszedł. Na schodach obejrzał się jeszcze, upewniając się, że Travis go nie goni.

— Nic ci nie jest?

— Piecze mnie ręka.

Travis uśmiechnął się.

— Niezły cios, Gołąbku. Jestem pod wrażeniem.

— Parker na pewno poda mnie do sądu i będę musiała opłacać jego studia medyczne na Harvardzie. Co ty tu robisz? Mieliśmy się spotkać w stołówce.

Uśmiechnął się szelmowsko.

— Nie mogłem się skupić na zajęciach. Ten pocałunek...

Rozejrzałam się po korytarzu.

— Chodź ze mną.

— Dokąd? — spytał, unosząc brwi.

Pociągnęłam go za sobą do pracowni fizycznej. W środku było pusto i ciemno. Roześmiałam się na widok jego niepewnej miny, zamknęłam drzwi na klucz i go pocałowałam.

— Co ty wyprawiasz?

— Chcę, żebyś mógł się skupić na zajęciach — wyjaśniłam.

Podniósł mnie, a ja oplotłam go nogami.

— Co ja robiłem bez ciebie? — Westchnął, rozpinając klamrę paska. — Wolę się nad tym nie zastanawiać. Jesteś wszystkim, czego pragnę.

— Pamiętaj o tym, kiedy następnym razem ogram cię do ostatniego dolara — powiedziałam, zdejmując T-shirt.

Rozdział ~~trzynasty~~ czternasty

Ful

Obróciłam się, krytycznie oceniając swoje odbicie w lustrze. Biała sukienka bez pleców była wyjątkowo krótka, górę podtrzymywały wiązane na szyi ramiączka ze strasów.

— No! Travis chyba się posika, kiedy cię w tym zobaczy! — powiedziała America.

— Bardzo romantyczne.

— Nie przymierzaj już niczego innego. To jest to. — Klasnęła w dłonie z entuzjazmem.

— Nie jest za krótka? Nawet Mariah Carey pokazuje mniej ciała.

Pokręciła głową.

— Kup ją.

Usiadłam na ławeczce. Teraz Mare przymierzała kolejne kreacje. Co do mojej nie miała wątpliwości, ale wybierając coś dla siebie, nie mogła się zdecydować. Ostatecznie postanowiła kupić superkrótką, superobcisłą sukienkę bez ramiączek w cielistym kolorze.

Wróciłyśmy do mieszkania. Dodge Shepleya zniknął z parkingu, a Toto siedział sam. America wyjęła komórkę i wystukała numer swojego chłopaka. Uśmiechnęła się, kiedy odebrał.

— Gdzie się podziewasz, skarbie? — Pokiwała głową i spojrzała na mnie. — Czemu miałabym się wściekać? Jaką niespodziankę? — Znów zerknęła na mnie, po czym poszła do pokoju Shepa i zamknęła za sobą drzwi.

Drapałam Toto za uchem, podczas gdy ona szeptała coś w sypialni. Wróciła do salonu, nie kryjąc rozbawienia.

— Co znowu kombinują? — spytałam.

— Są już w drodze do domu. Sama zobaczysz. — Uśmiechnęła się od ucha do ucha.

— Jezu... Powiedz, o co chodzi — poprosiłam.

— Kiedy nie mogę. To niespodzianka.

Nie mogłam się doczekać na Travisa. Bawiłam się włosami i skubałam skórki przy paznokciach. Przyjęcie urodzinowe, szczeniak... Co tym razem wymyślił?

Głośny ryk silnika oznajmił ich przybycie. Usłyszałam, jak śmieją się na schodach.

— Są w świetnych humorach — zauważyłam. — To dobry znak.

Shepley wszedł pierwszy.

— Nie chciałem, żebyś się zastanawiała, czemu on to zrobił, a ja nie.

America zarzuciła mu ręce na szyję.

— Głuptasie! Gdybym wolała wariata, umawiałabym się z Travisem!

— To nie ma nic wspólnego z tym, co do ciebie czuję — dodał Shepley.

Travis wkroczył do środka z bandażem wokół nadgarstka. Uśmiechnął się do mnie, opadł na kanapę i położył mi głowę na kolanach.

Nie mogłam oderwać wzroku od bandaża.

— Dobra... Co zrobiłeś?

Przyciągnął mnie do siebie i pocałował, ale wyczułam, że się denerwuje. Robił dobrą minę do złej gry, ale chyba się obawiał mojej reakcji.

— Parę rzeczy — odparł tajemniczo.

— To znaczy? — Spojrzałam na niego podejrzliwie.

Roześmiał się.

— Uspokój się, Gołąbku. Nic złego.

— Co ci się stało w rękę?

Na parking wjechał z hukiem samochód z silnikiem Diesla. Travis zeskoczył z kanapy i otworzył drzwi.

— Najwyższy czas! Czekam co najmniej od pięciu minut! — zawołał.

Dwaj mężczyźni wnieśli do środka owiniętą w folię szarą sofę. Chłopcy odsunęli od ściany starą kanapę — na której wciąż siedziałam wraz z Toto — a na jej miejsce tragarze wstawili tę nową. Travis zdjął folię i przeniósł mnie na miękkie poduszki.

— Kupiłeś nową kanapę? — spytałam z niedowierzaniem.

— Tak. I zrobiłem coś jeszcze. Dzięki, panowie — rzucił, gdy mężczyźni wynieśli z mieszkania starą kanapę.

— Nie szkoda ci wspomnień? — zadrwiłam.

— Wcale. — Usiadł obok mnie, wzdychając.

Zaczęłam odklejać plastry z bandaża.

— Nie bój się — uspokoił mnie.

Zastanawiałam się, co takiego zobaczę. Wyobrażałam sobie oparzenia, szwy lub coś równie okropnego.

Moim oczom ukazał się czarny napis, wytatuowany na wewnętrznej części nadgarstka, w otoczce zaczerwienionej, błyszczącej skóry posmarowanej antybiotykiem. Pokręciłam głową w zdumieniu.

Gołąbek

— Podoba ci się?

— Wytatuowałeś sobie moje przezwisko? — spytałam zdławionym głosem. Od natłoku myśli huczało mi w głowie.

— No tak. — Travis pocałował mnie w policzek. Patrzyłam na niego z niedowierzaniem.

— Próbowałem wybić mu to z głowy — wtrącił się Shepley. — Ostatnio zachowywał się w miarę rozsądnie. Ale chyba ma nawrót.

— Co myślisz? — zwrócił się do mnie Travis.

— Sama nie wiem...

— Powinieneś był najpierw ją o to zapytać, Trav — wyraziła swoją opinię Mare. Pokręciła głową i zasłoniła dłonią usta.

— O co? Czy mogę sobie zrobić tatuaż? — Spojrzał na mnie. — Kocham cię, Abby. Chcę, żeby wszyscy o tym wiedzieli.

Przestąpiłam z nogi na nogę.

— To ci zostanie na zawsze, Travis.

— My też będziemy ze sobą na zawsze.

— Pokaż jej, co masz jeszcze — nie wytrzymał Shepley.

— Jeszcze? — Zerknęłam na drugi nadgarstek.

Travis wstał, podciągnął koszulkę i naprężył imponujące mięśnie brzucha. Odwrócił się bokiem, demonstrując nowy tatuaż na żebrach.

— Co to jest? — spytałam, wpatrując się w dziwne pionowe zawijasy.

— To po hebrajsku. — Travis uśmiechnął się nerwowo.

— Co to znaczy?

— „Należę do mojej ukochanej, a moja ukochana należy do mnie".

Napotkałam jego wzrok.

— Nie wystarczył ci jeden tatuaż? Po co aż dwa?

— Zawsze obiecywałem sobie, że to zrobię, kiedy spotkam tę jedyną. Spotkałem ciebie, więc... — Na widok mojej miny przestał się uśmiechać. — Jesteś zła, tak? — spytał, opuszczając koszulkę.

— Nie jestem zła. Tylko trochę... poruszona.

Shepley przytulił swoją dziewczynę.

— Przywyknij, Abby — poradził mi. — Travis jest impulsywny i ma skłonność do przesady. Nie odpuści, dopóki nie włoży ci na palec pierścionka zaręczynowego.

America uniosła brwi, popatrując to na mnie, to na Shepleya.

— Co ty mówisz?! Dopiero zaczęli ze sobą chodzić!

— Chyba... muszę się napić — powiedziałam, kierując się do kuchni.

Travis zaśmiał się cicho, widząc, jak grzebię w szafkach.

— On żartował, Gołąbku.

— Czyżby? — spytał Shepley.

— To nie nastąpi tak prędko. — Travis, najeżony, odwrócił się do kuzyna. — Wielkie dzięki — syknął.

— Lepiej zmieńmy temat. — Shepley wyszczerzył zęby w uśmiechu.

Nalałam do szklanki whisky i opróżniłam ją jednym haustem. Skrzywiłam się, czując pieczenie w gardle.

Travis delikatnie objął mnie w talii.

— Nie oświadczam ci się, Gołąbku. To tylko tatuaże.

— Wiem. — Pokiwałam głową i wychyliłam następną kolejkę.

Odebrał mi butelkę. Przekręcił nakrętkę i schował whisky do szafki, po czym obrócił mnie twarzą do siebie.

— No dobrze. Powinienem był z tobą o tym porozmawiać. Ale postanowiłem kupić nową kanapę, a potem tak jakoś wyszło...

— Travis, to wszystko dzieje się zbyt szybko. Najpierw chcesz, żebyśmy zamieszkali razem, potem fundujesz sobie tatuaż z moim przezwiskiem, mówisz, że mnie kochasz... Musisz trochę... przystopować.

Zmarszczył czoło.

— Wkurzyłaś się. Wiedziałem, że się wkurzysz.

— Dziwisz się?! Odkąd dowiedziałeś się o moim ojcu, kompletnie ci odbiło!

— Kim jest twój ojciec? — spytał Shepley, najwyraźniej urażony, że o niczym nie wie. Zbyłam jego pytanie milczeniem, więc zwrócił się do swojej dziewczyny. — Kim jest jej ojciec?

America lekceważąco pokręciła głową.

Travis skrzywił się.

— Moje uczucie do ciebie nie ma nic wspólnego z twoim ojcem.

— Jutro idziemy na przyjęcie dla par. Nie dość, że wszyscy będą zaskoczeni, widząc nas razem, to jeszcze zobaczą, że wytatuowałeś sobie na nadgarstku moje przezwisko! To dziwaczne! Jasne, że jestem wkurzona!

Travis ujął moją twarz w dłonie, pocałował mnie i posadził na blacie. Włożył mi język do ust, jęcząc cicho, a potem oparł dłonie na moich biodrach.

— Jesteś strasznie seksowna, kiedy tak się wściekasz — wyszeptał.

— Dobra. Już jestem spokojna.

Uśmiechnął się, zadowolony, że zdołał mnie w końcu rozchmurzyć.

— Nic się nie zmieniło, Gołąbku. To wciąż tylko ty i ja.

— Oboje jesteście stuknięci. — Shepley pokręcił głową.

America w żartach trzepnęła go w ramię.

— Abby też coś dzisiaj kupiła!

— Hej!

— Znalazłaś dla siebie sukienkę? — zainteresował się Travis.

— Owszem. — Oplotłam go udami i ramionami. — Jutro to ty się wkurzysz.

— Nie mogę się doczekać.

Wziął mnie na ręce i zaniósł do sypialni.

W piątek po zajęciach pojechałyśmy we dwie do miasta, żeby wyszykować się na wieczór. Manikiur, pedikiur, wosk, solarium, pasemka... Po powrocie zastałyśmy całe mieszkanie udekorowane bukietami róż — czerwone, różowe, żółte, białe, jak w kwiaciarni.

— O mój Boże! — zapiszczała America.

Shepley dumnie rozejrzał się po salonie.

— Postanowiliśmy kupić wam kwiaty, ale obaj doszliśmy do wniosku, że jeden bukiet to za mało.

Przytuliłam się do Travisa.

— Jesteście... niesamowici. Dzięki.

Klepnął mnie w pupę.

— Masz pół godziny, Gołąbku.

Poszli się ubrać do sypialni Travisa, podczas gdy ja i Mare wciskałyśmy się w sukienki w pokoju Shepleya. Właśnie wkładałam srebrne szpilki, kiedy rozległo się pukanie do drzwi.

— Pora już iść, moje panie — ponaglił nas Shepley.

Gwizdnął, gdy America wyszła na korytarz.

— Gdzie Abby? — spytał Travis.

— Ma jakiś problem z butami. Jeszcze sekunda.

— Ta niepewność mnie dobija, Gołąbku!

Wychynęłam z pokoju, poprawiając na sobie sukienkę. Travis stanął przede mną w osłupieniu.

America szturchnęła go w bok. Zamrugał.

— Jasna cholera.

— Wkurzony? — spytała Mare.

— Wkurzony? Wygląda zjawiskowo.

Obróciłam się powoli z uśmiechem, demonstrując głęboki dekolt na plecach.

— Chyba jednak się wkurzę — powiedział.

— Nie podoba ci się?

— Musisz coś na to włożyć.

Szybko zdjął z wieszaka moją kurtkę i narzucił mi ją na ramiona.

— Trav, przecież nie może cały wieczór siedzieć w kurtce. — America się zaśmiała.

— Wyglądasz przepięknie, Abby — rzucił Shepley, jakby przepraszał za zachowanie kuzyna.

Ten miał zbolałą minę.

— To prawda. Wyglądasz zjawiskowo... Ale nie możesz tak iść. Sukienka jest... no cóż... a twoje nogi... Sukienka jest za krótka, a w ogóle to tylko pół sukienki! Nie ma pleców!

Uśmiechnęłam się mimo woli.

— To taki krój, Travis.

— Musicie się nawzajem zadręczać? — jęknął Shepley.

— Nie masz dłuższej kiecki? — spytał Travis.

Przyjrzałam się sobie.

— W gruncie rzeczy z przodu jest całkiem skromna. Tylko z tyłu widać dużo ciała.

— Gołąbku. — Travis się skrzywił. — Nie chcę, żebyś się wściekała, ale nie mogę cię zabrać na przyjęcie bractwa w takim stroju. Wdam się w bójkę, zanim minie pięć minut.

Stanęłam na palcach i pocałowałam go w usta.

— Wierzę w ciebie.

— Zapowiada się koszmarny wieczór — mruknął.

— Zapowiada się wspaniały wieczór — poprawiła go America urażonym tonem.

— Pomyśl, jak łatwo ją potem zdejmiesz — powiedziałam, całując go w szyję.

— No właśnie. Co drugi facet będzie myślał to samo.

— Ale tylko ty się o tym przekonasz — odparłam śpiewnym głosem.

Nie odpowiedział. Przyjrzałam się uważnie jego twarzy.

— Naprawdę chcesz, żebym się przebrała?

Travis zmierzył mnie wzrokiem od stóp do głów, po czym westchnął.

— Bez względu na to, co na siebie włożysz, jesteś zachwycająca. Chyba po prostu muszę przywyknąć, prawda? — Gdy wzruszyłam ramionami, pokręcił głową. — No dobrze, zrobiło się późno. Chodźmy.

Przytuliłam się mocno do niego, gdy szliśmy od samochodu do siedziby Sigma Tau. Wieczór był ciepły, choć mglisty. W podziemiach dudniła muzyka, Travis kiwał głową do rytmu. Gdy tylko weszliśmy do środka, wszyscy naraz odwrócili głowy. Nie byłam pewna, czy dlatego, że Travis zjawił się na przyjęciu dla par, w dodatku w eleganckich spodniach, a nie w dżinsach, czy z powodu mojej sukienki, ale wszyscy się na nas gapili.

— Tak się cieszę, że tu jesteś, Abby — wyszeptała mi do ucha America. — Czuję się jak na planie filmu z Molly Ringwald.

— Cała przyjemność po mojej stronie — mruknęłam.

Shepley i Travis zabrali nasze wierzchnie okrycia, po czym zaprowadzili nas do kuchni. Shepley wyjął z lodówki cztery piwa i podał po jednym mnie i Mare. Koledzy Travisa z bractwa omawiali jego ostatnią walkę. Towarzyszące im dziewczyny ze stowarzyszenia studentek okazały się piersiastymi blondynkami, które nagabywały Travisa w stołówce podczas naszej pierwszej rozmowy.

Lexie rozpoznałam od razu — pamiętałam jej skwaszoną minę, gdy zepchnął ją z kolan po tym, jak obraziła Mare.

Przyglądała mi się ciekawie i uważnie słuchała, co mówię. Wiedziałam, że zastanawia się, czemu Travis Maddox nie potrafił mi się oprzeć, i starałam się zaprezentować z jak najlepszej strony. Przez cały czas nie odrywałam od niego rąk, w stosownych momentach wtrącałam dowcipną uwagę, żartowałam z nim na temat jego nowych tatuaży.

— Facet, wytatuowałeś sobie na nadgarstku przezwisko swojej dziewczyny?! — zdumiał się Brad. — Co cię opętało?

Travis dumnie zademonstrował tatuaż.

— Szaleję za nią — oświadczył, patrząc na mnie czule.

— Ledwie ją poznałeś — zakpiła Lexie.

Nie spuszczał ze mnie wzroku.

— Znam ją wystarczająco — odparował, po czym zwrócił się do mnie: — Sądziłem, że wkurzył cię ten tatuaż, a teraz o nim opowiadasz?

Pocałowałam go w policzek i wzruszyłam ramionami.

— Podoba mi się coraz bardziej.

Shepley i America zeszli na dół po schodach. Ruszyliśmy za nimi, trzymając się za ręce. Wszystkie meble ustawiono pod ścianami, tak że powstał prowizoryczny parkiet do tańca. Z głośników popłynęła ballada.

Travis, nie tracąc czasu, pociągnął mnie na środek sali, objął mnie mocno i położył sobie na piersi moją dłoń.

— Cieszę się, że dotąd nie chodziłem na takie imprezy. Tylko z tobą mogłem tu przyjść.

Uśmiechnęłam się, przytulając do niego policzek. Położył mi rękę na plecach, pieszcząc nagie ciało.

— Wszyscy na ciebie patrzą — powiedział. Podniosłam wzrok, spodziewając się, że zobaczę napięcie na jego twarzy, ale się uśmiechał. — W sumie to fajne... Być z dziewczyną, której pragnie każdy facet.

Przewróciłam oczami.

— Nie pragną mnie. Są tylko ciekawi, czemu ty mnie pragniesz. Zresztą szkoda mi każdego, kto sądziłby, że ma u mnie szanse. Jestem beznadziejnie i całkowicie zakochana w tobie.

Po twarzy przemknął mu cień.

— Wiesz, dlaczego cię pragnę? Nie wiedziałem, że się zagubiłem, dopóki mnie nie odnalazłaś. Nie zaznałem uczucia samotności aż do pierwszej nocy, którą spędziłem w łóżku bez ciebie. Jeśli coś mi się w życiu udało, to tylko dzięki tobie. Czekałem na ciebie, Gołąbku.

Ujęłam jego twarz w dłonie, a on objął mnie w pasie i podniósł. Jego pocałunek odzwierciedlał to wszystko, co przed chwilą powiedział. To właśnie wtedy zrozumiałam, czemu zrobił sobie tatuaż z moim przezwiskiem, czemu wybrał mnie, czemu sądził, że jestem inna. Nie chodziło tylko o mnie ani tylko o niego, lecz o nas oboje, razem, bo właśnie w tym zawierała się ta wyjątkowość.

Gdy z głośników popłynęła szybsza muzyka, postawił mnie na podłodze.

— Chcesz dalej tańczyć? — spytał.

Obok nas pojawili się America i Shepley.

— Jeśli za mną nadążysz — odparłam.

Travis uśmiechnął się z wyższością.

— Przekonaj się.

Przywarłam do niego, powędrowałam ręką po koszuli i rozpięłam dwa górne guziki. Roześmiał się, kręcąc głową. Obróciłam się, podrygując rytmicznie w takt muzyki. Złapał mnie za biodra, a ja chwyciłam go za pośladki. Kiedy się pochyliłam, wbił mi paznokcie w plecy, a gdy się wyprostowałam, pocałował mnie w ucho.

— Jeszcze trochę i będziemy musieli wyjść.

Obróciłam się i zarzuciłam mu ręce na szyję. Kiedy przycisnął mnie mocniej, włożyłam ręce pod jego koszulę i przesunęłam palcami po umięśnionych plecach, po czym pocałowałam go namiętnie i głośno.

— Chryste, Gołąbku, doprowadzasz mnie do obłędu. — Uniósł nieznacznie rąbek sukienki i zaczął pieścić palcami moje pośladki.

— No to już wiemy, na czym polega jej urok — odezwała się Lexie szyderczym tonem.

America odwróciła się gwałtownie, gotowa wkroczyć na wojenną ścieżkę. Shepley powstrzymał ją w ostatniej chwili.

— Spróbuj to powtórzyć, suko! — rzuciła jego dziewczyna.

Lexie skuliła się obok swojego chłopaka.

— Lepiej nałóż jej kaganiec, Brad — rzucił Travis ostrzegawczo.

Po kolejnych dwóch piosenkach poczułam, że włosy na karku mam ciężkie i mokre od potu. Travis musnął ustami skórę pod moim uchem.

— Chodź, Gołąbku. Muszę zapalić.

Skierowaliśmy się ku schodom. Podał mi kurtkę, po czym weszliśmy na piętro. Na balkonie zastaliśmy Parkera z dziewczyną. Była wyższa ode mnie, miała krótkie ciemne włosy, spięte z tyłu spinką. Od razu zwróciłam uwagę na jej szpilki ze spiczastymi noskami, ponieważ jedną nogą obejmowała swojego partnera za biodro. Opierała się plecami o mur, a Parker, kiedy nas spostrzegł, szybko wyjął rękę spod jej spódnicy.

— Abby — wysapał zaskoczony.

— Cześć, Parker — powiedziałam, tłumiąc śmiech.

— Jak... się masz?

Uśmiechnęłam się uprzejmie.

— Znakomicie. A ty?

Zerknął na dziewczynę.

— Abby, poznaj Amber. Amber... Abby.

— Ta Abby?

Przytaknął, wyraźnie skrępowany. Amber uścisnęła mi rękę z odrazą, po czym spojrzała na Travisa, jakby właśnie napotkała śmiertelnego wroga.

— Miło mi cię poznać... chyba.

— Amber — rzucił Parker ostrzegawczym tonem.

Travis się zaśmiał, przepuszczając ich w drzwiach. Parker złapał Amber za rękę i szybko się ulotnili.

— Niezręczna sytuacja. — Pokręciłam głową, krzyżując ręce na piersiach. Oparłam się o balustradę. Zrobiło się chłodno i na zewnątrz kręciło się tylko kilka par.

Mój chłopak promieniał. Nawet Parker nie zepsuł mu nastroju.

— Przynajmniej już nie próbuje odzyskać cię za wszelką cenę.

— Nie wydaje mi się, żeby chciał mnie odzyskać. Raczej próbował mnie przekonać, żebym trzymała się z dala od ciebie.

Travis zmarszczył nos.

— Tylko raz odwiózł do domu jakąś dziewczynę. A teraz wmawia ludziom, że ratował wszystkie studentki, z którymi się pieprzyłem.

Spojrzałam na niego cierpko spod przymrużonych powiek.

— Wiesz, że nie cierpię tego słowa?

— Przepraszam. — Przyciągnął mnie do siebie. Zapalił papierosa i zaciągnął się głęboko, po czym wypuścił z płuc chmurę dymu, gęstniejącą w zimowym powietrzu. Zapatrzył się na swój nadgarstek. — Jakie to dziwne. Ten tatuaż, teraz mój ulubiony, sprawił mi wielką radość.

— Bardzo dziwne — przyznałam. Podniósł brew, a ja się roześmiałam. — Żartuję. Nie twierdzę, że rozumiem, ale to takie urocze... Cały Travis Maddox.

— Ale skoro tak dobrze się czuję z twoim przezwiskiem na nadgarstku, to jak bym się czuł, wiedząc, że nosisz na palcu pierścionek ode mnie?

— Travis...

— Za cztery, może pięć lat... — dodał.

Odetchnęłam głęboko.

— Musimy przyhamować.

— Nie zaczynaj, Gołąbku.

— Jeśli tak dalej pójdzie, skończę bosa i ciężarna przed dyplomem. Nie jestem gotowa z tobą zamieszkać. Nie chcę pierścionka. Nie chcę się ustatkować. Jeszcze nie.

Travis złapał mnie za ramiona.

— „Chcę poznawać nowych ludzi”? O to ci chodzi? Nie zamierzam dzielić się tobą z innymi. Nie ma takiej opcji.

— Niepotrzebni mi inni ludzie — odparłam rozdrażniona, a on rozluźnił uścisk i oparł ręce na balustradzie.

— Więc co? — Zapatrzył się w horyzont.

— Po prostu musimy zwolnić tempo — dodałam, a on pokiwał głową z nieszczęśliwą miną. — Nie wariuj.

— Mam wrażenie, że robimy krok do przodu, a zaraz potem dwa w tył. Ilekroć zdaje mi się, że oboje chcemy tego samego, wznosisz między nami mur. Nie rozumiem... Większość dziewczyn pogania chłopaków, każe im się deklarować, wyznawać uczucie, czynić kolejne kroki...

— Ustaliliśmy, że jestem inna niż większość dziewczyn.

Spuścił głowę w poczuciu frustracji.

— Męczy mnie ta niepewność, Abby. Twoim zdaniem dokąd to zmierza?

Dotknęłam ustami jego koszuli.

— Kiedy myślę o przyszłości, widzę ciebie.

Odprężył się i przyciągnął mnie do siebie. Patrzyliśmy na chmury mknące po nocnym niebie. Gdzieniegdzie pstrzyły się światła kampusu. Balangowicze, opatuleni grubymi płaszczami, czmychali do ciepłej siedziby bractwa.

Dostrzegłam we wzroku Travisa spokój, jaki dotąd zaobserwowałam ledwie parę razy. I zrozumiałam, że — tak jak poprzednio — był to bezpośredni skutek zapewnień z mojej strony.

Wiedziałam, co to niepewność. Poznałam wielu ludzi, których prześladował pech i którzy bali się własnego cienia. Wiedziałam, co to strach. Poznałam ciemną stronę Vegas, o której milczały kolorowe migoczące neony. Ale Travis

Maddox nie bał się walki, nie bał się stanąć w obronie kogoś, na kim mu zależało, i śmiało patrzył w oczy wściekłym, wzgardzonym kobietom. Potrafił spiorunować wzrokiem przeciwnika dwa razy większego od siebie, ponieważ wierzył, że nikt go nie pokona, że jest niezwyciężony.

Nie bał się niczego. Dopóki nie spotkał mnie.

Stanowiłam w jego życiu jedyną niewiadomą, zmienną, której nie mógł kontrolować. Nawet jeśli zdarzało mu się doświadczać przy mnie spokoju, to beze mnie szalał, a potem jego lęki dopadały go ze wzmożoną siłą w mojej obecności. Coraz trudniej radził sobie z napadami złości. Moja wyjątkowość przestała być tajemnicą. Zamiast stać się kimś szczególnym, stałam się jego słabością.

Tak jak wcześniej dla ojca.

— Abby! Tu jesteś! Wszędzie cię szukałam! — America ściskała w ręku komórkę. — Właśnie rozmawiałam z tatą. Mick wczoraj do nich zadzwonił.

— Mick? — Skrzywiłam się z odrazą. — Po co?

Uniosła brwi, sugerując, że powinnam znać odpowiedź.

— Twoja matka go zmusiła.

— Czego chciał? — spytałam. Zrobiło mi się słabo.

Zagryzła wargi.

— Pytał o ciebie...

— Nic mu nie powiedzieli, prawda?

America spochmurniała.

— To twój ojciec, Abby. Ma prawo wiedzieć, gdzie jesteś.

— Przyjedzie tu. — Poczułam, że zbiera mi się na płacz. — Przyjedzie tu, Mare!

— Wiem! Przykro mi!

Chciała mnie objąć, ale się odsunęłam, kryjąc twarz w dłoniach.

Travis opiekuńczo położył mi ręce na ramionach.

— Nie skrzywdzi cię, Gołąbku — obiecał. — Nie pozwolę na to.

— Znajdzie sposób — mruknęła Mare, patrząc na mnie zatroskanym wzrokiem. — Jak zawsze.

— Muszę stąd wyjść.

Otuliłam się kurtką i zaczęłam szarpać za klamkę w drzwiach balkonowych, ale ze zdenerwowania nie byłam w stanie ich otworzyć. Poczułam się całkiem bezradna i łzy popłynęły mi po zmarzniętych policzkach. Travis nakrył ręką moją dłoń, nacisnął klamkę i popchnął drzwi. Spojrzałam na niego, wiedząc, że zachowuję się idiotycznie. Spodziewałam się zobaczyć w jego wzroku skrępowanie lub dezaprobatę, ale przyglądał mi się ze zrozumieniem.

Wziął mnie pod ramię, zeszliśmy na dół po schodach i zaczęliśmy się przeciskać przez tłum do wyjścia. America i Shepley z trudem za mną nadążali, gdy ruszyłam prosto w kierunku dodge'a.

Nagle przyjaciółka złapała mnie za kurtkę.

— Abby! — szepnęła, wskazując grupkę ludzi na parkingu.

Zebrali się wokół starszego mężczyzny o niechlujnym wyglądzie, który trzymał w ręku zdjęcie i gestykulował nerwowo, wskazując siedzibę Sigma Tau. Kiwali głowami, szepcząc między sobą.

Przedarłam się do niego i wyrwałam mu zdjęcie.

— Co ty tu robisz, do diabła?!

Tłumek rozproszył się i oddalił. Shepley i Mare otoczyli mnie z obu stron, a Travis stanął za moimi plecami.

Mick zerknął na moją sukienkę i mlasnął z dezaprobatą.

— No, no, cukiereczku. Możesz konkurować z dziewczynami z Vegas...

— Zamknij się. Zamknij się, Mick. — Pogroziłam mu palcem. — Odwróć się i wracaj tam, skąd przyszedłeś. Nie chcę cię tu więcej widzieć.

— To niemożliwe, cukiereczku. Potrzebuję twojej pomocy.

— A to coś nowego — zadrwiła America.

Spojrzał na nią, mrużąc oczy, po czym znów przyjrzał się mnie.

— Wyglądasz wspaniale. Wyrosłaś. Nie poznałbym cię na ulicy.

Westchnęłam, zniecierpliwiona tą czczą gadaniną.

— Czego chcesz?

Podniósł ręce i wzruszył ramionami.

— Chyba napytałem sobie biedy, dziecko. Twój stary potrzebuje pieniędzy.

Zamknęłam oczy.

— Ile?

— Naprawdę nieźle mi szło. Musiałem pożyczyć tylko trochę, żeby... no wiesz.

— Wiem — rzuciłam. — Ile?

— Dwadzieścia pięć.

— Jasna cholera, Mick, dwadzieścia pięć setek? Tyle mogę ci dać od razu, jeśli pójdziesz sobie do diabła. — Travis sięgnął po portfel.

— Chodzi mu o dwadzieścia pięć tysięcy — syknęłam, patrząc gniewnie na ojca.

Mick zmierzył wzrokiem mojego chłopaka.

— Co to za cymbał?

Travis spojrzał znad portfela i przybliżył się do mnie.

— Teraz rozumiem, czemu tak bystry facet upadł na tyle nisko, żeby prosić o pieniądze nastoletnią córkę.

Zanim Mick zdążył się odciąć, wyjęłam komórkę.

— Komu tym razem jesteś winien, Mick?

Podrapał się po głowie. Miał tłuste siwiejące włosy.

— Wiesz, to zabawna historia...

— Komu?! — wrzasnęłam.

— Benny'emu.

Rozdziawiłam usta i cofając się o krok, wpadłam na Travisa.

— Benny'emu? Zadłużyłeś się u Benny'ego? Co ty sobie, do diabła... — Wzięłam głęboki oddech. To było bez sensu. — Nie mam takich pieniędzy, Mick.

Uśmiechnął się.

— Coś mi mówi, że masz.

— Nie! Tym razem przeholowałeś! Wiedziałam, że nigdy się nie opamiętasz, prędzej dasz się zabić!

Przestąpił z nogi na nogę. Uśmiech zniknął z jego twarzy.

— Ile masz?

Zacisnęłam szczęki.

— Jedenaście tysięcy. Oszczędzałam na samochód.

America podniosła na mnie wzrok.

— Skąd wytrzasnęłaś jedenaście tysięcy dolarów?

— Obstawiałam walki — powiedziałam, wpatrując się w Micka.

Travis obrócił mnie twarzą do siebie i spojrzał mi w oczy.

— Zarobiłaś jedenaście tysięcy na moich walkach? Kiedy?

— Adam i ja zawarliśmy pewien układ — odparłam niewzruszona.

Mick nagle się ożywił.

— Podwoisz to w jeden weekend, cukiereczku. Do niedzieli zdobędziesz dla mnie dwadzieścia pięć tysięcy i Benny nie przyśle po mnie swoich zbirów.

Zaschło mi w gardle.

— Będę spłukana, Mick. Muszę płacić za szkołę.

— Odegrasz się błyskawicznie. — Z lekceważeniem machnął ręką.

— Kiedy mija termin? — spytałam.

— W poniedziałek o północy — powiedział przepraszającym tonem.

— Nie musisz mu dawać ani centa, Gołąbku. — Travis pociągnął mnie za rękę.

Mick chwycił mnie za nadgarstek.

— Przynajmniej tyle możesz dla mnie zrobić! To przez ciebie wpadłem w tarapaty!

America trzepnęła go w rękę i odepchnęła.

— Nie waż się znowu zaczynać, Mick! Nie kazała ci pożyczać od Benny'ego!

Spojrzał na mnie nienawistnym wzrokiem.

— Miałbym pieniądze, gdyby nie ona. Wszystko mi zabrałaś, Abby! Nie mam nic!

Wcześniej sądziłam, że po jakimś czasie przestanie mnie boleć, że jestem jego córką. Najwyraźniej tak się nie stało, bo nagle zalałam się łzami.

— W niedzielę dostaniesz pieniądze dla Benny'ego. Ale potem zostawisz mnie w spokoju. Robię to ostatni raz. Od tej pory radzisz sobie sam, słyszysz? Trzymaj się ode mnie z daleka.

Zagryzł wargi i pokiwał głową.

— Jak chcesz, cukiereczku.

Odwróciłam się i ruszyłam w stronę samochodu.

— Pakujcie się, chłopcy! — zawołała America. — Jedziemy do Vegas!

Rozdział piętnasty

Miasto grzechu

Travis postawił bagaże na podłodze i rozejrzał się po pokoju.

— Ładnie tu, prawda?

Gdy spojrzałam na niego wilkiem, uniósł brew.

— No co?

Suwak zazgrzytał, kiedy otwierałam walizkę. Pokręciłam głową. Moją uwagę zaprzątały różne strategie i martwił mnie brak czasu.

— To nie są wakacje, Travis. W ogóle nie powinieneś tu być.

W jednej chwili znalazł się za mną i objął mnie w pasie.

— Gdzie ty, tam ja.

Przytuliłam się do niego i westchnęłam.

— Muszę zasiąść do gry. Możesz zostać tutaj albo zwiedzić Las Vegas Strip. Zobaczymy się później, dobrze?

— Pójdę z tobą.

— Lepiej nie, Trav. — Kiedy zrobił urażoną minę, pogłaskałam go po ramieniu. — Jeśli mam wygrać czternaście tysięcy dolarów w jeden weekend, muszę się skupić. Nie podoba mi się to, kim jestem, kiedy siedzę przy stole do gry, i nie chcę, żebyś był tego świadkiem.

Odgarnął mi włosy z twarzy i pocałował mnie w policzek.

— Niech ci będzie, Gołąbku.

Wychodząc z pokoju, pomachał Mare, która podeszła do mnie w tym samym stroju, który miała na sobie na przyjęciu w siedzibie Sigma Tau. Ja przebrałam się w krótką złotą sukienkę i włożyłam szpilki. Skrzywiłam się na widok swojego odbicia w lustrze. America ściągnęła mi włosy na karku i pomachała przed nosem czarną tubką.

— Musisz nałożyć jeszcze z pięć warstw tuszu i róż na policzki. Inaczej w ogóle cię nie wpuszczą. Zapomniałaś o tutejszych zwyczajach?

Wyrwałam jej tusz i przez kolejne dziesięć minut malowałam się przed lustrem. Kiedy skończyłam, oczy zaszły mi łzami.

— Abby, nie płacz, do cholery! — skarciłam samą siebie, ścierając chusteczką czarne smugi pod oczami.

— Nie musisz tego robić. Nie jesteś mu nic winna. — America mnie objęła.

Jeszcze raz przejrzałam się w lustrze.

— Zadłużył się u Benny'ego. Jeśli nie zwróci pieniędzy, zabiją go.

Spojrzała na mnie ze współczuciem. Wiele razy tak na mnie patrzyła, ale teraz zobaczyłam w jej wzroku autentyczną rozpacz. Dobrze wiedziała, że ojciec potrafi zrujnować mi życie.

— Co będzie następnym razem? I następnym? Nie możesz wiecznie ratować go z opresji.

— Zgodził się zostawić mnie w spokoju. Można mówić o nim różne rzeczy, ale dotrzymuje słowa.

Przeszłyśmy korytarzem do windy. Była pusta.

— Masz wszystko? — spytałam. Wiedziałam, że w kasynie znajdziemy się pod czujnym okiem kamer monitoringu.

Pstryknęła paznokciami w podrobione prawo jazdy.

— Candy. Candy Crawford — przedstawiła się z nienagannym południowym akcentem.

Wyciągnęłam rękę.

— Jessica James. Miło mi cię poznać, Candy.

Obie włożyłyśmy okulary przeciwsłoneczne i przybrałyśmy kamienny wyraz twarzy. Rozsunęły się drzwi windy. Naszym oczom ukazały się neonowe światła kasyna, w którym roiło się od ludzi ze wszystkich środowisk społecznych i zawodowych. Vegas było niebiańskim piekłem, jedynym miejscem na ziemi, gdzie w tym samym budynku spotyka się tancerki w pretensjonalnych piórach i makijażu scenicznym, prostytutki w skąpych, lecz możliwych do przyjęcia strojach, biznesmenów w wytwornych garniturach i najzwyklejsze rodziny. Ruszyłyśmy naprzód przejściem odgrodzonym od sali czerwonymi sznurami, po czym podałyśmy dokumenty mężczyźnie w czerwonej marynarce. Przyglądał mi się przez dłuższą chwilę, aż w końcu zsunęłam z nosa okulary.

— Byle dzisiaj — odezwałam się znudzonym głosem.

Przepuścił nas, zwracając dokumenty. Minęłyśmy rzędy automatów do gier i stołów do blackjacka. Przystanęłam obok ruletki i rozejrzałam się po sali. Przy jednym ze stołów grali w pokera starsi wiekiem mężczyźni.

— Ten. — Wskazałam ich ruchem głowy.

— Zacznij agresywnie, Abby. Będą kompletnie zaskoczeni.

— Nie. Wyglądają na starych wyjadaczy. Muszę to sprytnie rozegrać.

Z czarującym uśmiechem podeszłam do stołu. Miejscowi wyczuwali kanciarzy na kilometr, ale na moją korzyść przemawiały dwa argumenty, dzięki którym łatwo przyszło mi się zamaskować: młodość i... cycki.

— Dobry wieczór. Czy mogę do panów dołączyć?

Żaden nawet nie podniósł wzroku.

— Jasne, słodziutka, siadaj i patrz. Tylko się nie odzywaj.

— Chciałabym zagrać — powiedziałam, podając Mare okulary. — Przy stołach do blackjacka wieje nudą.

Jeden z mężczyzn przeżuwał cygaro.

— To poker, księżniczko. Pięciokartowy dobierany. Spróbuj szczęścia na automatach.

Usiadłam na wolnym krześle, ostentacyjnie zakładając nogę na nogę.

— Zawsze marzyłam, żeby zagrać w pokera w Las Vegas. Mam tu żetony... — Ułożyłam je w stosik na stole. — W grach online jestem całkiem niezła.

Spojrzeli na żetony i na mnie — wszystkich pięciu.

— Wymagamy minimalnej stawki na wejście — rzucił rozdający.

— Ile?

— Pięćset dolarów. Posłuchaj, ślicznotko. Oszczędź sobie łez. Zagraj na automatach.

Przesunęłam żetony na środek stołu, wzruszając ramionami w sposób typowy dla lekkomyślnej i nazbyt pewnej siebie dziewczyny, która nie zdaje sobie sprawy, że za chwilę przegra fundusze na studia. Mężczyźni spojrzeli po sobie. Rozdający z obojętną miną obstawił swoje żetony.

— Jimmy — przedstawił się jeden z graczy. Gdy uścisnęłam mu dłoń, wskazał na pozostałych. — Mel, Pauli, Joe, a to Zezik.

Zerknęłam na chudzielca, który przeżuwał cygaro. Tak jak się spodziewałam, spojrzał na mnie zezem.

Skinęłam głową, obserwując pierwsze rozdanie z udawanym przejęciem. Rozmyślnie przegrałam dwa razy, lecz przy czwartej rozgrywce już byłam górą. Weterani z Vegas przejrzeli mnie szybciej niż Thomas.

— Grałaś online? — spytał Pauli.

— I z moim tatą.

— Jesteś stąd? — zagadnął Jimmy.

— Z Wichita.

— Ona nie gra online — orzekł Mel. — Mogę się założyć.

Godzinę później ograłam przeciwników na dwa tysiące siedemset dolarów. Zaczęli się pocić.

— Pas — mruknął Jimmy, z marsową miną rzucając karty na stół.

— Gdybym nie zobaczył tego na własne oczy, nigdy bym nie uwierzył — usłyszałam głos zza pleców.

Obróciłyśmy się z Mare jednocześnie. Twarz rozjaśniła mi się w uśmiechu.

— Jesse! — Pokręciłam głową. — Co ty tu robisz?

— Co ty tu robisz?! Kantujesz moich klientów?

Przewróciłam oczami, zerkając na podejrzliwych nowych znajomych.

— Wiesz, że tego nie cierpię, Jesse.

— Przepraszamy na chwilę.

Wziął mnie pod ramię i odciągnął od stołu. America przyglądała się nam z rezerwą.

Jego ojciec był właścicielem kasyna, niemniej jednak zaskoczyło mnie, że Jesse przystąpił do rodzinnego interesu. W dzieciństwie ścigaliśmy się po korytarzach hotelu, a ja zawsze pierwsza dopadałam windy. Dorósł, odkąd widziałam go ostatnim razem. Zapamiętałam go jako tyczkowatego, niedojrzałego nastolatka, gdy tymczasem mężczyzna stojący przede mną prezentował się nadzwyczaj okazale. Miał tę samą gładką oliwkową skórę i zielone oczy, ale poza tym zmienił się na korzyść.

Szmaragdowe tęczówki lśniły w blasku neonów.

— Niesamowite. Pomyślałem, że to ty, chociaż nie wierzyłem, że jeszcze kiedyś tu wrócisz. Ale kiedy zobaczyłem, co się dzieje...

— To ja.

— Wyglądasz... inaczej.

— Ty też. Jak tata?

— Na emeryturze. — Uśmiechnął się. — Jak długo zostaniesz?

— Tylko do soboty. Muszę wracać do szkoły.

— Witaj, Jesse. — America wzięła mnie pod ramię.

— Mare! — Roześmiał się. — Powinienem był się domyślić. Jesteście jak papużki nierozłączki.

— Gdyby jej rodzice dowiedzieli się, że ją tutaj przywiozłam, byłoby po nas.

— Miło cię widzieć, Abby. Pozwolisz się zaprosić na kolację? — spytał Jesse, mierząc wzrokiem moją sukienkę.

— Przykro mi, ale muszę odmówić. Nie jestem tu dla przyjemności.

Wyciągnął rękę z przewrotnym uśmiechem.

— Ja też nie. Mogę zobaczyć twój dowód tożsamości?

Mina mi zrzedła. Przecież nie znalazłam się tu bez powodu. Wiedziałam, że Jesse nie ulegnie tak łatwo moim wdziękom. Musiałam wyznać mu prawdę.

— Przyjechałam ze względu na Micka. Wpakował się w niezłe kłopoty.

Jesse poruszył się niespokojnie.

— Jakie?

— Nic nowego.

— Chciałbym wam pomóc. Znamy się od lat. Wiesz, że zawsze szanowałem twojego ojca, ale nie mogę pozwolić ci zostać.

Ścisnęłam go za ramię.

— Jest winien pieniądze Benny'emu.

Zamknął oczy i pokręcił głową.

— Jezu...

— Mam czas do jutra. Jeśli pozwolisz mi grać, będę ci dłużna do końca życia.

Dotknął mojego policzka.

— Wiesz co... Umów się ze mną jutro na kolację, a dam ci czas do północy.

Zerknęłam na Mare i znów na Jessego.

— Nie przyjechałam sama...

Wzruszył ramionami.

— Decyduj, Abby. Wiesz, jak jest. Coś za coś.

Westchnęłam, czując, że przegrałam.

— Dobrze. Spotkajmy się jutro wieczorem w Ferraro's. Pod warunkiem że dajesz mi czas do północy.

Nachylił się i pocałował mnie w policzek.

— Miło było znów cię widzieć. Do zobaczenia jutro... Piąta? O ósmej muszę być w kasynie.

Uśmiechnęłam się na pożegnanie, ale szybko spochmurniałam, spostrzegłszy Travisa przy stole do ruletki.

— O cholera! — zaklęła America.

Mój chłopak wyminął Jessego, piorunując go spojrzeniem, po czym podszedł wprost do mnie. Jesse przyglądał się nam kątem oka. Travis wsunął ręce do kieszeni.

— Kto to był?

— Jesse Viveros. Znamy się od dawna.

— Od jak dawna?

Obejrzałam się na moich weteranów od pokera.

— Travis, nie mam teraz czasu.

— Zdaje się, że porzucił kapłańskie powołanie — zadrwiła America, mrugając do Jessego zalotnie.

— To twój były chłopak? — spytał Travis. Widziałam, że wzbiera w nim złość. — Mówiłaś, że jest z Kansas?

Rzuciłam Mare niecierpliwe spojrzenie, po czym ujęłam jego podbródek, tak by skupił na mnie całą swą uwagę.

— Wie, że ze względu na wiek nikt nie powinien mnie tu wpuścić. Dał mi czas do północy. Wyjaśnię ci to później, ale teraz muszę wracać do gry.

Mięśnie twarzy mu się napięły, zamknął oczy i wziął głęboki oddech.

— W porządku. Zobaczymy się o północy. — Pocałował mnie, lecz nagle wydał mi się chłodny i obojętny. — Powodzenia.

Odetchnęłam, gdy zniknął w tłumie, i wróciłam do stolika.

— Panowie?

— Siadaj, mała — rzucił Jimmy. — Zaraz odzyskamy swoje pieniądze. Nie lubimy, gdy ktoś nas kantuje.

— Róbcie, co chcecie. — Uśmiechnęłam się.

— Masz dziesięć minut — szepnęła America.

— Wiem.

Próbowałam zatrzymać czas i kolano Mare, drgające nerwowo pod stołem. Pula wynosiła teraz szesnaście tysięcy dolarów — rekordowy poziom tego wieczoru. Wszystko albo nic.

— Dotąd nie widziałem niczego podobnego — odezwał się Pauli. — Dziecko, prawie ci się udało. W dodatku ta mała nic nie daje po sobie poznać. Zauważyłeś, Zezik?

Zezik, który tracił humor z każdym kolejnym rozdaniem, pokiwał głową.

— Zauważyłem. Nie pociera twarzy, nie uśmiecha się, nawet nie mruga. To nienaturalne. Każdy jakoś się zdradza.

— Nie każdy, jak widać — ucieszyła się moja przyjaciółka.

Poczułam na ramionach uścisk znajomych rąk. Travis. Nie odwróciłam się, nie chcąc stracić z oczu trzech tysięcy dolarów leżących na stole.

— Sprawdzam — rzucił Jimmy.

Tłum, który zebrał się wokół naszego stolika, zaklaskał głośno, gdy wyłożyłam karty na stół. Tylko Jimmy miał trójkę — marnie w porównaniu z moim stritem.

— Nie do wiary! — zawołał Pauli, wykładając dwie dwójki.

— Mnie nie liczcie — burknął Joe, wstając od stołu. Oddalił się, wściekły.

Jimmy zachował się bardziej łaskawie.

— Mógłbym dziś umrzeć z uczuciem, że rozegrałem naprawdę dobrą partię z godnym siebie przeciwnikiem. Dziękuję ci, Abby.

Zamarłam.

— Wiedziałeś?

Uśmiechnął się. Zęby miał pożółkłe od kawy i cygar.

— Kiedyś już z tobą grałem. Sześć lat temu. Od dawna pragnąłem rewanżu. — Wyciągnął do mnie rękę. — Uważaj na siebie, dziecko. Przekaż ojcu pozdrowienia od Jimmy'ego Pescellego.

America pomogła mi zgarnąć pieniądze. Spojrzałam na Travisa, jednocześnie sprawdzając godzinę.

— Potrzebuję więcej czasu — powiedziałam.

— Blackjack? — spytał.

— Nie mogę teraz przegrać, Trav.

Uśmiechnął się.

— Ty nie przegrywasz, Gołąbku.

Mare pokręciła głową.

— Blackjack to nie dla niej — rzuciła.

Travis pokiwał głową.

— Też coś wygrałem. Jakieś sześć stówek. Są twoje.

Także Shepley wręczył mi swoje żetony.

— Ja tylko trzy. Weź.

Westchnęłam.

— Wielkie dzięki, chłopaki, ale brakuje mi pięciu kawałków.

Znów spojrzałam na zegarek i wtedy podszedł Jesse.

— Jak idzie? — spytał z uśmiechem.

— Potrzebuję jeszcze pięciu patyków. Zlituj się, Jesse.

— Zrobiłem, co mogłem, Abby.

Przytaknęłam. I tak już poprosiłam o zbyt wiele.

— Dziękuję ci — powiedziałam. — Mimo wszystko.

— Poproszę tatę, żeby pogadał z Bennym.

— Sama z nim pogadam. Może zgodzi się przedłużyć termin spłaty.

Jesse pokręcił głową.

— Wiesz, że nie, cukiereczku. Bez względu na to, ile mu dasz. Jeśli nie zapłacisz całej sumy, Benny wyśle swoich zbirów. Trzymaj się od tego z daleka.

Zapiekły mnie oczy.

— Przynajmniej spróbuję.

Jesse nachylił się i wyszeptał mi do ucha:

— Wsiadaj do samolotu, Abby. Słyszysz?

— Słyszę — odburknęłam.

Jesse westchnął ze współczuciem. Objął mnie i pocałował w czoło.

— Przykro mi. Coś bym wymyślił, ale ryzykuję utratę pracy.

— Wiem. — Odsunęłam się od niego. — Zrobiłeś, co mogłeś.

— Do zobaczenia jutro o piątej. — Ucałował mnie w kąciki ust i odszedł bez słowa.

Zerknęłam na Mare, która patrzyła na Travisa. Nie odważyłam się spojrzeć mu w oczy. Wyobrażałam sobie, że jest wściekły.

— Co o piątej? — spytał, powstrzymując złość.

— Zgodziła się zjeść kolację z Jessem, jeśli pozwoli jej grać do północy — wyjaśniła America. — Nie miała wyboru,

Trav — dodała ostrożnie, najwyraźniej zdając sobie sprawę, że mój chłopak będzie wściekły.

Patrzył na mnie tak samo jak Mick tamtej nocy, kiedy ubzdurał sobie, że odebrałam mu szczęście.

— Miałaś wybór.

— A ty miałeś kiedyś do czynienia z mafią? Przykro mi, Travis, jeśli ranię twoje uczucia, ale kolacja z dawnym znajomym to niezbyt wygórowana cena za życie mojego ojca.

Chciał się odciąć, ale nie znalazł właściwych słów.

— Chodźcie, musimy znaleźć Benny'ego. — America pociągnęła mnie za rękę.

Travis i Shepley szli za nami w milczeniu, gdy we czworo zmierzaliśmy do domu Benny'ego przez Las Vegas Strip. Natężenie ruchu — zarówno na jezdni, jak i na chodnikach — o tej porze dopiero się zwiększało. Przy każdym kroku czułam skurcz w żołądku. Zastanawiałam się, jak udobruchać Benny'ego. Gdy zapukaliśmy do okazałych zielonych drzwi, które kiedyś oglądałam tyle razy, skurczyłam się tak samo jak fundusze na moim koncie.

Drzwi otworzył potężny, przerażający czarnoskóry odźwierny, równie szeroki jak wysoki, co mnie nie zaskoczyło, natomiast zdumiałam się na widok Benny'ego, który stał za jego plecami.

— Benny... — wykrztusiłam.

— No, no... Już nie jesteś Szczęśliwą Trzynastką, co? Mick nie powiedział mi, jaka wyrosła z ciebie ślicznotka. Czekałem na ciebie, cukiereczku. Podobno masz dla mnie pieniądze.

Przytaknęłam. Benny rzucił pytające spojrzenie moim przyjaciołom. Uniosłam podbródek, udając pewność siebie.

— Są ze mną.

— Obawiam się, że twoi towarzysze będą musieli zaczekać na zewnątrz — odezwał się odźwierny nienaturalnie niskim głosem.

Travis natychmiast wziął mnie pod ramię.

— Nie wejdzie tu sama. Nie zostawię jej ani na chwilę.

Benny zmierzył go wzrokiem. Z trudem przełknęłam ślinę. Ale gdy zerknął na odźwiernego, unosząc kąciki ust, nieco się odprężyłam.

— Dobrze — powiedział. — Mick na pewno się ucieszy, że masz obok siebie tak dobrego przyjaciela.

Weszłam za nim do środka, oglądając się na Americę, która wyraźnie się niepokoiła. Travis złapał mocno moją rękę, celowo separując mnie od odźwiernego. Gdy wjechaliśmy windą na czwarte piętro, drzwi się otworzyły.

Pośrodku wielkiego salonu stało duże mahoniowe biurko. Benny pokuśtykał do pluszowego fotela i nakazał nam usiąść na krzesłach na wprost biurka. Uderzył mnie chłód skóry, którą były obite. Zastanawiałam się, ilu ludzi siedziało tu przede mną chwilę przed śmiercią. Kiedy odruchowo ścisnęłam Travisa za rękę, posłał mi uspokajające spojrzenie.

— Mick jest mi winien dwadzieścia pięć tysięcy dolarów. Rozumiem, że masz całą kwotę — powiedział Benny, gryzmoląc coś w notatniku.

— No właśnie... — Odchrząknęłam. — Brakuje mi pięciu kawałków, Benny. Zdobędę je do jutra. Pięć tysięcy to nie problem, prawda? Znasz mnie. Dam radę.

— Abigail. — Ściągnął brwi. — Rozczarowujesz mnie. Znasz zasady.

— Błagam, Benny. Proszę, żebyś przyjął dziewiętnaście tysięcy dziewięćset, a jutro zwrócę ci resztę.

Benny świdrował wzrokiem nas oboje — mnie i Travisa. Dopiero teraz spostrzegłam, że w mrocznych kątach pokoju czai się dwóch mężczyzn. Travis ścisnął mnie mocniej za rękę. Wstrzymałam oddech.

— Zdajesz sobie sprawę, że zadowala mnie tylko cała suma. Fakt, że proponujesz mi mniej, coś mi mówi. A wiesz, co mi to mówi? Że wcale nie jesteś pewna, czy do jutra uzbierasz resztę.

Dwaj mężczyźni postąpili krok do przodu.

— Dostaniesz swoją forsę, Benny. — Roześmiałam się nerwowo. — Tylko dziś wygrałam osiem tysięcy dziewięćset w sześć godzin.

— Chcesz powiedzieć, że za kolejnych sześć godzin przyniesiesz mi jeszcze osiem tysięcy dziewięćset dolarów? — Uśmiechnął się diabolicznie.

— Termin mija jutro o północy, tak? — wtrącił się Travis. Obejrzał się na dwóch podejrzanych zbirów.

— Co chcesz zrobić, Benny? — spytałam, sztywniejąc ze strachu.

— Mick dzwonił do mnie dziś wieczorem. Powiedział, że spłacisz jego dług.

— Wyświadczam mu przysługę. Tobie nie jestem nic winna — odparłam stanowczo. Mój instynkt samozachowawczy najwyraźniej wziął górę.

Benny oparł na blacie grube, umięśnione ręce.

— Chciałbym dać Mickowi nauczkę. I ciekaw jestem, na ile sprzyja ci szczęście, dziecinko.

Travis gwałtownie wstał z krzesła, pociągając mnie za sobą, i zaczął wycofywać się do wyjścia.

— Za drzwiami czeka Josiah, młodzieńcze. Dokąd chcesz uciec?

Pomyliłam się. Sądziłam, że uda mi się udobruchać Benny'ego, ale nie wzięłam pod uwagę woli życia Micka ani zamiłowania Benny'ego do wymierzania kar.

— Travis — odezwałam się ostrzegawczym tonem, widząc, że zbliżają się do nas ochroniarze.

Zasłonił mnie sobą i wyprostował się jak struna.

— Jeśli zlikwiduję twoich ludzi, Benny, to nie przez brak szacunku. Mam nadzieję, że to rozumiesz. Kocham tę dziewczynę i nie pozwolę ci jej skrzywdzić.

Benny wybuchnął gromkim śmiechem.

— Trzeba ci przyznać, chłopcze, że masz jaja. Dotąd nikt, kto wchodził przez te drzwi, nie miał tyle odwagi. Powiem ci, co cię teraz czeka. Ten dość postawny gość po twojej prawej to David. Jeśli nie pokona cię na pięści, użyje noża, który trzyma w pochwie. Po lewej stoi Dane, jeden z moich najlepszych zawodników. Akurat jutro ma wziąć udział w walce. Jeszcze nigdy nie przegrał. Uważaj na ręce, Dane. Postawiłem na ciebie kupę forsy.

Dane posłał Travisowi dziki uśmiech; oczy mu błyszczały.

— Tak jest, proszę pana.

— Daj spokój, Benny! — zawołałam. — Zdobędę dla ciebie te pieniądze!

— Zapowiada się ciekawie. — Benny zachichotał i rozparł się w fotelu.

Kiedy David ruszył na Travisa, zasłoniłam dłonią usta.

Ochroniarz był silny, lecz niezdarny i powolny. Zanim zdążył się zamachnąć bądź sięgnąć po nóż, Travis obezwładnił go i walnął kolanem w twarz. Następnie zaczął z całej siły okładać go pięściami, a kiedy wymierzył cios łokciem, David, cały pokrwawiony, osunął się na podłogę.

Benny odrzucił głowę do tyłu. Śmiał się histerycznie i walił rękami w blat biurka, ogarnięty euforią dziecka, które w sobotni poranek ogląda kreskówki.

— Twoja kolej, Dane. Chyba się nie wystraszyłeś?

Drugi ochroniarz podszedł do Travisa ostrożnie, ze skupieniem i precyzją zawodowca. Wymierzył niewiarygodnie szybki cios pięścią, ale Travis uchylił się i naparł na niego ramieniem. Obaj przewrócili się na biurko, po czym Dane obiema rękami powalił Travisa na podłogę. Przez chwilę się tam kotłowali. Dane zyskał przewagę i przymierzał się do zadania kilku ciosów. Zakryłam twarz dłońmi; nie chciałam na to patrzeć.

Usłyszałam okrzyk bólu i opuściłam ręce. Travis przyparł Dane'a do podłogi. Przytrzymując go za kudły, zadawał cios za ciosem w skroń. Dane z każdym uderzeniem walił głową o biurko, ale w końcu, oniemiały i zakrwawiony, zerwał się na równe nogi.

Mój chłopak przyglądał mu się przez chwilę, po czym znów zaatakował, Dane jednak uskoczył i uderzył go w szczękę.

Travis uśmiechnął się, podnosząc palec.

— Punkt dla ciebie.

Nie wierzyłam własnym uszom. Pozwolił się uderzyć jednemu ze zbirów Benny'ego! I świetnie się przy tym bawił. Nigdy wcześniej nie widziałam, żeby walczył na całego. I trochę mnie to przerażało — nacierał z niewiarygodną siłą na zawodowych morderców i powalał ich na podłogę. Do tej chwili nie zdawałam sobie sprawy, na co go stać.

Benny wciąż się zaśmiewał, tymczasem Travis wykończył przeciwnika, uderzając go łokciem w nos. Dane zachwiał się i upadł na wytworny orientalny dywan.

— Niebywałe! — wykrzyknął Benny. — Młody człowieku, to niebywałe! — Zaklaskał z zachwytem.

Travis przyciągnął mnie do siebie. Josiah wciąż blokował drzwi, które wydawały się śmiesznie małe w porównaniu z jego imponującą posturą.

— Mam się tym zająć, proszę pana?

— Nie! Nie, nie! — Benny chyba wciąż nie wierzył własnym oczom. — Jak się nazywasz?

Mój chłopak wciąż dyszał ciężko.

— Travis Maddox. — Wytarł o spodnie pokrwawione ręce.

— Travis Maddox. Coś mi się zdaje, że będziesz mógł pomóc swojej dziewczynie.

— Jak? — wysapał.

— Dane jutro wieczorem miał stoczyć walkę. Sporo na niego postawiłem, a nie wygląda na to, żeby w najbliższym czasie z kimkolwiek wygrał. Proponuję, żebyś go zastąpił. Zarobisz dla mnie kasę, a ja anuluję pozostałą część długu Micka.

Travis odwrócił się do mnie.

— Gołąbku?

— Nic ci nie jest? — spytałam. Zagryzając wargi, otarłam mu krew z twarzy. Wciąż czułam strach, ale też ulgę, i zbierało mi się na płacz.

Uśmiechnął się.

— To nie moja krew, kochanie. Nie płacz.

Benny wstał.

— Jestem bardzo zajętym człowiekiem, synu. Pasujesz czy grasz dalej?

— Zgadzam się — powiedział Travis. — Gdzie i kiedy?

— Twoim przeciwnikiem będzie Brock McMann. Twardy gość. W zeszłym roku został wykluczony z UFC.

Na Travisie informacja, że jego przyszłego przeciwnika wykluczono ze Stowarzyszenia Mieszanych Sztuk Walki, nie wywarła wrażenia.

— Gdzie mam się zjawić?

Benny wyszczerzył zęby w uśmiechu rekina.

— Podobasz mi się, chłopcze. Myślę, że się polubimy.

— Wątpię — odparł Travis. Otworzył drzwi i opiekuńczo otoczył mnie ramieniem.

Wyszliśmy na ulicę.

— Jezus Maria! — wykrzyknęła America na widok pokrwawionego ubrania mojego chłopaka. — Nic wam nie jest? — Chwyciła mnie za ramię, przyglądając się uważnie mojej twarzy.

— Wszystko w porządku. Dzień jak co dzień. Dla nas obojga — powiedziałam, ocierając łzy.

Travis wziął mnie za rękę i wszyscy czworo ruszyliśmy z powrotem do hotelu. Travis, chociaż cały we krwi, nie zwracał niczyjej uwagi, może tylko paru ciekawskich turystów obejrzało się za nim.

— Co tam się wydarzyło? — spytał w końcu Shepley, kiedy znaleźliśmy się w pokoju.

Travis rozebrał się do bielizny i zniknął w łazience. Usłyszałam, jak odkręca prysznic. America podała mi pudełko chusteczek.

— Nic mi nie jest, Mare.

Westchnęła, wciskając mi chusteczkę.

— Właśnie widzę.

— To nie pierwsza moja jazda z Bennym — powiedziałam. Po dobie napięcia bolały mnie wszystkie mięśnie.

— Za to pierwszy raz zobaczyłaś, jak Travis zatraca się w walce — wtrącił się Shepley. — Ja widziałem go w tym stanie tylko raz. Byłem przerażony.

— Co się stało? — dopytywała America.

— Mick zadzwonił do Benny'ego. Przerzucił na mnie spłatę długu.

— Zabiję go! Zabiję tego żałosnego skurwysyna! — wrzasnęła.

— Benny nie obarcza mnie odpowiedzialnością, ale chciał dać Mickowi nauczkę za to, że przysłał z długiem córkę. Poszczuł na nas dwóch swoich oprychów, a Travis ich powalił. Obu. W niecałe pięć minut.

— I Benny pozwolił wam odejść? — spytała Mare.

Mój chłopak wyszedł z łazienki z ręcznikiem na biodrach. Tylko małe zadrapanie na kości policzkowej pod prawym okiem świadczyło o tym, że się z kimś bił.

— Jeden z tych facetów miał jutro stoczyć walkę. Zastąpię go, a w zamian Benny zapomni o brakujących pięciu kawałkach.

America wstała.

— To idiotyczne! Abby, dlaczego wszyscy mamy pomagać Mickowi? Rzucił cię lwom na pożarcie! Zabiję go!

— Ja pierwszy — wtrącił Travis przez zęby.

— Ustawcie się w kolejce — mruknęłam.

— Więc jutro walczysz? — spytał Shepley.

— W klubie Zero. O szóstej. Z Brockiem McMannem.

Shepley pokręcił głową.

— Nie ma mowy. Nie ma mowy, Trav. Jasna cholera, ten facet to świr!

— Być może — odparł Travis. — Ale nie będzie walczył dla ukochanej, prawda? — Wziął mnie w ramiona i pocałował w czoło. — Wszystko w porządku, Gołąbku?

— Nie. To nie jest w porządku. Pod żadnym względem. Nie wiem, jak ci to wybić z głowy.

— Widziałaś dziś, jak walczyłem. Nic mi nie będzie. Znam Brocka. Jest twardy, ale nie niezwyciężony.

— Nie chcę, żebyś to robił, Trav.

— A ja nie chcę, żebyś umawiała się na kolację z byłym chłopakiem. Wygląda na to, że oboje musimy zrobić coś wbrew sobie, żeby ratować twojego ojca łobuza.

Ile razy to obserwowałam! Vegas zmieniało ludzi, robiło z nich potwory lub bankrutów. Kolorowe neony i niespełnione marzenia mogą zawrócić w głowie. To podniecone spojrzenie Travisa, ta niezachwiana wiara w siebie... Znałam to z dzieciństwa. Jedynym lekarstwem był powrót do domu.

Jesse zmarszczył brwi, gdy po raz kolejny zerknęłam na zegarek.

— Śpieszysz się gdzieś, cukiereczku? — spytał.

— Proszę, nie nazywaj mnie tak. Nie znoszę tego słowa.

— A ja nie mogłem znieść, że wyjeżdżasz. To cię nie powstrzymało.

— Już to przerabialiśmy. Nie możemy po prostu zjeść kolacji?

— Dobrze, porozmawiajmy o twoim nowym facecie. Jak ma na imię? Travis? — Gdy skinęłam głową, kontynuował: — Podoba ci się taki wytatuowany psychopata? Wygląda jak wyrzutek z sekty Mansona.

— Postaraj się być miły, Jesse. Inaczej zaraz sobie pójdę.

— Nie do wiary, jak się zmieniłaś. Nie do wiary, że siedzisz naprzeciwko.

Przewróciłam oczami.

— Lepiej uwierz.

— No właśnie. Taką cię pamiętam.

Znów spojrzałam na zegarek.

— Za dwadzieścia minut Travis zaczyna walkę. Powinnam już iść.

— Nie zjedliśmy jeszcze deseru.

— Nie mogę, Jesse. Nie chcę, żeby zamartwiał się, czy przyjdę. To ważne.

Posmutniał.

— Wiem. Tęsknię za czasami, kiedy to ja byłem ważny.

— Byliśmy wtedy dziećmi — powiedziałam, biorąc go za rękę. — Minęły lata świetlne.

— Kiedy zdążyłaś dorosnąć, Abby? Pojawiłaś się tu nie bez przyczyny. To znak. Myślałem, że nigdy więcej cię nie zobaczę, a tu proszę, siedzisz na wprost mnie. Zostań ze mną.

Wolno pokręciłam głową. Nie chciałam zranić najwierniejszego przyjaciela z dzieciństwa.

— Kocham go, Jesse.

Nie potrafił ukryć zawodu.

— Wobec tego lepiej już idź.

Pocałowałam go w policzek, wybiegłam z restauracji i przywołałam taksówkę.

— Dokąd? — spytał kierowca.

— Klub Zero.

Odwrócił się, mierząc mnie wzrokiem.

— Na pewno?

— Na pewno! Jedźmy już! — zawołałam, rzucając mu gotówkę.

Rozdział szesnasty

W domu

Travis wreszcie przepchnął się przez tłum. Benny obejmował go ramieniem i szeptał mu coś do ucha. Mój chłopak potakiwał. Krew ścięła mi się w żyłach na widok tej poufałości z człowiekiem, który nie dalej niż dobę temu groził nam śmiercią. Travis upajał się powszechnym aplauzem: wszyscy gratulowali mu zwycięstwa. Wyprężony jak struna, podszedł z promiennym uśmiechem i pocałował mnie w usta.

Poczułam od niego pot i metaliczny smak krwi. Wygrał walkę, ale sam też odniósł obrażenia.

— O czym tak szeptaliście? — spytałam. Benny zaśmiewał się ze swoją kohortą.

— Opowiem ci później. Mamy o czym pogadać — odparł z uśmiechem Travis.

Jakiś mężczyzna poklepał go po plecach.

— Dzięki — powiedział mój chłopak, ściskając mu dłoń.

— Nie mogę się doczekać twojej kolejnej walki. — Facet wręczył mu butelkę piwa. — To było coś, synu.

— Chodźmy, Gołąbku.

Travis pociągnął łyk piwa, przepłukał usta, po czym wypluł złocisty płyn zmieszany z krwią. Odetchnął głęboko, gdy przecisnęliśmy się przez tłum na ulicę. Pocałował mnie i ruszył w stronę hotelu szybkim, zdecydowanym krokiem, ciągnąc mnie za sobą.

W windzie przyparł mnie do lustra, chwycił za nogę i oparł ją na swoim biodrze. Pocałował mnie namiętnie, wędrując dłonią po moim udzie aż pod spódnicę.

— Travis, tu jest kamera — zauważyłam przytomnie.

— Chrzanię to. — Roześmiał się. — Świętuję.

Odepchnęłam go.

— Możemy świętować w pokoju — powiedziałam, ocierając usta. Zauważyłam na dłoni czerwone smugi.

— Co z tobą, Gołąbku? Ty wygrałaś, ja wygrałem, spłaciliśmy dług Micka, a na dodatek właśnie dostałem życiową szansę.

Drzwi windy się otworzyły. Travis wyszedł na korytarz, za to ja nie ruszałam się z miejsca.

— Jaką szansę? — spytałam.

Wyciągnął do mnie rękę. Spojrzałam na niego, mrużąc oczy. Już wiedziałam, co powie.

Westchnął.

— Mówiłem ci, porozmawiamy o tym później.

— Porozmawiajmy teraz.

Chwycił mnie za nadgarstek, wyciągnął na korytarz i podniósł.

— Zarobię dość forsy, żeby zwrócić ci to, co zabrał Mick, opłacić twoje czesne do końca studiów, spłacić motocykl i kupić ci samochód — powiedział, wkładając do otworu w drzwiach kartę magnetyczną. Otworzył je i postawił mnie na podłodze. — A to dopiero początek!

— Jak dokładnie chcesz tego dokonać? — Serce podeszło mi do gardła, a ręce zaczęły drżeć.

Travis, uszczęśliwiony, ujął moją twarz w dłonie.

— Benny chce, żebym walczył w Vegas! Sześciocyfrowa suma za walkę, Gołąbku. Sześciocyfrowa!

Pokręciłam głową i zamknęłam oczy, żeby nie widzieć radosnego podniecenia w jego wzroku.

— Co mu powiedziałeś?

Uniósł mój podbródek. Otworzyłam oczy, bo bałam się, że zdążył już podpisać kontrakt.

Roześmiał się.

— Powiedziałem, że się zastanowię.

Wypuściłam z płuc powietrze.

— Bogu dzięki. Nie strasz mnie, Trav. Przez chwilę myślałam, że mówisz serio.

Skrzywił się, ale był już spokojniejszy.

— Mówię serio, Gołąbku. Powiedziałem Benny'emu, że muszę to z tobą przedyskutować. Sądziłem, że się ucieszysz. Miałbym walczyć raz w miesiącu. Masz pojęcie, ile to pieniędzy? W gotówce!

— Umiem liczyć, Travis. I w przeciwieństwie do ciebie potrafię zachować zdrowy rozsądek, kiedy jestem w Vegas. Muszę cię stąd zabrać, zanim zrobisz coś głupiego. — Podeszłam do szafy, zaczęłam zdejmować z wieszaków nasze ubrania i wściekle upychać je w walizkach.

Delikatnie chwycił mnie za ramiona i obrócił twarzą do siebie.

— Czemu miałbym odmówić? Wystarczy, żebym walczył dla Benny'ego przez rok, a będziemy ustawieni na długi, długi czas.

— Chcesz rzucić studia i przeprowadzić się tutaj?

— Benny za każdym razem zadba o przelot. Dogadamy się co do terminów.

Zaśmiałam się z niedowierzaniem.

— Niemożliwe, żebyś był aż tak naiwny! Kiedy Benny zacznie ci płacić, nie wystarczy mu walka raz w miesiącu. Pamiętasz Dane'a? Skończysz tak jak on!

Travis pokręcił głową.

— Omówiliśmy to, Gołąbku. Chce tylko, żebym walczył. Nic poza tym.

— A ty mu ufasz? Wiesz, jak na niego mówią? Benny Spryciarz!

— Chciałem ci kupić samochód. Fajny. Opłacić nasze czesne.

— Ach tak? To mafia teraz przyznaje stypendia?

Zacisnął szczęki. Irytowało go, że musi mnie przekonywać.

— To dla nas szansa. Mogę odłożyć te pieniądze do czasu, kiedy zechcemy kupić dom. Nie zarobię takiej forsy nigdzie indziej.

— A co z dyplomem z prawa karnego? Pracując dla Benny'ego, będziesz często widywał kolegów z roku, to pewne.

— Kochanie, rozumiem twoje obawy, naprawdę. Ale podchodzę do tego rozsądnie. Po roku się wycofam i zrobimy, co tylko przyjdzie nam do głowy.

— Nie wycofasz się, Trav. To Benny zdecyduje, kiedy będziesz mógł zrezygnować. Nie masz pojęcia, w co się pakujesz! W głowie mi się nie mieści, że w ogóle bierzesz to pod uwagę. Chcesz pracować dla człowieka, który wczoraj kazałby zatłuc nas oboje, gdybyś go nie powstrzymał?

— Właśnie. Powstrzymałem go.

— Powstrzymałeś dwóch zbirów wagi lekkiej. Co zrobisz, gdy zjawi się kilkunastu? Co zrobisz, kiedy przyjdą po mnie?

— To nie miałoby sensu. Benny zarobi na mnie mnóstwo kasy.

— Dopóki nie będziesz miał dość. A wtedy staniesz się zbędny. Tak to działa.

Travis wyjrzał przez okno. Migoczące neony rzucały kolorowe cienie na jego twarz, na której malowało się rozdarcie. Wiedziałam, że podjął decyzję, zanim zaczął ze mną o tym rozmawiać.

— Będzie dobrze, Gołąbku. Zadbam o to. Ustawimy się na całe życie.

Pokręciłam głową, upychając rzeczy w walizkach. Miałam nadzieję, że z chwilą gdy samolot wystartuje, Travis oprzytomnieje. Vegas dziwnie zmienia ludzi i nie zamierzałam dłużej się spierać z moim chłopakiem, dopóki upajał się whisky i perspektywą łatwych pieniędzy.

Podjęłam rozmowę dopiero wtedy, gdy znaleźliśmy się w samolocie. Wcześniej obawiałam się, że Travis postanowi zostać w Vegas beze mnie. Zapięłam pas i zacisnęłam zęby, widząc, jak gapi się tęsknie przez okno. Już brakowało mu licznych pokus i nieodpartego uroku miasta grzechu.

— To tyle pieniędzy, Gołąbku.

— Nie.

Odwrócił się do mnie gwałtownie.

— Podjąłem decyzję. Spróbuj spojrzeć na to z szerszej perspektywy.

— Postradałeś rozum.

— Nie chcesz nawet tego przemyśleć?

— Nie. I ty też nie powinieneś. Nie będziesz pracował w Las Vegas dla mordercy i kryminalisty. Nad czym tu myśleć? To idiotyczne.

Westchnął, nie odrywając oczu od okna.

— Pierwsza walka jest za trzy tygodnie.

Rozdziawiłam usta.

— Już się zgodziłeś?

Mrugnął do mnie.

— Jeszcze nie.

— Ale się zgodzisz?

Uśmiechnął się.

— Przestaniesz się wściekać, kiedy kupię ci lexusa.

— Nie chcę lexusa.

— Możesz mieć każdy inny samochód. Wyobraź sobie: wchodzisz do salonu i nie zaprzątasz sobie głowy ceną. Wybierasz po prostu ulubiony kolor.

— Nie robisz tego dla mnie. Przestań udawać.

Nachylił się i pocałował mnie w czoło.

— Robię to dla nas. Pomyśl, jak będzie pięknie.

Przeszedł mnie zimny dreszcz. Bałam się, że Travis nie przejrzy na oczy, dopóki nie znajdziemy się z powrotem w mieszkaniu. Bałam się, że Benny złożył mu propozycję nie do odrzucenia. Wzdrygnęłam się. Wolałam wierzyć, że Travis kocha mnie na tyle mocno, żeby porzucić myśli o dolarach i fałszywych obietnicach.

— Gołąbku? Potrafisz upiec indyka?

— Indyka? — Zbiła mnie z tropu ta nagła zmiana tematu.

Ścisnął mnie za rękę.

— Wkrótce Święto Dziękczynienia, a wiesz, jak mój tata cię uwielbia. Chce cię zaprosić. Zwykle zamawiamy pizzę i oglądamy mecze w telewizji. Pomyślałem, że może we dwoje uda się nam przyrządzić ptaka. Prawdziwy indyk w domu Maddoxów. Pierwszy raz w historii.

Z trudem powstrzymałam śmiech.

— Wystarczy po prostu rozmrozić indyka, włożyć go do brytfanki i piec przez cały dzień. To żadna filozofia.

— Czyli że przyjdziesz? I mi pomożesz?

Wzruszyłam ramionami.

— Jasne.

Wreszcie przestał się wpatrywać w migoczące kusząco światła w dole. Oby zrozumiał, jak bardzo się mylił co do Benny'ego.

❦

Travis położył bagaże na łóżku i opadł na materac. Nie wspominał więcej o Bennym i miałam nadzieję, że powoli zapomina o Vegas. Wykąpałam Toto, który po weekendzie u Brazila śmierdział dymem papierosowym i brudnymi skarpetkami, i zaczęłam wycierać go ręcznikiem.

— No! Pachniesz teraz o wiele lepiej! — Roześmiałam się, kiedy się otrząsnął, obryzgując mnie kropelkami wody. Stanął na tylnych łapach i obsypał mnie mokrymi szczenięcymi pocałunkami. — Też za tobą tęskniłam, maluchu.

— Gołąbku? — Travis nerwowo splótł palce.

— Tak? — spytałam, wycierając Toto do sucha mechatym żółtym ręcznikiem.

— Chcę tego. Chcę walczyć w Vegas.

— Nie — powiedziałam, uśmiechając się na widok radosnego pyska.

Travis westchnął.

— Nie słuchasz mnie. Podjąłem decyzję. Za parę miesięcy zrozumiesz, że słusznie postąpiłem.

Spojrzałam na niego.

— Chcesz pracować dla Benny'ego.

Pokiwał głową i uśmiechnął się niepewnie.

— Chcę się o ciebie zatroszczyć, Gołąbku.

Oczy zaszły mi łzami. Zrozumiałam, że naprawdę się zdecydował.

— Nie chcę tych pieniędzy, Travis. Nie chcę mieć nic wspólnego z Bennym, z Vegas, z całym tym okropieństwem.

— Chciałaś kupić samochód za pieniądze, które wygrałaś dzięki moim walkom tutaj.

— To co innego. Doskonale o tym wiesz.

Zmarszczył czoło.

— Będzie dobrze, Gołąbku. Zobaczysz.

Przyglądałam mu się przez chwilę w nadziei, że dojrzę w jego wzroku rozbawienie. Czekałam, aż powie, że żartował. Zobaczyłam tylko niepewność i zachłanność.

— Po co w ogóle mnie o to pytałeś, Travis? Postanowiłeś walczyć dla Benny'ego bez względu na to, co powiem.

— Chciałem, żebyś mnie poparła. Nie można odrzucić takiej oferty, to zbyt duże pieniądze. Byłbym szalony, gdybym odmówił.

Przez chwilę siedziałam bez ruchu, zaszokowana. Kiedy wreszcie to wszystko dotarło do mojej świadomości, pokiwałam głową.

— Dobrze. Podjąłeś decyzję.

Travis się rozpromienił.

— Zobaczysz, Gołąbku. Będzie wspaniale. — Wstał z łóżka, podszedł do mnie i ucałował moje palce. — Umieram z głodu, a ty? Zjesz coś?

Pokręciłam głową. Pocałował mnie w czoło i skierował się do kuchni. Gdy jego kroki ucichły w korytarzu, zdjęłam z wieszaków swoje ubrania. Na szczęście w walizce miałam jeszcze dość miejsca. Łzy złości płynęły mi po policzkach. Nie powinnam była zabierać Travisa do Vegas. Za wszelką cenę starałam się trzymać go z dala od mrocznych sekretów mojego życia, a tymczasem, przy pierwszej nadarzającej się okazji, bez namysłu wciągnęłam go w to wszystko, czego szczerze nienawidziłam.

Travis miał teraz należeć do tego świata, a skoro nie byłam w stanie go ocalić, musiałam przynajmniej ratować siebie.

Walizka pękała w szwach, ale udało mi się zasunąć suwak. Zdjęłam ją z łóżka i ruszyłam korytarzem do drzwi, po drodze bez słowa mijając kuchnię. Zeszłam na dół po schodach. Moja przyjaciółka i Shepley całowali się i żartowali na parkingu, przenosząc rzeczy Mare z dodge'a do jej hondy.

— Gołąbku?! — zawołał Travis, stając w progu mieszkania.

Dotknęłam ręki Mare.

— Musisz mnie zawieźć do akademika.

— Co się dzieje? — spytała. Z mojej miny wyczytała, że sytuacja jest poważna.

Obejrzałam się. Travis zbiegł po schodach i podszedł do mnie.

— Co ty wyprawiasz? — Wskazał na walizkę.

Gdybym teraz powiedziała mu prawdę, zaprzepaściłabym szansę na to, że kiedykolwiek uwolnię się od Micka, od Benny'ego, od Vegas. Travis nie pozwoliłby mi odejść, a do rana pewnie zdołałby mnie przekonać, że podjął słuszną decyzję.

Z uśmiechem podrapałam się po głowie. Próbowałam zyskać na czasie i wymyślić przekonującą wymówkę.

— Gołąbku?

— Zabieram rzeczy do akademika. Mają tam pralki i suszarki, a uzbierało mi się mnóstwo prania.

Ściągnął brwi.

— Nie zamierzałaś mnie o tym poinformować?

Zerknęłam na Mare. Nie przychodziło mi do głowy żadne wiarygodne kłamstwo.

— Przecież wróci, Trav. Nie panikuj — zbeształa go z lekceważącym uśmiechem, z jakim zawsze okłamywała rodziców.

— No dobrze — powiedział niepewnie. — Ale wrócisz na noc? — upewnił się, skubiąc nitki mojego płaszcza.

— Nie wiem. Zależy, jak szybko uporam się z praniem.

Przyciągnął mnie do siebie.

— Za trzy tygodnie zapłacę za twoje pranie. Albo po prostu wyrzucisz brudne rzeczy i kupisz sobie nowe.

— Chcesz znów walczyć dla Benny'ego? — spytała America z niedowierzaniem.

— Złożył mi bardzo atrakcyjną ofertę.

— Travis... — zaczął Shepley.

— No nie, wy też? Nie zmieniłem zdania dla Abby i nie zmienię go dla was.

America spojrzała na mnie wyrozumiale.

— No cóż, lepiej już jedźmy, Abby. Inaczej nigdy nie uporasz się z tym praniem.

Skinęłam głową, a Travis nachylił się, żeby mnie pocałować. Przytuliłam się do niego, wiedząc, że po raz ostatni dotykam jego ust.

— Do zobaczenia — powiedział. — Kocham cię.

Gdy Shepley włożył moją walizkę do bagażnika hondy, Mare usiadła za kierownicą. Travis skrzyżował ręce na piersi, gawędząc wesoło z kuzynem. Moja przyjaciółka włączyła silnik.

— Nie możesz dziś nocować w swoim pokoju, Abby — powiedziała, powoli wycofując samochód z parkingu. — Travis będzie cię tam szukał, kiedy tylko zorientuje się, co jest grane.

Łzy kapały mi po policzkach.

— Wiem.

Travis zauważył, że płaczę, i uśmiech zniknął z jego twarzy. Podbiegł do samochodu i zastukał w szybę.

— Co się dzieje, Gołąbku?

— Jedź, Mare — ponagliłam, ocierając oczy i patrząc przed siebie.

Travis wciąż truchtał obok.

— Gołąbku? Mare, zatrzymaj się, do cholery! — wrzasnął, waląc pięścią w drzwi. — Abby, nie rób tego!

Wreszcie uświadomił sobie powagę sytuacji.

America wjechała na główną drogę i dodała gazu.

— Mam już dość was obojga, wiesz?

— Przepraszam cię, Mare.

Zerknęła w lusterko wsteczne i gwałtownie przyśpieszyła.

— Jezus Maria. Travis.

Odwróciłam się. Pędził za nami. To znikał, to znów pojawiał się w świetle latarni ulicznych. Nagle zawrócił w stronę mieszkania.

— Wraca po motocykl. Pojedzie za nami do akademika. Urządzi scenę.

Zamknęłam oczy.

— Po prostu... jedź. Będę dziś spała w twoim pokoju. Mam nadzieję, że Vanessa się zgodzi.

— I tak nigdy jej nie ma. On naprawdę chce pracować dla Benny'ego?

Odpowiedź uwięzła mi w gardle, więc tylko kiwnęłam głową.

America ścisnęła mnie za rękę.

— Podjęłaś słuszną decyzję, Abby. Nie powinnaś znów przez to przechodzić. Jeśli nie posłucha ciebie, tym bardziej nie posłucha nikogo innego.

Zabrzęczała moja komórka. Travis. Nie odebrałam. Niecałe pięć sekund później znowu zadzwonił. Wyłączyłam ją i schowałam do torebki.

— Zapowiada się niezły pasztet — powiedziałam, kręcąc głową.

— Fakt, nie zazdroszczę ci tej sytuacji. Zerwać z kimś, kto nie da ci spokoju... Wiesz, że tak będzie, prawda?

Zaparkowałyśmy przed akademikiem, wytaszczyłam z bagażnika walizkę i szybko weszłyśmy po schodach do pokoju Mare. Zadyszana, czekałam, aż otworzy drzwi. Rzuciła mi klucz.

— W końcu go aresztują albo co — dodała, po czym zbiegła na dół.

Patrzyłam przez okno, jak pędzi przez parking i wsiada do samochodu. W tej samej chwili podjechał Travis na motocyklu. Szybkim krokiem podszedł do drzwi od strony pasażera i otworzył je gwałtownie. Gdy zorientował się, że mnie nie ma, spojrzał w kierunku akademika. America wycofała samochód z parkingu, a on wbiegł do budynku. Odwróciłam się, nasłuchując.

W drugim końcu korytarza Travis zaczął łomotać do drzwi mojego pokoju i mnie wołać. Nie wiedziałam, czy Kara jest u siebie, ale jeśli była, to z góry jej współczułam — spodziewałam się, że czeka ją kilka koszmarnych minut, zanim Travis połapie się, że mnie tam nie ma.

— Gołąbku? Otwórz te pieprzone drzwi, do jasnej cholery! Nie odejdę, dopóki ze mną nie porozmawiasz! Gołąbku! — ryczał na cały głos, tak że musieli go słyszeć wszyscy w budynku.

Wzdrygnęłam się na dźwięk przestraszonego głosu Kary.

— Co jest?

Przyłożyłam ucho do drzwi, chociaż nie musiałam specjalnie się wysilać.

— Wiem, że tam jest! — wrzasnął Travis. — Gołąbku?!

— Nie ma jej... Chwila! — zapiszczała Kara.

Drzwi ustąpiły z hukiem i Travis wdarł się do środka. Po minucie ciszy znów zaczął wrzeszczeć.

— Gołąbku! Gdzie ona jest?!

— Nie widziałam jej! — krzyknęła Kara. Nigdy wcześniej nie słyszałam jej tak wściekłej.

Zatrzasnęła drzwi. Nagle zrobiło mi się słabo. Nie wiedziałam, co Travis teraz zrobi.

Zapanowała cisza. Odczekałam chwilę, uchyliłam drzwi i wpatrzyłam się w szeroki korytarz. Siedział na podłodze. Oparł się plecami o ścianę i ukrył twarz w dłoniach. Zamknęłam drzwi najciszej, jak potrafiłam. Obawiałam się, że ktoś mógł wezwać policję.

Po godzinie znów wyjrzałam na korytarz. Travis nie zmienił pozycji.

Tej nocy jeszcze dwa razy sprawdzałam, czy coś się zmieniło. Koło czwartej w końcu zasnęłam. Celowo zaspałam — nie zamierzałam iść na zajęcia. Włączyłam telefon, żeby sprawdzić wiadomości. Travis zapchał skrzynkę odbiorczą. W niezliczonych tekstach, które wysyłał mi przez noc, przeprosiny przeplatały się z obelgami.

Po południu zadzwoniłam do Mare w nadziei, że Travis nie skonfiskował jej komórki. Westchnęłam, gdy odebrała.

— Hej.

— Shepley nie wie, gdzie jesteś — powiedziała ściszonym głosem. — Nie chcę go w to mieszać. Travis jest na mnie wściekły. Chyba będę nocować w akademiku.

— Jeśli on się nie uspokoi, nie licz na to, że się wyśpisz. W nocy odegrał scenę na miarę Oscara. Wrzeszczał na cały korytarz. Dziwne, że nikt nie wezwał ochrony.

— Profesor wyrzucił go dzisiaj z sali. Kiedy Travis zorientował się, że nie przyszłaś, przewrócił kopnięciem obie wasze ławki. Podobno czekał na ciebie po wszystkich zajęciach. Całkiem stracił rozum, Abby. Powiedziałam mu, że z wami koniec, skoro postanowił pracować dla Benny'ego. Nie wierzę, żeby choć przez chwilę myślał, że się na to zgodzisz.

— Pogadamy, jak przyjedziesz. Na razie nie powinnam wracać do siebie.

Przez kolejny tydzień mieszkałyśmy razem w pokoju Mare. Dopilnowała, żeby Shepley nas nie odwiedzał — inaczej mógłby zdradzić Travisowi miejsce mojego pobytu. Musiałam stale uważać, żeby przypadkiem na niego nie wpaść. Nie pojawiałam się w stołówce ani na zajęciach z historii, a z innych wychodziłam przed czasem. Wiedziałam, że prędzej czy później będę musiała z nim porozmawiać. Odwlekałam to jednak do czasu, gdy uspokoi się na tyle, żeby zaakceptować moją decyzję.

W piątkowy wieczór zostałam sama. Leżałam w łóżku, przyciskając do ucha telefon. Burczało mi w żołądku.

— Przyjadę po ciebie. Pójdziemy na miasto coś zjeść — zaproponowała America.

Kartkowałam podręcznik historii, omijając te miejsca, gdzie Travis na marginesach nagryzmolił dla mnie notatki.

— Nie, dzięki. To twój pierwszy od tygodnia wieczór z Shepleyem. Zjem coś w stołówce.

— Na pewno?

— Na pewno. Pozdrów Shepa.

Niechętnie powlokłam się do stołówki. Bałam się, że znów wszyscy będą się na mnie gapić. Na uczelni huczało od plotek o naszym rozstaniu, a agresywne zachowanie Travisa tylko pogarszało sprawę. Nagle w ciemnym korytarzu dostrzegłam czyjąś postać.

— Gołąbku?

Przestraszona zatrzymałam się raptownie. Travis wyszedł z cienia. Był blady i nieogolony.

— Jezu, Travis! Przestraszyłeś mnie nie na żarty!

— Gdybyś odbierała moje telefony, nie musiałbym się skradać w ciemnościach.

— Wyglądasz okropnie.

— Ostatni tydzień dał mi w kość.

Oplotłam się ciasno rękami.

— Idę coś zjeść. Zadzwonię później, dobrze?

— Nie. Musimy porozmawiać.

— Trav...

— Odrzuciłem ofertę Benny'ego. Zadzwoniłem do niego w środę i powiedziałem, że odmawiam. — W jego oczach rozbłysła iskierka nadziei, która jednak szybko zgasła, gdy zobaczył moją minę.

— Nie wiem, co mam ci powiedzieć, Travis.

— Powiedz, że mi wybaczasz. Że przyjmiesz mnie z powrotem.

Zacisnęłam zęby, powstrzymując łzy.

— Nie mogę.

Wykrzywił twarz, jakby miał się rozpłakać. Próbowałam go wyminąć, ale zastąpił mi drogę.

— Nie śpię, nie jem... Na niczym nie mogę się skupić. Wiem, że mnie kochasz. Wszystko będzie jak dawniej, tylko zgódź się.

Zamknęłam oczy.

— Jesteśmy dysfunkcyjni, Travis. Masz obsesję na moim punkcie. Chcesz mnie posiadać na własność.

— To nieprawda. Kocham cię nad życie — odparł urażony.

— No właśnie. Mówisz od rzeczy.

— Wcale nie. Taka jest prawda.

— Dobrze. Więc jak właściwie wygląda ta kolejność? Na pierwszym miejscu pieniądze, potem ja, twoje życie... a może jeszcze coś przed pieniędzmi?

— Zdaję sobie sprawę, że źle zrobiłem. Gdybym wiedział, że mnie zostawisz, nigdy bym... Po prostu chciałem się o ciebie zatroszczyć.

— Już to mówiłeś.

— Proszę cię... Dłużej tego nie zniosę... To mnie dobije — wykrztusił, jakby uszło z niego powietrze.

— To koniec, Travis.

— Nie mów tak.

— To koniec. Wracaj do domu.

— Ty jesteś moim domem.

Jego słowa poruszyły mnie do głębi. Serce mi się ścisnęło, tak że brakło mi tchu.

— Dokonałeś wyboru, Trav. Ja też. — Głos mi zadrżał, choć starałam się nad sobą panować.

— Będę się trzymał z dala od Vegas, z dala od Benny'ego... Skończę studia. Ale potrzebuję cię. Potrzebuję. Jesteś moim najlepszym przyjacielem — powiedział łamiącym się, zrozpaczonym głosem.

W nikłym świetle korytarza dostrzegłam łzę w jego oku. Nagle objął mnie i przytulił. Przywarł ustami do moich warg, głaskał moją twarz, coraz bardziej namiętnie, desperacko.

— Pocałuj mnie — wyszeptał, gdy tymczasem ja zamknęłam oczy i zacisnęłam usta, próbując ze wszystkich sił nie poddać się jego pieszczotom, chociaż tęskniłam za nimi od tygodnia. — Pocałuj mnie, Gołąbku. Błagam! Odmówiłem mu!

Poczułam, jak gorące łzy płyną mi po policzkach. Odepchnęłam go.

— Zostaw mnie w spokoju, Travis!

Ledwie zrobiłam parę kroków, gdy złapał mnie za nadgarstek. Nie odwróciłam się.

— Błagam cię. — Pociągnął mnie za rękę, opadając na kolana. — Błagam cię, Abby. Nie rób tego.

Był autentycznie udręczony. Mimo woli spojrzałam na czarny tatuaż z napisem „Gołąbek". Szybko odwróciłam wzrok. Travis potwierdził to, czego obawiałam się od początku. Owszem, kochał mnie, ale gdy w grę wchodziły pieniądze, przestawałam się liczyć. Tak samo było z Mickiem.

Gdybym uległa, albo dogadałby się z Bennym, albo wiecznie miałby mi za złe, że znów jakaś okazja przeszła mu koło nosa. Wyobrażałam go sobie jako pracownika fabryki, który co wieczór wraca do domu z tym samym wyrazem twarzy, z jakim wracał Mick, gdy mu się nie poszczęściło. To przeze mnie jego życie nie ułożyłoby się tak, jak planował. Nie chciałam, żeby w przyszłości dręczyły mnie gorycz i wyrzuty sumienia.

— Daj mi spokój, Travis.

Po chwili wypuścił mnie z objęć. Pobiegłam w stronę przeszklonych drzwi stołówki i otworzyłam je gwałtownym ruchem, nie oglądając się za siebie. Wszyscy się na mnie gapili. Gdy podeszłam do bufetu, studenci wyjrzeli przez okno. Travis wciąż klęczał.

Dłużej nie byłam w stanie powstrzymać łez. Minęłam sterty talerzy i tac i pognałam korytarzem do łazienki. Dość, że wszyscy widzieli scenę między mną a Travisem. Nie musieli na dodatek oglądać moich łez.

Przez godzinę kuliłam się w kabinie, szlochając spazmatycznie, dopóki nie usłyszałam cichego pukania do drzwi.

— Abby?

Pociągnęłam nosem.

— Co ty tu robisz, Finch? To żeńska toaleta.

— Kara widziała, jak wchodzisz. Powiedziała mi. Wpuść mnie — poprosił cicho.

Pokręciłam głową. Wiedziałam, że Finch mnie nie widzi, ale nie mogłam wykrztusić słowa. Westchnął, a po chwili przeczołgał się do środka pod drzwiami kabiny.

— Nie wierzę, że to robię. — Podniósł się na rękach. — Pożałujesz, że wcześniej mnie nie wpuściłaś. Musiałem się czołgać po zasikanej podłodze, a teraz mam zamiar cię objąć.

Zaśmiałam się, ale po chwili znów zebrało mi się na płacz. Finch otoczył mnie ramieniem. Rozprostowałam kolana, pozwalając się przytulić.

— Ciii... — szepnął, kołysząc mnie w ramionach. Westchnął i pokręcił głową. — Jasna cholera, dziewczyno. Co mam z tobą zrobić?

Rozdział siedemnasty

Nie, dziękuję

Gryzmoliłam w notesie kwadraty w kwadratach i łączyłam je ze sobą, tworząc trójwymiarowe pudełka. Dziesięć minut przed zajęciami w sali nadal nie było nikogo. Moje życie powoli wracało do normalności, jednak wciąż potrzebowałam paru chwil, żeby przygotować się psychicznie na spotkanie z każdym oprócz Fincha i Mare.

— Nawet jeśli ze sobą nie chodzimy, to nie znaczy, że nie możesz nosić bransoletki ode mnie — powiedział Parker, siadając w ławce obok mnie.

— Miałam cię spytać, czy chcesz ją z powrotem.

Uśmiechnął się i dorysował kokardę do jednego z moich pudełek.

— To był prezent, Abs. Wręczając prezenty, nie stawiam warunków.

Doktor Ballard włączyła projektor, usiadła z przodu sali i zaczęła przerzucać papiery na zaśmieconym biurku. Wśród studentów nagle podniosła się wrzawa, która odbijała się echem od dużych, pochlapanych deszczem okien.

— Podobno zerwaliście z Travisem — zagadnął Parker. Na widok mojej zniecierpliwionej miny podniósł rękę. — To nie moja sprawa. Po prostu wyglądasz smutno i chciałem ci powiedzieć, że mi przykro.

— Dzięki — mruknęłam, przewracając stronę w notesie.

— I chciałem przeprosić za moje zachowanie ostatnim razem. To, co mówiłem, było... nieuprzejme. Wściekłem się i niesłusznie na ciebie naskoczyłem. Przepraszam.

— Nie chcę się z nikim spotykać, Parker — ostrzegłam.

Roześmiał się.

— Nie myśl, że próbuję wykorzystać sytuację. Przyjaźnimy się i chciałbym wiedzieć, że u ciebie wszystko w porządku.

— W porządku.

— Jedziesz do domu na Święto Dziękczynienia?

— Jedziemy z Mare do jej rodziców. Zwykle tam spędzam święta.

Miał zamiar powiedzieć coś jeszcze, ale doktor Ballard rozpoczęła wykład. Na wzmiankę o Święcie Dziękczynienia przypomniałam sobie, że miałam pomóc Travisowi przyrządzić indyka. Zastanawiałam się, jak by to wyglądało, i trochę się zmartwiłam, że znów będą musieli zamówić pizzę. Ścisnęło mnie w dołku. Przegnałam jednak smutne myśli, skupiając się na słowach doktor Ballard.

Po zajęciach Travis przybiegł do mnie z parkingu. Zarumieniłam się. Znów był gładko ogolony, miał na sobie bluzę z kapturem i ulubioną czerwoną bejsbolówkę. Pochylał głowę, chroniąc się przed deszczem.

— Do zobaczenia po feriach, Abs — rzucił Parker, poklepując mnie po plecach.

Spodziewałam się, że Travis rzuci mu gniewne spojrzenie, tymczasem jakby w ogóle go nie zauważył.

— Witaj, Gołąbku.

Uśmiechnęłam się z zakłopotaniem. Travis wsunął ręce do kieszeni bluzy.

— Shepley mówił, że jutro jedziecie z Mare do Wichita.

— Zgadza się.

— Spędzisz tam całą przerwę świąteczną?

Wzruszyłam ramionami, przybierając swobodną pozę.

— Jestem naprawdę blisko z rodzicami Mare.

— A twoja mama?

— To pijaczka, Travis. Nawet się nie zorientuje, że jest Święto Dziękczynienia.

Nagle wydał mi się podenerwowany. Na myśl o kolejnej scenie poczułam skurcz w żołądku. Nad naszymi głowami przetoczył się grzmot. Travis spojrzał w niebo, mrużąc oczy. Wielkie krople deszczu padały mu na twarz.

— Muszę cię prosić o przysługę — powiedział. — Chodź tutaj. — Pociągnął mnie pod dach. Nie protestowałam, żeby nie prowokować ewentualnej awantury.

— Jaką? — spytałam podejrzliwie.

— Moi... — Przestąpił z nogi na nogę. — Tata i chłopaki spodziewają się ciebie w czwartek.

— Travis! — jęknęłam.

Wbił wzrok w ziemię.

— Powiedziałaś, że przyjdziesz.

— Wiem, ale... Teraz to trochę niestosowne, nie sądzisz?

Jakby mnie nie słyszał.

— Powiedziałaś, że pojedziesz do nich ze mną.

— Wtedy jeszcze byliśmy ze sobą. Dlatego się zgodziłam. Później już wiedziałeś, że nie pojadę.

— Nie wiedziałem. Zresztą jest już za późno. Thomas przylatuje z Kalifornii, a Tyler specjalnie wziął urlop. Nie mogą się ciebie doczekać.

Poczułam zażenowanie. Nawinęłam na palec kosmyk wilgotnych włosów.

— Przecież i tak by przyjechali, prawda?

— Nie wszyscy. Od lat nie spędzaliśmy świąt w komplecie. Dołożyli wszelkich starań, żeby się stawić, bo obiecałem im prawdziwą ucztę. Nie mieliśmy w kuchni kobiety, odkąd mama umarła, i...

— To dość seksistowskie podejście.

Przechylił głowę.

— Nie to miałem na myśli, daj spokój, Gołąbku. Po prostu wszyscy na ciebie czekają.

— Nie powiedziałeś im o nas, tak? — spytałam oskarżycielskim tonem.

Przez chwilę wiercił się w miejscu, po czym pokręcił głową.

— Tata pytałby czemu, a ja nie jestem gotów na tę rozmowę. Do końca życia będzie mi wymawiał, że zrobiłem głupstwo. Proszę cię, Gołąbku.

— Trzeba włożyć indyka do pieca o szóstej rano. Musielibyśmy wyjechać przed piątą...

— Albo zanocować u nich.

Uniosłam brwi.

— Nie ma mowy! Wystarczy, że mam kłamać. Udawać, że wciąż jesteśmy razem.

— Zachowujesz się tak, jakbym prosił nie wiadomo o co.

— Powinieneś był im powiedzieć!

— Powiem. Po świętach... Powiem.

Westchnęłam, odwracając wzrok.

— Jeśli obiecasz, że nie zrobisz żadnego numeru, dzięki któremu mielibyśmy do siebie wrócić.

Pokiwał głową.

— Obiecuję.

Spostrzegłam jego roziskrzony wzrok, chociaż starał się ukryć zadowolenie. Zacisnęłam wargi, powstrzymując uśmiech.

— Widzimy się o piątej.

Pocałował mnie w policzek.

— Dziękuję, Gołąbku.

America i Shepley czekali na mnie przed wejściem do stołówki. Zdjęłam sztućce ze stojaka i postawiłam talerz na tacy.

— Co jest, Abby? — spytała America.

— Nie pojadę z wami.

Shepley rozdziawił usta.

— Idziesz do Maddoxów?

Mare zmierzyła mnie wzrokiem.

— Co takiego?!

Westchnęłam, pokazując kasjerce legitymację studencką.

— Jeszcze w samolocie obiecałam Travisowi, że pojadę z nim na Święto Dziękczynienia. Wszystkich powiadomił.

— Na jego obronę... — zaczął Shepley. — Ani przez chwilę nie wierzył, że się rozstaniecie. Sądził, że jednak zmienisz zdanie. A kiedy zrozumiał, że to koniec, było już za późno.

— Bzdury opowiadasz, Shep — żachnęła się America. — Abby, przecież nie musisz tam iść, jeśli nie chcesz.

Miała rację. Wybór należał do mnie. Ale nie mogłam mu tego zrobić — nawet gdybym go znienawidziła. A tak nie było.

— Jeśli nie przyjdę, Travis będzie musiał tłumaczyć dlaczego. Nie chcę zrujnować mu świąt. Jego bracia zjeżdżają się do domu w nadziei, że też tam będę.

Shepley się uśmiechnął.

— Polubili cię, Abby. Jim rozmawiał o tobie z moim tatą.

— Świetnie — burknęłam.

— Abby ma rację — zwrócił się do swojej dziewczyny. — Jeśli nie przyjdzie, Jim nie da Travisowi spokoju. Nie ma sensu psuć im tego święta.

America otoczyła mnie ramieniem.

— Zawsze możesz zmienić zdanie. Nie jesteście już ze sobą. Nie musisz wiecznie go ratować.

— Wiem. Ale czuję, że powinnam to zrobić.

Popołudniowe słońce oblewało mdłą poświatą okoliczne budynki. Stanęłam przed lustrem, szczotkując włosy. Zastanawiałam się, jak mam udawać, że nadal jestem z Travisem.

— To tylko jeden dzień — powiedziałam do lustra. — Tylko jeden dzień.

Udawanie. Akurat to nigdy nie sprawiało mi problemów. Ale udawać, że wciąż jestem z Travisem? Musiałam podjąć decyzję. Tymczasem mieliśmy odgrywać szczęśliwą parę na użytek jego rodziny.

Usłyszałam pukanie do drzwi.

Kara miała wrócić dopiero późnym wieczorem, a America

i Shepley już wyjechali. Nie miałam pojęcia, kto puka. Odłożyłam szczotkę i otworzyłam drzwi.

— Travis?

— Jesteś gotowa?

Uniosłam brwi.

— Gotowa na co?

— Mówiłaś, że mamy wyjechać o piątej.

— O piątej rano!

— No cóż. Zadzwonię do taty, powiem mu, że jednak nie będziemy nocować.

— Travis! — jęknęłam.

— Shepley zostawił mi swój samochód, żebyśmy nie musieli ładować rzeczy na harleya. Mamy pokój gościnny... Możemy obejrzeć jakiś film albo...

— Nie będę nocować u twojego taty!

Mina mu zrzedła.

— Dobrze, wobec tego... do zobaczenia rano.

Odwrócił się i wyszedł. Zamknęłam za nim drzwi i się o nie oparłam. Zalała mnie fala emocji. Westchnęłam głęboko, mając przed oczami jego pełne zawodu spojrzenie. Otworzyłam drzwi i wyszłam z pokoju. Travis szedł powoli korytarzem, wystukując numer w komórce.

— Travis, zaczekaj. — Obejrzał się. Oczy rozbłysły mu iskierką nadziei, a mnie na ten widok ścisnęło się serce. — Daj mi chwilę. Muszę spakować parę rzeczy.

Uśmiechnął się z ulgą i wdzięcznością. Stanął w progu i patrzył, jak wrzucam ubrania do torby.

— Nadal cię kocham, Gołąbku.

Nie podniosłam wzroku.

— Przestań. Nie robię tego dla ciebie.

Odetchnął ciężko.

— Wiem.

Droga do domu jego ojca upłynęła nam w milczeniu. Samochód wydawał się naładowany nerwową energią, a skórzane fotele były zimne w dotyku. Kiedy zajechaliśmy przed dom, Trenton i Jim wyszli na werandę cali w uśmiechach. Travis przyniósł z samochodu bagaże, a Jim poklepał go po plecach.

— Dobrze cię widzieć, synu. — Rozpromienił się na mój widok. — Abby Abernathy. Nie możemy się doczekać jutrzejszego obiadu. Minęło tyle lat, odkąd... Nieważne.

Skinęłam głową i weszłam za Travisem do środka. Jim z zadowoloną miną klepnął się po wystającym brzuchu.

— Będziecie spać w gościnnym. Oszczędzicie sobie kłopotu z zestawianiem dwóch pojedynczych łóżek.

Zerknęłam na Travisa. Przykro było patrzeć, jak męczy się, szukając odpowiednich słów.

— Abby... będzie spała... w gościnnym. A ja u siebie.

— Dlaczego? — zdziwił się Trenton. — Przecież mieszkacie razem.

— Ostatnio nie — odparł Travis, desperacko próbując ukryć prawdę.

Jim i Trenton wymienili spojrzenia.

— Pokój Thomasa od lat służy za składzik, więc pomyślałem, że prześpi się u ciebie — zwrócił się Jim do Travisa. — Ale może spać na kanapie — dodał, spoglądając na złachane, wypłowiałe poduszki w salonie.

— Nie przejmuj się, Jim — powiedziałam. — Chcieliśmy zachować pozory przyzwoitości.

Roześmiał się gromko, ujmując moją dłoń.

— Poznałaś moich synów, Abby. Powinnaś już wiedzieć, że niezbyt się tym przejmuję.

Travis ruchem głowy wskazał schody. Poszłam za nim. Otworzył nogą drzwi, postawił na podłodze torby, spojrzał na łóżko i odwrócił się do mnie. Brązowa wykładzina dywanowa z pewnością pamiętała lepsze czasy, a z białych brudnych ścian miejscami łuszczyła się farba. Jedyne zdjęcie w pokoju przedstawiało Jima z matką Travisa na niebieskim tle z atelier fotograficznego. Oboje mieli rozwichrzone włosy i młode uśmiechnięte twarze. To musiało być, zanim urodzili się chłopcy, bo wyglądali góra na dwadzieścia lat.

— Przepraszam cię, Gołąbku. Będę spał na podłodze.

— Żebyś wiedział — odparłam, ściągając włosy w koński ogon. — Nie mogę uwierzyć, że dałam się na to namówić.

Travis usiadł na łóżku i skonsternowany potarł twarz.

— Zapowiada się niezły pasztet. Nie wiem, co ja sobie myślałem.

— A ja wiem dokładnie, co sobie myślałeś. Nie jestem głupia, Travis.

Podniósł na mnie wzrok i uśmiechnął się.

— Mimo to przyjechałaś.

— Muszę wszystko przygotować na jutro — powiedziałam, kierując się do drzwi.

— Pomogę ci — zaofiarował się, wstając.

Obraliśmy górę ziemniaków, pokroiliśmy warzywa, wyjęliśmy z zamrażarki indyka i zabraliśmy się do robienia kruchego ciasta. Pierwsza godzina upłynęła w napięciu, ale kiedy zjawili się bliźniacy, atmosfera zelżała. Wszyscy zebrali się w kuchni.

Jim opowiadał o dzieciństwie chłopaków i wraz z synami śmiał się na wspomnienie koszmarnych świąt, kiedy próbowali coś ugotować, zamiast zamówić pizzę.

— Diane gotowała znakomicie. — Jim zadumał się. — Trav tego nie pamięta. Kiedy odeszła, nie było sensu próbować.

— Tylko zanadto się nie stresuj, Abby. — Trenton zachichotał, sięgając do lodówki po piwo. — Gdzie karty? Muszę się odegrać!

Jim pogroził mu palcem.

— W święta nie gramy w pokera, Trent. W domino, owszem. Przygotuj stół. I żadnych zakładów!

Trenton pokręcił głową.

— Dobrze, staruszku, dobrze. Chodź z nami, Trav.

— Pomagam Abby.

— Dam sobie radę, kochanie. Idź.

Rozanielił się, słysząc moje słowa.

— Jesteś pewna?

Gdy pokiwałam głową, pocałował mnie w policzek i ruszył za Trentonem do salonu.

Jim popatrzył za synami, z uśmiechem kręcąc głową.

— Niesamowite, że się zgodziłaś, Abby. Nie masz pojęcia, jak bardzo jesteśmy ci wdzięczni.

— Travis to wymyślił. Cieszę się, że mogę pomóc.

Usiadł przy stole i pociągnął łyk piwa z butelki, ważąc kolejne słowa.

— Zauważyłem, że prawie się do siebie nie odzywacie. Jakieś problemy?

Wycisnęłam gąbkę do naczyń, próbując wymyślić wiarygodne kłamstwo.

— Trochę się zmieniło.

— Tak myślałem. Musisz być cierpliwa. Travis pewnie tego nie pamięta, ale byli z matką bardzo blisko. Kiedy odeszła, zmienił się nie do poznania. Sądziłem, że jakoś się z tym upora, w końcu był jeszcze mały, no wiesz... Wszyscy bardzo to przeżyliśmy, ale Trav... Po tym nie umiał już nikogo pokochać. Zaskoczył mnie, przywożąc cię tutaj. Sposób, w jaki się przy tobie zachowuje, jak na ciebie patrzy... Od razu wiedziałem, że jesteś wyjątkowa.

Uśmiechnęłam się, nie odrywając wzroku od naczyń w zlewozmywaku.

— Travis... Czeka go niełatwe życie — ciągnął Jim. — Popełni wiele błędów. Dorastał bez matki, wśród gromadki niegrzecznych chłopaków. Z samotnym, zrzędliwym ojcem... Wszyscy bardzo się zagubiliśmy po śmierci Diane. A ja nie potrafiłem chłopcom pomóc. Wiem, że Travis nie jest idealny. Ale zasługuje na twoją miłość, Abby. Oprócz matki jesteś jedyną kobietą, którą pokochał. Nie wiem, co by się stało, gdybyś ty także go opuściła.

Kiwnęłam głową, przełykając łzy. Nie byłam w stanie wykrztusić słowa. Jim ścisnął mnie za ramię.

— Przy tobie uśmiecha się jak nigdy. Chciałbym, żeby wszyscy moi chłopcy spotkali kiedyś swoją Abby.

Odszedł korytarzem, a ja chwyciłam się krawędzi zlewu, z trudem oddychając. Wiedziałam, że weekend z Travisem i jego rodziną okaże się trudny, ale nie sądziłam, że znów pęknie mi serce. Słyszałam, jak żartują w pokoju obok. Wytarłam naczynia, poukładałam je w szafkach, sprzątnęłam kuchnię, umyłam ręce i skierowałam się w stronę schodów.

Travis złapał mnie za rękę.

— Jeszcze wcześnie, Gołąbku. Idziesz spać?

— To był długi dzień. Jestem zmęczona.

— Właśnie mieliśmy obejrzeć film. Może do nas dołączysz?

Spojrzałam w górę na schody, a potem na jego pełen nadziei uśmiech.

— Dobrze.

Podprowadził mnie do kanapy. Usiedliśmy w trakcie czołówki.

— Zgaś światło, Taylor — polecił Jim.

Travis położył ramię na oparciu kanapy za moimi plecami. Starał się zachowywać pozory, a jednocześnie mnie nie prowokować. Nie próbował wykorzystać sytuacji, co wywoływało we mnie sprzeczne uczucia wdzięczności i zawodu. Gdy siedziałam tak blisko, czując zapach jego wody kolońskiej i tytoniu, trudno mi było zachować dystans, zarówno fizycznie, jak i emocjonalnie. Potwierdziły się moje obawy — moja determinacja osłabła. Musiałam za wszelką cenę zapomnieć o wszystkim, co usłyszałam w kuchni od Jima.

W połowie filmu drzwi frontowe otworzyły się i wszedł Thomas z bagażami.

— Wesołych świąt — powiedział, stawiając torby na podłodze.

Jim wstał i uścisnął najstarszego syna. Pozostali także zerwali się z kanapy — wszyscy z wyjątkiem Travisa.

— Nie przywitasz się z Thomasem? — wyszeptałam mu do ucha. Jego bracia obejmowali się i żartowali.

— Mam jeszcze tylko ten jeden wieczór — odparł, nie patrząc na mnie. — Nie chcę zmarnować ani sekundy.

— Witaj, Abby — przywitał mnie Thomas z uśmiechem. — Miło znowu cię widzieć.

Travis położył mi dłoń na udzie, lecz na widok mojej miny szybko ją cofnął i złożył ręce na kolanach.

— O! Jakieś problemy w raju?

— Zamknij się, Tommy — burknął Travis.

Atmosfera nagle stała się napięta. Czułam, że wszyscy na mnie patrzą, jakby oczekiwali wyjaśnienia. Zaśmiałam się nerwowo i wzięłam Travisa za rękę.

— Po prostu jesteśmy zmęczeni. Cały wieczór krzątaliśmy się w kuchni — powiedziałam, opierając głowę na jego ramieniu.

Zerknął na nasze splecione palce, nieznacznie unosząc brwi.

— Prawdę mówiąc, jestem wykończona — dodałam. — Położę się, kochanie. — Spojrzałam na pozostałych. — Dobranoc, chłopcy.

— Dobranoc, siostrzyczko — rzucił Jim.

Jego synowie także życzyli mi dobrej nocy, poza Travisem, który, kiedy byłam już na schodach, oznajmił:

— Ja też idę spać.

— No, ja myślę — zażartował Trenton.

— Ma szczęście, skurczybyk — mruknął Tyler.

— Hej! — upomniał ich Jim. — Nie mówcie w ten sposób o siostrze.

Ścisnęło mnie w dołku. Przez lata moją jedyną prawdziwą rodzinę stanowili Mark i Pam, rodzice Mare, i chociaż zawsze traktowali mnie z wielką dobrocią, to jednak byli tylko „pożyczeni". Tymczasem tych sześciu rozbrykanych, wygadanych, uroczych facetów w pokoju na dole przyjęło mnie z otwartymi ramionami, a jutro miałam pożegnać ich na zawsze.

Travis dopadł drzwi sypialni, zanim się zamknęły, po czym zastygł w bezruchu.

— Zaczekam w korytarzu, żebyś mogła się przebrać.

— Skoczę jeszcze pod prysznic. Przebiorę się w łazience.

Potarł kark.

— To ja w tym czasie przygotuję sobie posłanie.

Kiwnęłam głową i weszłam do łazienki. Wyszorowałam się pod zdezelowanym prysznicem, skupiając wzrok na osadzie z wody i mydła na drzwiach kabiny. Bałam się tej nocy i jutrzejszego poranka. Kiedy wróciłam do sypialni, Travis właśnie układał poduszkę na swoim prowizorycznym posłaniu. Uśmiechnął się słabo, po czym zniknął w łazience.

Położyłam się i naciągnęłam kołdrę, starając się nie patrzeć na koce na podłodze. Travis wrócił z łazienki ze smutną miną, zgasił światło i umościł się na poduszce.

Zapanowała cisza, a po chwili usłyszałam, jak wzdycha żałośnie.

— To nasza ostatnia noc razem, prawda?

Zastanawiałam się, co powiedzieć.

— Nie chcę o tym rozmawiać, Trav. Postaraj się zasnąć.

Poruszył się. Przewróciłam się na bok, żeby na niego spojrzeć, i wtuliłam policzek w poduszkę. Oparł się na łokciu i patrzył mi w oczy.

— Kocham cię.

Przyglądałam mu się przez moment.

— Obiecałeś.

— Obiecałem, że nie uknułem tego wszystkiego po to, żebyś do mnie wróciła. Mówiłem prawdę. — Dotknął mojej ręki. — Ale gdyby to mogło cokolwiek zmienić, pewnie bym się zastanowił.

— Zależy mi na tobie. Nie chcę, żebyś cierpiał. Powinnam była na samym początku posłuchać intuicji, która podpowiadała mi, że to się nie uda.

— Ale kochałaś mnie przecież.

Zagryzłam wargi.

— Nadal cię kocham.

Oczy mu rozbłysły. Ścisnął moją dłoń.

— Mogę cię o coś prosić?

— Znowu? Myślisz, że czemu w ogóle tu jestem? Właśnie wyświadczam ci przysługę — stwierdziłam ironicznie.

Nie roześmiał się. Twarz miał napiętą.

— Jeśli to naprawdę... jeśli to koniec... zgodzisz się, żebym cię przytulił?

— To nie jest dobry pomysł, Trav.

— Proszę. Nie mogę spać, wiedząc, że leżysz tak blisko i że to się nie powtórzy nigdy więcej.

Przez chwilę patrzyłam w jego zrozpaczone oczy.

— Nie będę się z tobą kochać — oświadczyłam w końcu.

Pokręcił głową.

— Nie o to proszę.

Powędrowałam wzrokiem po słabo oświetlonym pokoju, myśląc o konsekwencjach. Zastanawiałam się, czy potrafiłabym mu odmówić, gdyby zmienił zdanie. Zacisnęłam powieki, pochyliłam się i odwinęłam kołdrę. Travis wszedł do łóżka i natychmiast przyciągnął mnie mocno do siebie. Jego nagi tors falował nierównym oddechem, a ja przeklinałam samą siebie za to, że w zetknięciu z jego ciałem czułam taki spokój.

— Będzie mi tego brakowało — powiedziałam.

Pocałował moje włosy. Znów mnie przytulił, jakbym wciąż nie była dostatecznie blisko. Ukrył twarz w zagłębieniu mojej szyi, a ja położyłam mu dłoń na plecach. Chyba oboje czuliśmy się w równym stopniu zdruzgotani. Travis odetchnął głęboko i wczepił się we mnie palcami. Kiedy kończył się miesiąc po przegranym zakładzie, byliśmy przygnębieni, ale tym razem okazało się, że jest dużo, dużo gorzej.

— Ja... nie mogę, Travis.

Objął mnie jeszcze mocniej. Po skroni spłynęła mi pierwsza łza.

— Nie mogę tego zrobić — powiedziałam, zamykając oczy.

— Więc nie rób — wyszeptał mi do ucha. — Daj mi jeszcze jedną szansę.

Spróbowałam się wyswobodzić z jego uścisku, ale trzymał mnie w objęciach zbyt mocno. Zakryłam twarz rękami, nie mogąc powstrzymać cichego szlochu. Patrzył na mnie poważnie wilgotnymi oczami.

Delikatnie oderwał mi dłonie od oczu i pocałował. Załkałam, gdy spojrzał najpierw na moje usta, a zaraz potem w oczy.

— Nigdy nie pokocham nikogo tak, jak kocham ciebie.

Pociągnęłam nosem i dotknęłam jego twarzy.

— Nie mogę — szepnęłam.

— Wiem — odparł łamiącym się głosem. — Nigdy nawet przez chwilę nie wierzyłem, że jestem dla ciebie dość dobry.

Pokręciłam głową.

— Nie chodzi o ciebie, Trav. Po prostu nie możemy być razem.

Chciał powiedzieć coś jeszcze, ale się rozmyślił. Westchnął i złożył głowę na mojej piersi. Kiedy zielone cyferki na wyświetlaczu zegara wskazały jedenastą, oddychał już powoli i głęboko. Mnie też kleiły się powieki. Zamrugałam parę razy i zapadłam w sen.

❦

— Au! — zawołałam, wyjmując rękę z piekarnika. Automatycznie polizałam oparzone miejsce.

— Nic ci nie jest, Gołąbku? — spytał Travis, szurając w moją stronę. Włożył podkoszulek. — Cholera! Ta podłoga jest lodowata!

Z trudem powstrzymałam chichot, patrząc, jak podskakuje na zimnych kafelkach.

Poranne słońce sączyło się leniwie przez żaluzje. Wszyscy z wyjątkiem jednego Maddoxa wciąż smacznie spali. Wepchnęłam staroświecką brytfankę głębiej do piekarnika, zamknęłam drzwiczki i włożyłam palce pod zimną wodę.

— Wracaj do łóżka. Wstałam, żeby włożyć indyka do piekarnika.

— Położysz się jeszcze? — spytał, otulając się rękami w chłodnym powietrzu.

— Tak.

— Prowadź! — Wskazał na schody.

Zdjął podkoszulek. Położyliśmy się do łóżka, naciągając kołdrę po szyję. Oboje drżeliśmy z zimna. Travis ciasno objął mnie ramieniem. Powoli robiło się nam cieplej.

Musnął ustami moje włosy, a po chwili wyszeptał:

— Spójrz, Gołąbku. Pada śnieg.

Zwróciłam twarz do okna. Białe płatki wirowały w świetle latarni ulicznej.

— Prawie jak w Boże Narodzenie — zauważyłam. Gdy westchnął, spojrzałam na niego i spytałam: — Co?

— Nie będzie cię tutaj na Gwiazdkę.

— Jestem teraz.

Pochylił się i pocałował mnie w usta.

— Trav, nie... — zaprotestowałam, kręcąc głową.

Przytulił mnie mocniej. Z jego brązowych oczu biła determinacja.

— Została mi niecała doba z tobą. Będę cię całował. Nieustannie. Na okrągło. Jeśli każesz mi przestać, przestanę, ale dopóki tego nie zrobisz, mam zamiar wykorzystać każdą sekundę. To nasz ostatni dzień razem.

— Travis...

Przez chwilę rozważałam jego słowa. Doszłam do wniosku, że jednak nie miał złudzeń. Wiedział, co się wydarzy, kiedy zabierze mnie do domu rodzinnego. W końcu przyjechałam tu, żeby udawać, i bez względu na to, jak trudno miało być później nam obojgu, nie chciałam mu odmawiać.

Zauważył, że się w niego wpatruję, i znów się uśmiechnął, a potem jeszcze raz mnie pocałował. Zaczęło się słodko i niewinnie, ale wkrótce pieściliśmy się językami. Naprężył ciało i wciągnął powietrze przez nos. Odchyliłam na bok kolano, a Travis położył się na mnie, nie odrywając warg od moich ust.

Potem szybko zdjął ze mnie ubranie, chwycił obiema rękami żelazne pręty łóżka i po chwili już był we mnie. Zagryzłam wargi, powstrzymując westchnienie rozkoszy. Jęknął, a ja, unosząc biodra, wbiłam stopy w materac.

Z jedną ręką na wezgłowiu łóżka, a drugą na moim karku, zaczął kołysać się rytmicznie. Nogi drżały mi z podniecenia. Travis muskał językiem moje usta. Czułam, jak bardzo pragnie, żebym zapamiętała ten nasz ostatni raz. Mogłoby minąć tysiąc lat, a ja nie byłabym w stanie o nim zapomnieć.

Dopiero po godzinie zacisnęłam powieki, czując wszystkimi nerwami, jak rozpływa się po moim ciele dreszcz rozkoszy. Travis wstrzymał oddech i pchnął po raz ostatni. Opadłam na materac, kompletnie wyczerpana. Travis dyszał ciężko, oniemiały i zlany potem.

Usłyszałam głosy na dole i zaśmiałam się cicho na myśl o naszym frywolnym zachowaniu. Travis przekręcił się na bok i łagodnymi brązowymi oczami przyglądał się mojej twarzy.

— Miałeś tylko mnie całować — zauważyłam z uśmiechem.

Kiedy tak leżałam obok niego, czując dotyk jego nagiego ciała, widząc bezwarunkową miłość we wzroku, zapominałam o rozczarowaniu, złości, o swojej niezachwianej determinacji. Kochałam go, a bez względu na to, z jakich powodów wybrałam życie bez niego, wiedziałam, że nie tego chcę. Nawet gdybym nie zmieniła zdania, nie potrafilibyśmy się rozstać.

— Może zostaniemy w łóżku cały dzień? — spytał przekornie.

— Przyjechałam, żeby ugotować obiad. Zapomniałeś?

— Nie. Przyjechałaś, żeby mi pomóc, a ja nie zamierzam stawić się na służbie przez najbliższych osiem godzin.

Pogłaskałam go po twarzy. Pragnienie, aby położyć kres naszym cierpieniom, stało się nie do zniesienia. Gdybym, zamiast udawać, powiedziała mu teraz, że zmieniłam zdanie i znów będzie tak jak dawniej, moglibyśmy naprawdę świętować.

— Travis...

— Nic nie mów, dobrze? Nie chcę o tym myśleć, dopóki nie będę musiał. — Wstał, włożył bokserki i podszedł do torby. Rzucił na łóżko moje ubrania, po czym wciągnął przez głowę podkoszulek. — Chcę zapamiętać z tego dnia tylko to, co dobre.

Zrobiłam jajecznicę na śniadanie i kanapki na lunch, a kiedy zaczęła się gra, zabrałam się do przyrządzania obiadu. Travis starał się przez cały czas mi towarzyszyć, obejmował mnie w pasie i całował w szyję. Co chwila zerkałam na zegar, nie mogąc się doczekać, kiedy zostaniemy sami i powiem mu, co postanowiłam. Chciałam zobaczyć jego minę i pragnęłam, żeby znowu było tak jak przedtem.

Dzień wypełniały rozmowy, żarty i bezustanne narzekanie Tylera na Travisa, który demonstracyjnie okazywał mi swoje uczucia.

— Jezu, Travis! Trochę opamiętania! — jęczał Tyler.

— Robisz się paskudnie zielony — żartował Thomas.

— Niedobrze mi na ich widok. Nie jestem zazdrosny, palancie!

— Daj im spokój, Ty — upominał go ojciec.

Gdy usiedliśmy do stołu, Jim zaproponował, żeby Travis pokroił indyka. Uśmiechnęłam się, gdy wstał, gotów z dumą wykonać zadanie. Miałam tremę, ale wkrótce spłynęły na mnie komplementy. Kiedy przyszła pora deseru, na stole nie został nawet kęs z obiadu.

Roześmiałam się.

— Chyba przygotowałam za mało jedzenia.

Jim rozpłynął się w uśmiechu, oblizując widelec.

— Przygotowałaś mnóstwo jedzenia, Abby. Po prostu chcemy przetrwać do przyszłego roku... chyba że zgodzisz się ugotować coś dla nas na Boże Narodzenie. Należysz teraz do rodziny. Spodziewam się ciebie we wszystkie święta i nie dlatego, że brakuje nam kucharki.

Zerknęłam na Travisa, który wyraźnie posmutniał. Serce mi się ścisnęło. Musiałam szybko wyjawić mu swoją decyzję.

— Dzięki, Jim.

— Nie folguj jej, tato — wtrącił się Trenton. — Abby musi gotować. Nie jadłem nic równie pysznego, odkąd skończyłem pięć lat!

Włożył do ust kawałek tarty z pekanami, mrucząc z zadowoleniem.

Przy stole pełnym mężczyzn, którzy rozpierali się na krzesłach, masując pełne brzuchy, poczułam się jak w domu. Wzruszyłam się na myśl o Gwiazdkach, Wielkanocach i wszystkich innych świętach, jakie miałam spędzać u nich w domu. Pragnęłam ponad wszystko stać się częścią tej niepełnej, głośnej rodziny, którą tak pokochałam.

Gdy zjedliśmy tartę, bracia Travisa sprzątnęli ze stołu. Bliźniacy ustawili się przy zlewie.

— Ja pozmywam — powiedziałam, wstając.

Jim pokręcił głową.

— Nie ma mowy. Chłopcy się tym zajmą. Siądźcie z Travisem na kanapie, odpocznijcie. Dosyć się dziś napracowałaś.

Bliźniacy oblewali się wodą. Trenton zaklął, gdy poślizgnął się na kałuży i upuścił talerz. Thomas złajał braci, po czym złapał za szczotkę i szufelkę, żeby zebrać potłuczoną porcelanę. Jim poklepał synów po plecach, objął mnie serdecznie i oddalił się do swojego pokoju.

Travis położył sobie na kolanach moje nogi. Ściągnął mi buty i zaczął masować kciukami podeszwy stóp. Odchyliłam głowę do tyłu i westchnęłam.

— To było najlepsze Święto Dziękczynienia, jakie mieliśmy od śmierci mamy.

Gdy podniosłam głowę, uśmiechał się smutno.

— Cieszę się, że mogłam świętować razem z wami.

Nagle spochmurniał. Czekałam, co powie. Serce mi waliło — spodziewałam się, że poprosi, żebym do niego wróciła, a ja powiem „tak". Kiedy gościłam w domu mojej nowej rodziny, Las Vegas wydawało się miejscem z innej planety.

— Zmieniłem się. Nie wiem, co się ze mną stało w Vegas. To nie byłem ja. Myślałem tylko o tych wszystkich rzeczach, które moglibyśmy kupić. Pogubiłem się. Nie zdawałem sobie sprawy, jak bardzo mogę cię zranić, planując przyszłość w miejscu, o którym chciałaś zapomnieć. Chociaż w głębi duszy może wiedziałem. Miałaś rację, że ode mnie odeszłaś. Zasłużyłem na te wszystkie bezsenne noce, na ten ból. Potrzebowałem tego, żeby uświadomić sobie, jak bardzo cię pragnę i jak wiele gotów jestem zrobić, bylebyś tylko ze mną została.

Zagryzałam usta, czekając niecierpliwie na odpowiednią chwilę, w której powiem „tak". Chciałam pojechać z nim do mieszkania i świętować przez resztę wieczoru. Marzyłam o tym, żeby umościć się z Toto na nowej kanapie, oglądać filmy i śmiać się jak dawniej.

— Powiedziałaś, że z nami koniec. Pogodziłem się z tym. Odkąd cię poznałem, jestem innym człowiekiem. Zmieniłem się... na lepsze. Ale żebym nie wiem jak się starał, nie będę dla ciebie dość dobry. Na początku zostaliśmy przyjaciółmi. Nie mogę cię stracić, Gołąbku. Zawsze będę cię kochał, ale skoro nie potrafię uczynić cię szczęśliwą, nie ma sensu, żebym próbował cię odzyskać, chociaż nie wyobrażam sobie, że mógłbym być z kimś innym. Wystarczy mi, że zostaniemy przyjaciółmi.

— Przyjaciółmi? — spytałam z niedowierzaniem.

— Chcę, żebyś była szczęśliwa. Bez względu na wszystko.

Jego słowa przejęły mnie do głębi. Poczułam dojmujący ból. Travis pozwalał mi odejść, i to akurat wtedy, kiedy wcale nie miałam na to ochoty. Mogłam mu powiedzieć, że zmieniłam zdanie, a on odwołałby to wszystko, ale wiedziałam, że nie powinnam tego robić, skoro pogodził się z moim odejściem.

Uśmiechnęłam się przez łzy.

— Założę się o pięćdziesiąt dolarów, że podziękujesz mi za to, gdy poznasz swoją przyszłą żonę.

Ściągnął brwi; twarz miał smutną.

— To żaden zakład. Jedyna kobieta, z którą chciałbym się ożenić, właśnie złamała mi serce.

Nie potrafiłam dłużej udawać beztroski. Otarłam łzy i wstałam.

— Chyba już czas, żebyś odwiózł mnie do domu.

— Przepraszam, Gołąbku. To nie był żart.

— Nie o to chodzi, Trav. Jestem po prostu zmęczona. Chciałabym już wracać.

Odetchnął głęboko, pokiwał głową i wstał. Pożegnałam się z jego braćmi, prosząc Trentona, żeby pożegnał ode mnie Jima. Wszyscy obiecali, że przyjadą do domu na Boże Narodzenie. Travis czekał z bagażami przy drzwiach. Dopiero po wyjściu przestałam się uśmiechać.

❦

Gdy Travis odprowadzał mnie do akademika, wciąż był smutny, ale na jego twarzy już nie malowała się udręka. Jak się okazało, nie zaplanował tego weekendu, żeby mnie odzyskać, lecz żeby się ze mną pożegnać.

Nachylił się i pocałował mnie w policzek, po czym przytrzymał drzwi, kiedy wchodziłam do środka.

— Dzięki za wszystko. Nie masz pojęcia, ile radości sprawiłaś dziś mojej rodzinie.

Przystanęłam u podnóża schodów.

— Powiesz im jutro?

Obejrzał się na parking, po czym znów popatrzył na mnie.

— Jestem przekonany, że już wiedzą. Nie ty jedna potrafisz zachować twarz pokerzysty.

Przyjrzałam mu się w zdumieniu. Odchodząc, nie obejrzał się za siebie — pierwszy raz, odkąd go poznałam.

Rozdział osiemnasty

Pudełko

Egzaminy semestralne były przekleństwem dla wszystkich oprócz mnie. Uczyłam się pilnie z Karą i Mare w moim pokoju i w bibliotece. Travisa widywałam tylko przelotnie, gdy niespodziewanie zmieniały się terminy testów. Ferie zimowe spędziłam z Mare u jej rodziców. Cieszyłam się, że Shepley został z Travisem i nie musiałam być świadkiem bezustannych czułości przyjaciółki i jej chłopaka.

Cztery dni przed końcem ferii przeziębiłam się i miałam dobry powód, żeby zostać w łóżku. Wprawdzie Travis wcześniej deklarował przyjaźń, ale nie dzwonił ani mnie nie odwiedzał. Przynajmniej przez tych kilka dni mogłam się nad sobą rozczulać. Przed powrotem na uniwersytet musiałam uwolnić się od złych myśli.

Podróż do Eastern wlokła się w nieskończoność. Nie mogłam się doczekać nowych zajęć, ale przede wszystkim chciałam znów zobaczyć Travisa.

Pierwszego dnia semestru zasypany śniegiem kampus buzował świeżą energią. Nowe kursy oznaczały nowe znajomości, nowy początek. Okazało się, że nie mam żadnych zajęć z Travisem, Parkerem, Shepleyem i Mare, za to Finch uczęszczał ze mną na wszystkie wykłady oprócz jednego.

Podczas lunchu w stołówce czekałam niecierpliwie na Travisa, jednak kiedy się zjawił, tylko do mnie mrugnął i zasiadł na końcu stołu razem z kolegami z Sigma Tau. Próbowałam śledzić dyskusję Fincha i Mare na temat ostatniego meczu futbolowego w tym sezonie, ale słyszałam tylko głos Travisa. Opowiadał o swoich przygodach i utarczkach z prawem, jakie przydarzyły mu się podczas ferii, o nowej dziewczynie Trentona, którą poznał w klubie Red Door. Czekałam, aż wspomni o swojej nowej wybrance, lecz jeśli jakąś spotkał, najwyraźniej nie chciał się tym dzielić z przyjaciółmi.

Pod sufitem wciąż jeszcze wisiały czerwone i złote połyskliwe kule, które poruszały się pod wpływem ciepła z grzejników. Otuliłam się ciasno swetrem, co nie uszło uwadze Fincha, który przytulił mnie i pomasował mi ramiona. Zdawałam sobie sprawę, że wciąż gapię się na Travisa, czekając, aż na mnie spojrzy, ale miałam wrażenie, że w ogóle nie zauważa mojej obecności.

Wydawał się nieczuły na wdzięki dziewczyn, które lgnęły do niego po tym, jak rozniosły się plotki o naszym rozstaniu, a jednocześnie fakt, że nasze stosunki znów powróciły do platonicznych — chociaż nadal były napięte — najwyraźniej go nie dręczył. Minął miesiąc, odkąd się rozstaliśmy, tymczasem ja w jego obecności wciąż się denerwowałam i czułam niepewnie.

Travis skończył jeść. Serce zabiło mi mocniej, kiedy zaszedł mnie od tyłu i położył mi dłonie na ramionach.

— Jak twoje zajęcia, Shep? — spytał.

Shepley był wyraźnie skrępowany.

— Pierwszy dzień do dupy. Tylko spis lektur i regulamin. Nie wiem, po co w ogóle przyszedłem. A u ciebie?

— No cóż... Normalnie. A ty, Gołąbku? Zadowolona?

— U mnie bez zmian — powiedziałam, starając się o wyważony ton.

— Ferie się udały? — Zakołysał mną na boki.

— Nie mogę narzekać — odparłam w nadziei, że mój głos brzmi przekonująco.

— Super. Będę leciał. Na razie.

Ruszył prosto do drzwi, wyszedł na zewnątrz i zapalił papierosa.

— Phi! — prychnęła America. Chwilę patrzyła, jak Travis brnie w śniegu, skracając sobie drogę przez dziedziniec, po czym pokręciła głową.

— Co? — spytał Shepley.

Oparła podbródek na dłoni, wyraźnie zirytowana.

— To trochę dziwne, nie sądzisz?

— Co takiego? — Shepley odrzucił do tyłu jasny warkocz swojej dziewczyny i pocałował ją w szyję.

Uśmiechnęła się do niego.

— Zachowuje się prawie normalnie... jak na niego. Co się z nim dzieje?

Jej chłopak pokręcił głową i wzruszył ramionami.

— Nie wiem. Zachowuje się tak od jakiegoś czasu.

— Porobiło się, co, Abby? Teraz on ma się świetnie, a ty jesteś nieszczęśliwa — powiedziała, niezrażona faktem, że wszyscy się nam przysłuchują.

— Jesteś nieszczęśliwa? — spytał Shepley z zaskoczoną miną.

Otworzyłam usta i zaczerwieniłam się ze wstydu.

— Wcale nie!

America zamieszała sałatkę w miseczce.

— Za to Travis wygląda na cholernie zadowolonego.

— Przestań, Mare — rzuciłam ostrzegawczym tonem.

Wzruszyła ramionami, wkładając do ust kolejny kęs.

— Moim zdaniem udaje — powiedziała.

Shepley trącił ją łokciem.

— America? W końcu idziesz ze mną na przyjęcie walentynkowe czy nie?

— Nie mógłbyś mnie spytać jak każdy normalny chłopak? Miło i uprzejmie?

— Pytałem cię setki razy. Zawsze powtarzasz, żebym spytał później.

Z nadąsaną miną osunęła się na krzesło.

— Nie chcę iść bez Abby.

Skrzywił się, wyraźnie sfrustrowany.

— Ostatnim razem była przez cały czas z Travisem. Prawie jej nie widziałaś.

— Nie bądź dzieckiem, Mare — powiedziałam, rzucając w nią łodygą selera.

Finch szturchnął mnie w bok.

— Poszedłbym z tobą, skarbie, ale nie interesują mnie imprezy Sigma Tau, sorki.

Shepley się rozpromienił.

— Ale to świetny pomysł! — zawołał.

— Nie należę do bractwa, Shep. W ogóle nigdzie nie należę. To wbrew moim przekonaniom.

— Proszę, Finch! — America spojrzała na niego błagalnie.

— Mam déjà vu — mruknęłam.

Finch zerknął na mnie kątem oka, po czym westchnął.

— Nie bierz tego do siebie, Abby. Nigdy nie byłem na randce... z dziewczyną.

— Wiem. — Pokręciłam lekceważąco głową. Czułam się okropnie skrępowana. — Nic nie szkodzi, naprawdę.

— Musisz tam być — stwierdziła Mare stanowczo. — Zawarłyśmy umowę, pamiętasz? Nie chodzimy same na imprezy.

— Przecież nie będziesz sama. Dramatyzujesz. — Powoli irytowała mnie ta rozmowa.

— Dramatyzuję? Kiedy leżałaś przeziębiona w czasie ferii, przytaszczyłam pod twoje łóżko kosz na śmieci, przez całą noc podawałam ci chusteczki do nosa i wstawałam po twój syrop na kaszel. Jesteś mi coś winna!

Zmarszczyłam nos.

— Ile razy odgarniałam ci włosy, jak rzygałaś?

— Kichałaś mi prosto w twarz!

Zdmuchnęłam grzywkę, która wpadała mi do oczu. Nie potrafiłam się kłócić z Mare — zawsze stawiała na swoim.

— W porządku — rzuciłam przez zaciśnięte zęby. — Finch? — spytałam z udawanym uśmiechem. — Czy pójdziesz ze mną na durne przyjęcie walentynkowe organizowane przez Sigma Tau?

— Tak — odparł, przytulając mnie. — Ale tylko dlatego, że nazwałaś je durnym.

Po lunchu poszliśmy z Finchem na zajęcia z fizjologii, rozmawiając po drodze o przyjęciu, którego baliśmy się oboje.

Usiedliśmy w sąsiednich ławkach. Wzniosłam oczy do nieba, kiedy wykładowca zaczął dyktować mój czwarty tego dnia plan semestralny. Znów padał śnieg; wirował za oknami, jakby grzecznie prosił, żeby wpuścić go do środka, po czym rozczarowany opadał na ziemię.

Po zajęciach pewien chłopak, którego wcześniej spotkałam tylko raz w siedzibie Sigma Tau, przechodząc, zastukał w moją ławkę i puścił do mnie oko. Uśmiechnęłam się uprzejmie i zerknęłam na Fincha. Rzucił mi kpiarskie spojrzenie. Spakowałam laptop i podręczniki. Zarzuciłam plecak na ramiona i powlokłam się w stronę akademika posypanym solą chodnikiem. Na dziedzińcu grupka studentów obrzucała się śnieżkami. Finch wzdrygnął się na widok ich przyprószonych śniegiem ubrań.

Towarzyszyłam mu, gdy palił papierosa, chociaż trzęsłam się z zimna. America dreptała obok nas, zacierając ręce w jaskrawozielonych rękawiczkach.

— Gdzie Shep? — spytałam.

— Wrócił do domu. Trav prosił, żeby mu w czymś pomógł.

— Nie pojechałaś z nim?

— Nie mieszkam tam, Abby.

Finch mrugnął do niej.

— Tylko w teorii.

America przewróciła oczami.

— Lubię spędzać czas z moim chłopakiem. Podaj mnie do sądu.

Finch zdusił w śniegu papierosa.

— Będę leciał, moje panie. Zobaczymy się na kolacji?

Przytaknęłyśmy obie z uśmiechem, a Finch ucałował nas

w policzki. Odszedł środkiem mokrego chodnika, uważając, by nie wdepnąć w śnieg.

— Ależ on śmieszny. — Mare pokręciła głową, obserwując jego wysiłki.

— Pochodzi z Florydy. Nie przywykł do śniegu.

Zachichotała i pociągnęła mnie w stronę drzwi.

— Abby!

Odwróciłam się. Parker truchtem wyminął Fincha i zasapany przystanął obok nas. Miał na sobie puchaty szary płaszcz, który falował z każdym jego oddechem. America przyjrzała mu się ciekawie.

— Miałem... chciałem cię spytać, czy nie wyskoczyłabyś ze mną wieczorem na miasto.

— Hm... Obiecałam Finchowi, że zjemy razem kolację.

— W porządku, nie ma sprawy. Miałem zamiar wypróbować nowy bar z hamburgerami w centrum. Podobno niezły.

— Może następnym razem — powiedziałam, zdając sobie sprawę, że popełniam błąd. Nie chciałam, by sądził, że moja nonszalancka odpowiedź to tylko gra na zwłokę. Kiwnął głową, wsunął ręce do kieszeni i szybko odszedł w swoją stronę.

❦

Kara, która przeglądała nowe podręczniki, skrzywiła się na nasz widok. Bynajmniej nie zmieniła się na lepsze od naszego powrotu z ferii.

Wcześniej spędzałam u Travisa tyle czasu, że jej kąśliwe uwagi i nieznośne zachowanie wydawały się do wytrzymania. Ale po tym, jak towarzyszyła mi w każdy wieczór i każdą noc przez ostatnie dwa tygodnie poprzedniego semestru, żałowałam swojej decyzji, żeby nie zamieszkać w pokoju z Mare.

— Kara! Jak ja się za tobą stęskniłam! — rzuciła America.

— Wzajemnie — burknęła Kara, nie odrywając oczu od książki.

America opowiedziała mi o swoim dniu i o planach na weekend z Shepleyem. Przeglądałyśmy internet w poszukiwaniu zabawnych filmików i zaśmiewałyśmy się do łez. Kara prychnęła parę razy na znak, że jej przeszkadzamy, ale nie zwracałyśmy na nią uwagi.

Cieszyłam się z odwiedzin przyjaciółki. Czas mijał nam tak szybko, że ani przez chwilę nie zastanawiałam się, czy nie dzwonił do mnie Travis.

W końcu America ziewnęła, patrząc na zegarek.

— Idę spać, Abby... O cholera! — Pstryknęła palcami. — Zostawiłam u Shepa kosmetyczkę.

— To jeszcze nie tragedia — odparłam, wciąż się zaśmiewając.

— Tyle że mam w niej pigułki antykoncepcyjne. Chodź, muszę po nie pojechać.

— Nie możesz poprosić Shepleya, żeby ci je przywiózł?

— Travis wziął jego samochód. Pojechał do klubu z Trentem.

Zrobiło mi się niedobrze.

— Znowu? Czemu tak często spotyka się teraz z Trentem?

Wzruszyła ramionami.

— Skąd mam wiedzieć? Chodź już!

— Nie chcę na niego wpaść. Czułabym się niezręcznie.

— Czy ty w ogóle mnie słuchasz? Mówiłam ci, że go nie ma. Pojechał do klubu. Chodź wreszcie! — jęknęła, szarpiąc mnie za ramię.

Wstałam niechętnie, a Mare pociągnęła mnie do drzwi.

— Najwyższy czas — mruknęła Kara.

Kiedy zajechałyśmy na parking, zauważyłam harleya Travisa zaparkowanego pod schodami. Samochodu Shepleya nie było. Odetchnęłam z ulgą i weszłam za Mare na oblodzone schody.

— Ostrożnie! — ostrzegła.

Gdybym potrafiła przewidzieć, jak wytrąci mnie z równowagi ta wizyta, nie zdecydowałabym się towarzyszyć przyjaciółce. Toto wypadł z korytarza jak szalony i przypadł mi do nóg, ślizgając się niezdarnie na kafelkach w przedpokoju. Wzięłam go na ręce, pozwalając, by na powitanie oblizał mi twarz szczenięcymi pocałunkami. Przynajmniej on mnie nie zapomniał.

Nosiłam go po całym mieszkaniu, czekając, aż Mare znajdzie kosmetyczkę.

— Musi gdzieś tu być! — zawołała do mnie z łazienki, po czym skierowała się do pokoju Shepleya.

— Sprawdzałaś w szafce pod umywalką? — spytał jej chłopak.

Spojrzałam na zegarek.

— Pośpiesz się, Mare. Powinnyśmy już iść.

America ciężko westchnęła.

Znów sprawdziłam godzinę, a po chwili podskoczyłam, gdy drzwi za moimi plecami gwałtownie się otworzyły. Travis wszedł do środka niepewnym krokiem, obejmując Megan chichoczącą mu do ucha. Moją uwagę zwróciło pudełko, które ściskała w dłoni. Uświadomiłam sobie ze zgrozą, że to paczka kondomów. Dziewczyna drugą rękę zarzuciła Travisowi na szyję i tak objęci wkroczyli do salonu.

Widząc mnie samą pośrodku pokoju, Travis zastygł w bezruchu. Megan na mój widok przestała się uśmiechać.

— Gołąbku — wyjąkał zaskoczony.

— Znalazłam! — zawołała America, wybiegając z pokoju Shepleya.

— Co ty tu robisz? — spytał mnie Travis.

Śmierdział whisky, a ja poczułam, jak wzbiera we mnie gniew. Nie potrafiłam dłużej udawać obojętności.

— Miło widzieć, że znów jesteś sobą. — Poczerwieniałam na twarzy, a łzy zamgliły mi wzrok.

— Właśnie wychodziłyśmy — rzuciła America, ciągnąc mnie do drzwi.

Zbiegłyśmy po schodach i popędziłyśmy do samochodu. Na szczęście nie stał daleko, bo jeszcze chwila, a wybuchłabym płaczem. Omal nie przewróciłam się na plecy, potykając się o poły płaszcza. America próbowała złapać mnie za rękę, lecz w tej samej chwili się poślizgnęła.

Travis pochwycił mnie wpół. Mróz i wstyd szczypały mnie w uszy. Z ciemnoczerwonymi śladami szminki na ustach i kołnierzyku koszuli wyglądał idiotycznie.

— Dokąd się wybierasz? — spytał, na wpół pijany, na wpół zdezorientowany.

— Do domu — odburknęłam, poprawiając na sobie płaszcz.

— Co w ogóle tu robisz?

America stanęła za moimi plecami. Śnieg zaskrzypiał jej

pod stopami. Shepley zbiegł po schodach, zastępując drogę kuzynowi.

— Przepraszam. Nie przyszłabym, gdybym wiedziała, że tu będziesz.

Travis wsunął ręce do kieszeni.

— Możesz tu przychodzić, kiedy tylko zechcesz, Gołąbku. Nigdy nie mówiłem, żebyś trzymała się ode mnie z daleka.

— Nie chcę ci przeszkadzać — powiedziałam zjadliwie, spoglądając na Megan, która stała na schodach z uśmiechem pełnym samozadowolenia. — Miłego wieczoru — dodałam, ruszając w stronę wyjścia.

Złapał mnie za ramię.

— Czekaj. Jesteś na mnie wściekła?

Wyswobodziłam się z jego uścisku.

— Wiesz co? Nie rozumiem, czemu mnie to zaskakuje.

Ściągnął brwi.

— Nigdy z tobą nie wygram! Nie mogę z tobą wygrać! Mówisz, że z nami koniec... a ja tu zdycham! Musiałem roztrzaskać komórkę na milion kawałków, żeby nie dzwonić do ciebie co minuta! W kampusie udaję, że nic się nie stało, żebyś była zadowolona... A ty jeszcze się na mnie wściekasz! Złamałaś mi serce, do jasnej cholery!

Jego ostatnie słowa rozbrzmiały echem w ciemności.

— Jesteś pijany, Travis. Pozwól jej odejść — wtrącił się Shepley.

Travis schwycił mnie za ramiona i przyciągnął do siebie.

— Chcesz mnie czy nie? Nie możesz dłużej mnie dręczyć!

— Nie przyszłam tu do ciebie — powiedziałam, rzucając mu gniewne spojrzenie.

— Nie chcę jej. Po prostu jestem okropnie nieszczęśliwy. — Nachylił się do mnie z zamglonym wzrokiem i przekrzywił głowę, próbując mnie pocałować.

Odepchnęłam go.

— Wciąż masz na ustach jej szminkę — zauważyłam z odrazą.

Cofnął się, podniósł połę koszuli i otarł nią usta. Przyjrzał się czerwonym smugom na białej tkaninie i pokręcił głową.

— Chciałem zapomnieć. Chociaż na jedną pieprzoną noc.

Mimo woli uroniłam łzę.

— Nie będę ci w tym przeszkadzać.

Zamierzałam wsiąść do hondy, ale znów złapał mnie za ramię. Niemal w tej samej chwili America zaczęła na oślep okładać go pięściami. Gdy Travis spojrzał na nią ze zdumieniem i niedowierzaniem, zacisnęła ręce w kułak i waliła go w pierś, dopóki mnie nie puścił.

— Zostaw ją, ty draniu!

Shepley próbował ją odciągnąć, ale go odepchnęła i uderzyła Travisa w twarz. Rozległ się ostry, nieprzyjemny dźwięk. Wzdrygnęłam się. Wszyscy troje zamarliśmy, zaskoczeni jej wybuchem agresji.

Travis skrzywił się, ale się nie bronił. Shepley złapał Mare za nadgarstki i pociągnął do samochodu, podczas gdy ona wierzgała i wymachiwała rękami. Za wszelką cenę próbowała się wyrwać, jej blond włosy fruwały na wszystkie strony. Zdumiała mnie jej determinacja. Ze zwykle pogodnych, beztroskich oczu biła czysta nienawiść.

— Jak mogłeś?! Zasłużyła na coś lepszego!

— America, przestań! — wrzasnął Shepley głośniej niż kiedykolwiek.

Zwiesiła ręce po bokach, spoglądając na niego z niedowierzaniem.

On, wyraźnie zdenerwowany, mimo wszystko nie dawał się zbić z tropu.

— Abby z nim zerwała. Travis próbuje na nowo ułożyć sobie życie.

America zmrużyła oczy i wyswobodziła się z jego ramion.

— Tak?! Wobec tego ty też znajdź sobie dziwkę w klubie — spojrzała na Megan — przyprowadź ją do domu i pierdol się z nią całą noc, a potem daj mi znać, czy to ci pomogło o mnie zapomnieć!

— Mare! — Shepley próbował ją objąć, ale się uchyliła. Wskoczyła do hondy i zatrzasnęła za sobą drzwi. Usiadłam obok, starając się nie patrzeć na Travisa.

— Kochanie, zostań — poprosił Shepley, zaglądając przez szybę.

Uruchomiła silnik.

— W całej tej sytuacji jest dobra i zła strona. Ty jesteś po złej stronie, Shep.

— Jestem po twojej stronie — powiedział całkiem zdesperowany.

— Nie. Już nie.

Wycofała samochód z parkingu.

— America? America! — zawołał za nami, gdy wyjechała na drogę i nacisnęła gaz.

Westchnęłam.

— Mare, nie możesz z nim zrywać z mojego powodu. On ma rację.

Ścisnęła mnie za rękę.

— Nie ma racji. To wszystko nie powinno się było wydarzyć.

Kiedy zaparkowałyśmy przed akademikiem, zadzwoniła jej komórka. Mare przewróciła oczami.

— Nie dzwoń do mnie więcej. Mówię serio, Shep. Nie... po prostu nie. Jasne? Nie masz prawa go bronić. Nie możesz akceptować tego, jak traktuje Abby, jeśli nadal chcesz ze mną być... No właśnie o to mi chodzi, Shepley! To bez znaczenia! Abby nie pieprzy się z pierwszym lepszym facetem, który stanie jej na drodze! Nie chodzi o Travisa. Nie prosił cię, żebyś się za nim wstawiał! Nie... mam tego dość! Nie dzwoń więcej. Do widzenia.

Wygramoliła się z samochodu, głośno tupiąc, weszła do budynku i ruszyła na schody. Z trudem za nią nadążałam. Czekałam, aż zdradzi mi, co mówił jej chłopak.

Gdy znów zabrzęczała komórka, wyłączyła ją.

— Travis poprosił Shepa, żeby odwiózł Megan do domu. Chciał wpaść w drodze powrotnej.

— Powinnaś go wpuścić, Mare.

— Nie. Jesteś moją najlepszą przyjaciółką. Nie mogę się zgodzić na to, co dzisiaj widziałam, i nie mogę być z kimś, kto nie dostrzega w tej sytuacji nic złego. Koniec dyskusji, Abby. Mówię serio.

Pokiwałam głową. America objęła mnie i przytuliła, gdy szłyśmy po schodach do swoich pokoi. Kara już spała. Darowałam sobie prysznic i położyłam się do łóżka w ubraniu. Nie zdjęłam nawet płaszcza. Wciąż miałam przed oczami Travisa wchodzącego niepewnym krokiem razem z Megan i czerwoną szminkę rozmazaną na jego twarzy. Starałam się nie myśleć o tym, co by się stało, gdyby mnie tam nie było. Zastanawiałam się, co czuję, i z kilku różnych emocji wybrałam rozpacz.

Shepley miał rację. Nie miałam prawa się wściekać, co wcale nie umniejszało mojego bólu.

❦

Finch tylko pokręcił głową, gdy następnego dnia usiadłam w ławce obok niego. Wiedziałam, że wyglądam fatalnie; ledwie znalazłam siły, żeby się przebrać i umyć zęby. W nocy spałam tylko godzinę — nie mogłam się pozbyć wspomnienia czerwonej szminki na ustach Travisa i poczucia winy z powodu kłótni Shepleya i Mare.

Moja przyjaciółka postanowiła zostać w łóżku, zdając sobie sprawę, że kiedy minie jej złość, wpadnie w przygnębienie. Kochała Shepleya i chociaż postanowiła z nim skończyć, ponieważ — jej zdaniem — stanął po niewłaściwej stronie, to jednak miała świadomość, że w konsekwencji tej decyzji będzie cierpieć.

Po zajęciach poszłam z Finchem do stołówki. Moje obawy się potwierdziły — Shepley czekał przed wejściem na Mare.

— Gdzie America? — spytał, kiedy tylko mnie zobaczył.

— Nie poszła dziś na wykłady.

— Jest w pokoju? — Nie czekając na odpowiedź, ruszył w stronę akademika.

— Przykro mi, Shep! — zawołałam za nim.

Zastygł w bezruchu, po czym obrócił się gwałtownie z miną człowieka u kresu wytrzymałości.

— Załatwcie to w końcu ze sobą, do cholery! Ty i Travis

jesteście jak pieprzone tornado! Kiedy jest dobrze, panuje miłość, spokój, romantyczna atmosfera. A kiedy się kłócicie, niszczycie wszystko wokół!

Odszedł zdecydowanym krokiem. Wypuściłam powietrze z płuc.

— No nieźle.

Finch pociągnął mnie do stołówki.

— Wszystko wokół. No, no. Sądzisz, że uda ci się odprawić czary przed piątkowym testem?

— Zobaczę, co da się zrobić.

Finch wybrał stolik inny niż zwykle i z wdzięcznością podążyłam za nim. Travis siedział z kolegami z Sigma Tau, ale nawet nie wziął tacy i szybko się pożegnał. Zauważył mnie dopiero, wychodząc, lecz się nie zatrzymał.

— A więc Shep i America też ze sobą zerwali? — spytał Finch z pełnymi ustami.

— Wczoraj wieczorem pojechałyśmy do niego, a Travis wrócił do domu z Megan i... zrobiło się straszne zamieszanie. Mare wzięła moją stronę, a Shepley stronę Travisa.

— Aha.

— No właśnie. Czuję się okropnie.

Finch poklepał mnie po plecach.

— Nie masz wpływu na ich decyzje, Abby. Rozumiem, że w tej sytuacji darujemy sobie przyjęcie walentynkowe?

— Na to wygląda.

Finch się uśmiechnął.

— Zabiorę cię gdzieś mimo wszystko. Ciebie i Mare. Będzie fajnie.

Oparłam się na jego ramieniu.

— Supergość z ciebie, Finch.

Zdążyłam zapomnieć o walentynkach, teraz jednak ucieszyłam się, że mam plany na ten dzień. Czułabym się strasznie nieszczęśliwa, gdybym musiała siedzieć w pokoju sam na sam z Mare, wysłuchując, jak ciska gromy na Shepleya i Travisa. Wiedziałam, że i tak będzie to robić — nie byłaby sobą, gdyby odpuściła — ale przy ludziach przynajmniej trochę się pohamuje.

Mijały kolejne tygodnie stycznia. Po chwalebnych, acz nieudanych próbach odzyskania Mare Shepley w końcu dał sobie spokój. Widywałam go coraz rzadziej, podobnie jak Travisa. W lutym w ogóle przestali pojawiać się w stołówce. Travis mignął mi w przelocie tylko kilka razy, kiedy szłam na zajęcia.

W weekend poprzedzający dzień zakochanych America i Finch namówili mnie na wizytę w Red Door. Przez całą drogę do klubu drżałam na myśl o spotkaniu z Travisem. Kiedy weszliśmy do środka, odetchnęłam z ulgą, widząc, że go nie ma.

— Stawiam pierwszą kolejkę — oznajmił Finch.

Wskazał nam wolny stolik i zaczął się przeciskać przez tłum do baru.

Usiadłyśmy, obserwując, jak parkiet zapełnia się powoli podpitymi studentami college'u. Po piątej kolejce Finch poprosił nas obie do tańca. Wreszcie odprężyłam się na tyle, żeby dobrze się bawić. Chichotaliśmy, wpadając na siebie, i śmialiśmy się histerycznie, gdy jeden z tancerzy obrócił swoją partnerkę, a ona nie zdążyła złapać go za rękę, poślizgnęła się i pojechała po parkiecie.

America uniosła ręce nad głowę i potrząsała lokami w takt muzyki. Rozbawiła mnie jej charakterystyczna mina, ale przestałam się śmiać na widok Shepleya, który stanął za jej plecami. Odwróciła się raptownie, kiedy wyszeptał jej coś do ucha. Chwilę rozmawiali, po czym złapała mnie za rękę i pociągnęła z powrotem do stolika.

— No jasne. Musiał się zjawić akurat w ten jeden wieczór, kiedy postanowiłyśmy się zabawić.

Finch przyniósł nam jeszcze po dwa drinki, w tym po jednej wódce.

— Pomyślałem, że się przyda.

— Słusznie pomyślałeś.

America odchyliła głowę do tyłu, a ja stuknęłam się kieliszkami z Finchem. Robiłam wszystko, żeby się nie rozglądać. Bałam się, że z Shepleyem przyszedł Travis i lada chwila się pojawi.

Z głośników popłynęła kolejna piosenka. America wstała.

— Pieprzę to. Nie będę siedzieć przy stoliku przez resztę wieczoru.

— Zuch dziewczyna! — Finch uśmiechnął się, po czym poprowadził ją z powrotem na parkiet.

Poszłam za nimi, rozglądając się za Shepleyem. Zniknął. Znów się odprężyłam. Próbowałam pozbyć się złego przeczucia, że za chwilę na parkiecie pojawi się Travis z Megan. Do Mare dołączył chłopak, którego widywałam w kampusie. Uśmiechnęła się, przyjmując z zadowoleniem jego zainteresowanie. Podejrzewałam, że robi to na pokaz, w nadziei, że

Shepley zauważy. Odwróciłam się na moment, a gdy znów na nią spojrzałam, chłopak się oddalił. Wzruszyła ramionami, nie przestając kołysać biodrami w takt muzyki.

Kiedy zaczęła się następna piosenka, inny student zaczął tańczyć obok niej, a jego kolega zbliżył się do mnie. Po chwili stanął za moimi plecami i położył mi dłonie na biodrach. Poczułam się trochę niepewnie, ale zaraz cofnął ręce, jakby czytał w moich myślach. Gdy się obejrzałam, już go nie było. Również partner Mare nagle się ulotnił.

Finch wydawał się nieco spięty. America zmarszczyła czoło na widok jego miny. Pokręcił głową i nadal tańczył.

Po trzeciej piosence byłam już spocona i zmęczona. Wróciłam do stolika, wsparłam na rękach ociężałą głowę i roześmiałam się, widząc, że kolejny potencjalny adorator prosi Mare do tańca. Mrugnęła do mnie. Nagle ktoś gwałtownie pociągnął go do tyłu i zniknął mi z oczu. Zesztywniałam.

Wstałam i okrążyłam parkiet. Tańczący rozstąpili się. Poczułam nagły przypływ adrenaliny na widok Shepleya, który trzymał zaskoczonego chłopaka za kołnierz. Za nimi stał Travis. Śmiał się histerycznie, dopóki nie podniósł wzroku. Dopiero wtedy zobaczył, że im się przyglądam. Trzepnął Shepleya w ramię, a ten najpierw spojrzał w moją stronę, a po chwili popchnął swoją ofiarę na podłogę.

W tym momencie dotarło do mnie, co się dzieje — Travis i Shepley wyciągali z parkietu chłopaków, którzy z nami tańczyli, i ostrzegali ich, żeby trzymali się od nas z daleka.

Zmrużyłam oczy i ruszyłam w kierunku Mare. Tłum zgęstniał; musiałam przepychać się między ludźmi. Shepley złapał mnie za rękę, zanim weszłam na parkiet.

— Nie mów jej! — zawołał, próbując ukryć uśmiech samozadowolenia.

— Co ty wyprawiasz, do cholery?

Wzruszył ramionami, wyraźnie z siebie dumny.

— Kocham ją. Nie mogę pozwolić, żeby tańczyła z obcymi facetami.

— A czemu wobec tego odciągnąłeś faceta, który tańczył ze mną? — spytałam, krzyżując ręce na piersiach.

— To nie ja — odparł Shepley, ukradkiem zerkając na Travisa. — Przepraszam, Abby. Mieliśmy niezłą zabawę.

— To nie jest zabawne.

— Co nie jest zabawne? — spytała America, piorunując go wzrokiem.

Przełknął ślinę i rzucił mi błagalne spojrzenie. Byłam mu winna przysługę, więc nic nie powiedziałam.

Gdy zrozumiał, że go nie wydam, westchnął z ulgą i spojrzał na Mare z uwielbieniem.

— Zatańczymy?

— Nie, nie zatańczymy — powiedziała, po czym odeszła do stolika.

Poszedł za nią, a ja zostałam sama z Travisem.

Wzruszył ramionami.

— Zatańczymy?

— A co? Megan nie przyszła?

Pokręcił głową.

— Dawniej po alkoholu byłaś miła.

— Jak to dobrze, że cię rozczarowałam.

Ruszyłam w stronę baru, a on postanowił mi towarzyszyć. Gdy zepchnął ze stołków dwóch chłopaków, rzuciłam mu gniewne spojrzenie, ale mnie zignorował, usiadł i przyjrzał mi się wyczekująco.

— Usiądziesz? Postawię ci piwo.

— Sądziłam, że nie stawiasz dziewczynom drinków.

Przechylił głowę ze zniecierpliwioną miną.

— Z tobą jest inaczej.

— Stale to powtarzasz.

— Daj spokój, Gołąbku. Mieliśmy pozostać przyjaciółmi.

— Nie mogę się z tobą przyjaźnić, Travis. To chyba oczywiste.

— Dlaczego?

— Bo nie mam ochoty patrzeć, jak co wieczór obmacujesz inną dziewczynę, podczas gdy mnie nie pozwalasz tańczyć z nikim innym.

Uśmiechnął się.

— Kocham cię. Nie chcę, żebyś tańczyła z innymi facetami.

— Ach tak? Jak bardzo mnie kochałeś, kupując tamto pudełko kondomów?

Travis skrzywił się. Wstałam i wróciłam do stolika. Shepley i America tańczyli przytuleni, po czym, nie zważając na tłum gapiów, zaczęli się namiętnie całować.

— Wygląda na to, że jednak pójdziemy na przyjęcie walentynkowe — rzucił Finch, marszcząc brwi.

Westchnęłam.

— Cholera.

Rozdział dziewiętnasty

Hellerton

Odkąd America pogodziła się z Shepleyem, ani razu nie pojawiła się w akademiku. Nie przychodziła do stołówki na lunch, rzadko dzwoniła. Cieszyłam się, że nadrabiają czas, który spędzili bez siebie. Prawdę mówiąc, nie zniosłabym, gdyby telefonowała z mieszkania Shepleya, bo czułabym się niezręcznie, słysząc w tle głos Travisa. Poza tym byłam trochę zazdrosna, że Mare może spędzać z nim czas, podczas gdy ja nie mogłam.

Coraz częściej widywałam się z Finchem. Byliśmy równie samotni, co sprawiało mi egoistyczną satysfakcję. Chodziliśmy razem na zajęcia, do stołówki, wspólnie się uczyliśmy. Nawet Kara przywykła do jego obecności.

Palce powoli drętwiały mi z zimna, kiedy Finch dopalał papierosa przed akademikiem.

— Może rozważyłbyś rzucenie palenia, zanim zamarznę, udzielając ci moralnego wsparcia?

Roześmiał się.

— Uwielbiam cię, Abby, naprawdę, ale nie. Nie rzucę papierosów.

— Abby? — Szedł ku nam Parker z rękami w kieszeniach. Miał spierzchnięte usta i czerwony nos. Zaśmiałam się, kiedy udał, że wkłada do ust papierosa i wydmuchuje dym. — Mógłbyś sporo zaoszczędzić, Finch. — Uśmiechnął się.

— Co z wami? Wszyscy dzisiaj mieszacie mnie z błotem, bo palę — zezłościł się Finch.

— Co słychać, Parker? — spytałam.

Wyjął z kieszeni dwa bilety.

— Grają ten nowy wietnamski film. Mówiłaś, że chętnie byś go obejrzała, więc kupiłem bilety na dziś wieczór.

— Bez napinki — rzucił Finch.

— Pójdę z Bradem, jeśli masz inne plany. — Parker wzruszył ramionami.

— To nie randka? — spytałam.

— No nie, jesteśmy tylko przyjaciółmi.

— Już to przerabialiśmy — rzucił Finch z przekąsem.

— Zamknij się! — Roześmiałam się. — Brzmi nieźle, Parker, dzięki.

Rozpromienił się.

— Może wcześniej pójdziemy na pizzę? Nie przepadam za popcornem.

— Świetny pomysł.

— Film jest o dziewiątej. Przyjadę po ciebie o wpół do siódmej.

Skinęłam głową, a on pomachał mi na pożegnanie.

— Jezu — westchnął Finch. — Aż się prosisz o kłopoty, Abby. Wiesz, że Travis się wkurzy, kiedy się o tym dowie.

— Słyszałeś. To nie jest randka. Nie mogę kierować się

tym, co Travis uzna za słuszne. Nie konsultował się ze mną, przyprowadzając do domu Megan.

— Nie wybaczysz mu tego, prawda?

— Nie. Raczej nie.

❦

Usiedliśmy w narożnym boksie. Roztarłam zmarznięte ręce w rękawiczkach. Nie mogłam nie pamiętać, że siedzieliśmy z Travisem przy tym stoliku podczas naszego pierwszego spotkania sam na sam. Uśmiechnęłam się na to wspomnienie.

— Co? — spytał Parker.

— Po prostu lubię to miejsce. Przywołuje dobre wspomnienia.

— Nosisz bransoletkę — zauważył.

Spojrzałam na połyskliwe brylanty na nadgarstku.

— Mówiłam ci, że mi się podoba.

Kelnerka podała nam kartę dań i przyjęła zamówienie na piwo. Parker przedstawił mi w szczegółach plan swojego semestru i opowiedział o przygotowaniach do egzaminu testowego na studia medyczne. Wydał mi się podenerwowany; dopiero gdy dostaliśmy piwo, nieco się odprężył. Zastanawiałam się, czy nie ma wrażenia, że to randka, chociaż wcześniej temu zaprzeczał.

Odchrząknął.

— Przepraszam. Zdaje się, że zdominowałem naszą rozmowę. — Przechylił butelkę i pokręcił głową. — Tak dawno z tobą nie rozmawiałem. Wygląda na to, że mam ci dużo do powiedzenia.

— Nie ma sprawy. Rzeczywiście długo się nie widzieliśmy.

Zabrzęczał dzwonek przy drzwiach wejściowych i do środka weszli Travis i Shepley. Travis od razu mnie spostrzegł, ale nie wydawał się zaskoczony.

— Jezu... — wyszeptałam.

— Co? — spytał Parker.

Odwrócił się i zobaczył ich obu, gdy siadali w boksie naprzeciwko.

— Niedaleko jest bar z hamburgerami — powiedział ściszonym głosem. Był jeszcze bardziej spięty niż wcześniej.

— Wyglądałoby dziwnie, gdybyśmy teraz wyszli — odparłam.

— Pewnie masz rację — przyznał ze smutną miną.

Próbowaliśmy się zachowywać jakby nigdy nic, ale dalsza rozmowa przebiegała sztywno i nienaturalnie. Kelnerka długo nie odchodziła od stolika Travisa; przestępując z nogi na nogę, przeczesywała palcami włosy. Dopiero gdy odebrał telefon, przypomniała sobie o nas.

— Wezmę tortellini — powiedział Parker, patrząc na mnie.

— A ja... — Zamilkłam.

Travis i Shepley wstali od stolika. Travis skierował się do wyjścia, ale się zawahał, przystanął i zawrócił. Kiedy zobaczył, że na niego patrzę, ruszył w moją stronę. Kelnerka uśmiechnęła się do niego z nadzieją, jakby sądziła, że chce się z nią pożegnać, ale szybko zrzedła jej mina, gdy Travis stanął obok mnie, w ogóle jej nie zauważając.

— Za czterdzieści pięć minut zaczynam walkę. Chciałbym, żebyś przyszła.

— Trav...

Wydawał się spokojny, ale w jego wzroku dostrzegłam napięcie. Nie byłam pewna, czy zamierzał przeszkodzić mi w kolacji z Parkerem, czy może naprawdę zależało mu, żebym przyszła, jednak podjęłam decyzję w chwili, gdy mnie o to poprosił.

— Potrzebuję cię tam. To rewanż z Bradym Hoffmanem, facetem z uniwersytetu stanowego. Tłum ludzi, mnóstwo kasy... Adam mówi, że Brady ostro trenował.

— Już z nim walczyłeś, Travis, wiesz, że bez problemu go pokonasz.

— Abby... — odezwał się cicho Parker.

— Potrzebuję cię — powtórzył Travis.

Uśmiechnęłam się do Parkera.

— Przepraszam — powiedziałam.

— Żartujesz? — Z niedowierzaniem uniósł brwi. — Chcesz tak po prostu wyjść w trakcie kolacji?

— Zdążymy? — spytałam Travisa, wstając.

Uniósł nieznacznie kąciki ust i rzucił na stół dwudziestodolarowy banknot.

— Tyle powinno wystarczyć.

— Nie chodzi o pieniądze... Abby...

Wzruszyłam ramionami.

— To mój najlepszy przyjaciel, Parker. Skoro mnie potrzebuje, muszę iść.

Travis wziął mnie za rękę i poprowadził do wyjścia. Parker popatrzył za nami z wyrazem zdumienia na twarzy. Shepley już czekał w samochodzie, rozsyłając wiadomość o walce. Travis usiadł ze mną na tylnym siedzeniu; ściskał mocno moją dłoń.

— Rozmawiałem właśnie z Adamem, Trav. Podobno goście z uniwersytetu stanowego przyjechali pijani i z grubą forsą. Są w bojowych nastrojach, więc lepiej niech Abby trzyma się od nich z daleka.

Travis pokiwał głową.

— Będziesz miał na nią oko.

— Gdzie America? — spytałam.

— Uczy się do testu z fizyki.

— W pracowni fizycznej jest fajnie — powiedział Travis.

Zaśmiałam się i spojrzałam na niego; miał rozbawioną minę.

— Kiedy widziałeś pracownię? — zdziwił się Shep. — Nie chodziłeś na zajęcia z fizyki.

Kiedy Travis zachichotał, szturchnęłam go łokciem. Zasznurował usta, powstrzymując śmiech, po czym mrugnął do mnie i mocniej ścisnął mnie za rękę. Splótł palce z moimi, cicho wzdychając. Wiedziałam, co sobie myśli, bo czułam to samo co on. W tym momencie mogło się wydawać, że między nami nic się nie zmieniło.

Zajechaliśmy na ciemny parking. Travis nie puszczał mojej ręki, dopóki nie wczołgaliśmy się przez okienko do piwnicy budynku Hellerton, gdzie mieścił się wydział nauk ścisłych. Zbudowano go zaledwie rok wcześniej, więc nie śmierdział pleśnią i kurzem jak inne podziemia.

Gdy znaleźliśmy się w korytarzu, dobiegł nas dziki wrzask tłumu. Wsadziłam głowę przez drzwi. Moim oczom ukazało się morze twarzy, w większości nieznajomych. Każdy z kibiców trzymał w ręku butelkę piwa. Łatwo było rozpoznać gości z uniwersytetu stanowego — kołysali się na boki z na wpół przymkniętymi oczami.

— Trzymaj się blisko Shepleya, Gołąbku. Za chwilę zrobi się gorąco — uprzedził mnie Travis. Omiótł wzrokiem tłum, zaskoczony ilością ludzi.

Piwnica budynku Hellerton była największa w całym kampusie. Adam lubił urządzać tam walki, kiedy spodziewał się dużej liczby gości. Ale nawet w tej sporej przestrzeni ludzie tłoczyli się i przepychali między sobą, żeby zająć najlepsze miejsca.

Zza rogu wyłonił się Adam. Nie krył niezadowolenia z mojej obecności.

— Mówiłem ci, żebyś więcej nie przyprowadzał swojej dziewczyny.

Travis wzruszył ramionami.

— Nie jest już moją dziewczyną.

Starałam się zachować kamienną twarz, ale gdy usłyszałam jego słowa, wypowiedziane w sposób tak obojętny, zrobiło mi się przykro.

Adam zerknął na nasze splecione palce, a potem znów na Travisa.

— Chyba nigdy was nie rozgryzę. — Pokręcił głową i spojrzał na wzburzony tłum. Kibice, stłoczeni w sali i na schodach, pokrzykiwali coraz głośniej. — Mamy tu dziś niezłą pulę, Travis. Dasz radę?

— Postaram się dostarczyć kibicom rozrywki.

— Nie o to mi chodzi. Brady sporo trenował.

— Ja też.

— Akurat! — Shepley się zaśmiał.

Travis wzruszył ramionami.

— W zeszły weekend walczyłem z Trentonem. Gówniarz jest szybki.

Roześmiałam się, ale Adam rzucił mi gniewne spojrzenie.

— Lepiej potraktuj to serio, Travis — powiedział, patrząc mu w oczy. — Postawiłem na ciebie sporo kasy.

— Twoim zdaniem nie traktuję tego serio? — Travis był wyraźnie poirytowany tą rozmową.

Adam odwrócił się, przytknął megafon do ust i stanął na krześle na wprost tłumu podpitych kibiców. Powitał gości i zaczął objaśniać reguły. Travis mnie przytulił.

— Powodzenia — rzuciłam, głaszcząc go po piersi.

Nigdy wcześniej nie denerwowałam się, kiedy walczył, może tylko raz, w Vegas, ale dziś nie mogłam się pozbyć złych przeczuć, jakie nękały mnie od chwili, gdy weszłam do Hellerton. Coś było nie tak i Travis też to czuł.

Chwycił mnie za ramiona i pocałował w usta, po czym odsunął się szybko, kiwając głową.

— Niczego więcej mi nie potrzeba.

Wciąż byłam odurzona ciepłem jego warg, gdy Shepley odciągnął mnie pod ścianę obok Adama. Ludzie potrącali mnie i popychali. Przypomniał mi się wieczór, kiedy pierwszy raz oglądałam walkę Travisa, dziś jednak tłum wydawał się mniej skupiony, a goście z uniwersytetu stanowego zachowywali się wręcz wrogo. Kibice z Eastern wiwatowali i wznosili gromkie okrzyki, kiedy Travis wkroczył do kręgu, podczas gdy jego przeciwnicy wygwizdywali go i zagrzewali do boju Brady'ego.

Z miejsca, gdzie staliśmy z Shepleyem, doskonale widziałam Hoffmana, który górował nad Travisem i podrygiwał niecierpliwie w oczekiwaniu na sygnał do rozpoczęcia walki. Travis, jak zawsze, uśmiechał się nieznacznie, obojętny na ogólną wrzawę. Kiedy Adam zadął w róg, rozmyślnie pozwolił Brady'emu zadać pierwszy cios, i to celny, co mnie zaskoczyło. Brady musiał faktycznie sporo trenować.

Travis odsłonił w uśmiechu dziąsła, po czym skupił się na odparowywaniu ciosów przeciwnika.

— Czemu pozwala tak się bić? — spytałam Shepleya.

— Już niedługo — odparł, kręcąc głową. — Nie martw się, Abby. Zaraz zyska przewagę.

Po dziesięciu minutach Brady był mocno zasapany, mimo to zdołał jeszcze kilka razy uderzyć Travisa w szczękę i żebra. Kiedy spróbował go kopnąć, Travis złapał go za but i uniósł jego nogę, a drugą ręką z niewiarygodną siłą walnął go w nos. Za chwilę pociągnął Brady'ego tak, że ten stracił równowagę. Tłum zaryczał, gdy upadł na ziemię, jednak szybko się podniósł, chociaż z nosa płynęła mu krew, i zadał Travisowi dwa błyskawiczne ciosy w twarz. Krew z rany na łuku brwiowym spłynęła po policzku.

Zamknęłam oczy i odwróciłam się plecami z nadzieją, że Travis szybko zakończy walkę. Wciągnął mnie wir kibiców i zanim zdołałam odzyskać równowagę, znalazłam się dobrych parę metrów od Shepleya, który w skupieniu wpatrywał się w ring. Ani się obejrzałam, jak tłum przyparł mnie do ściany.

Najbliższe wyjście znajdowało się po przeciwległej stronie sali, taka sama odległość dzieliła mnie od drzwi, którymi weszliśmy. Uderzyłam plecami o betonowy mur, tracąc oddech.

— Shepley! — krzyknęłam, machając ręką w powietrzu, żeby zwrócić jego uwagę.

Tymczasem walka osiągnęła punkt kulminacyjny. Nikt mnie nie słyszał.

Jeden z mężczyzn poślizgnął się i złapał mnie za bluzkę, przy okazji wylewając na mnie piwo. Byłam mokra od szyi po pas i śmierdziałam gorzkim, tanim trunkiem. Mężczyzna uczepił się mnie, próbując wstać z podłogi. Odgięłam jego palce po dwa naraz, aż wreszcie mnie puścił i zaczął się przepychać przez tłum, nie oglądając się na mnie.

— Ej, ty! Znam cię! — wrzasnął mi do ucha któryś z kibiców.

Wzdrygnęłam się. Od razu go rozpoznałam. To był Ethan, facet, któremu Travis groził kiedyś w klubie i który jakimś cudem uniknął oskarżenia o napaść na tle seksualnym.

— Jasne — powiedziałam, rozglądając się za wyrwą w zwartym tłumie. Poprawiłam na sobie bluzkę.

— Ładna bransoletka. — Przesunął dłonią po moim ramieniu i chwycił mnie za nadgarstek.

— Hej! — zaprotestowałam, wyrywając rękę.

Z idiotycznym uśmiechem zatoczył się na nogach.

— Ostatnim razem niegrzecznie nam przerwano, gdy próbowałem do ciebie zagadać.

Stanęłam na palcach. Zobaczyłam, że Travis dwukrotnie uderzył Hoffmana w twarz. Między jednym a drugim ciosem bacznie lustrował tłum. Zamiast skupić się na walce, rozglądał się za mną. Musiałam wrócić na swoje miejsce, zanim całkiem się zdekoncentruje.

Ledwie zdołałam się ruszyć, gdy Ethan uczepił się palcami paska moich dżinsów. Znów rąbnęłam plecami o ścianę.

— Nie skończyłem z tobą rozmawiać — rzucił przez zęby, wpatrując się w moją mokrą bluzkę.

Wbiłam mu w rękę paznokcie.

— Puszczaj! — krzyknęłam.

Zaśmiał się i przyciągnął mnie do siebie.

— Nie puszczę.

Rozejrzałam się w tłumie w poszukiwaniu znajomej twarzy, jednocześnie próbując odepchnąć Ethana, ale był silny i trzymał mnie mocno. W popłochu nie odróżniałam gości od gospodarzy. Nikt nie zwracał uwagi na nasze przepychanki, a w ogłuszającym hałasie nikt nie mógł usłyszeć moich protestów. Ethan nachylił się, kładąc mi dłoń na pośladku.

— Zawsze wydawałaś mi się niezłą dupą — wycedził. Śmierdział zwietrzałym piwem.

— Odpieprz się! — wrzasnęłam, odpychając go.

Szukałam wzrokiem Shepleya, tymczasem Travis w końcu wypatrzył mnie w tłumie. Natychmiast zaczął przeciskać się w moją stronę.

— Travis! — zawołałam, chociaż mój głos nie mógł się przedrzeć przez ryk kibiców. Jedną ręką pchnęłam Ethana, a drugą wyciągnęłam do Travisa.

Ale Travis nie zdołał wydostać się z kręgu. Brady wykorzystał chwilę jego nieuwagi i walnął go łokciem w skroń.

Wrzawa nieco ucichła, gdy Travis uderzył kogoś z tłumu, próbując się do mnie przepchnąć.

— Zostaw ją! — wrzasnął.

Na przestrzeni, która nas dzieliła, wszystkie głowy zwróciły się w moją stronę. Ethan, nie zważając na nic, wciąż mnie przytrzymywał i próbował pocałować. Przejechał nosem po mojej kości policzkowej i szyi.

— Ładnie pachniesz — wybełkotał.

Odepchnęłam go, ale niewzruszony złapał mnie za nadgarstek.

Wybałuszyłam oczy, ponownie wypatrując Travisa, który dawał rozpaczliwe znaki Shepleyowi.

— Zabierz ją stąd! Shep! Zabierz Abby! — zawołał, niezdolny przepchnąć się przez morze ludzi. Brady wciągnął go z powrotem na ring i zadał kolejny cios.

— Jesteś cholernie podniecająca, wiesz o tym? — wymamrotał Ethan.

Gdy dotknął ustami mojej szyi, zamknęłam oczy. Poczułam, jak wzbiera we mnie gniew.

— Puszczaj, powiedziałam!

Znienacka walnęłam go kolanem w krocze. Zgiął się wpół. Jedną ręką automatycznie sięgnął do źródła bólu, drugą nadal trzymał mnie za bluzkę i nie puszczał.

— Ty suko! — wrzasnął.

W następnej chwili byłam już wolna. Shepley trzymał Ethana za kołnierzyk koszuli i wpatrywał się w niego dzikim wzrokiem. Przygwoździł go do ściany i zaczął walić pięścią w twarz, dopóki z nosa i ust Ethana nie popłynęła krew.

Shepley pociągnął mnie na schody, odpychając wszystkich, którzy stali nam na drodze. Pomógł mi wydostać się na zewnątrz przez otwarte okno, po czym zbiegliśmy w dół po drabince pożarowej. Złapał mnie, gdy zeskoczyłam na ziemię.

— Nic ci nie jest, Abby? Nic ci nie zrobił?

Rękaw mojej białej bluzki trzymał się na jednej nitce, ale poza tym nic mi się nie stało. Pokręciłam głową, nie mogąc otrząsnąć się z szoku.

Shepley delikatnie ujął moją twarz w dłonie i spojrzał mi w oczy.

— Abby, odpowiedz. Wszystko w porządku?

Pokiwałam głową. Gdy adrenalina nieco opadła, zebrało mi się na płacz.

— W porządku.

Objął mnie i przytulił policzek do mojego czoła. Po chwili zesztywniał.

— Tutaj, Trav!

Travis pędził ku nam co sił w nogach. Gdy dobiegł, od razu wziął mnie w ramiona. Krew broczyła mu z oka i ust.

— Chryste... Nic jej nie jest? — spytał.

Shepley poklepał mnie po plecach.

— Mówi, że wszystko w porządku.

Travis odsunął się, oparł dłonie na moich ramionach i zmarszczył czoło.

— Nic ci nie jest, Gołąbku?

Pokręciłam głową i w tym samym momencie spostrzegłam na drabince pożarowej ludzi wychodzących z piwnicy. Travis objął mnie mocno, w milczeniu lustrując ich twarze. Niski, przysadzisty mężczyzna zeskoczył z drabinki i zamarł na nasz widok.

— Ty... — warknął Travis.

Puścił mnie, przebiegł przez trawnik i powalił tamtego na ziemię.

Spojrzałam na Shepleya, zdezorientowana i przerażona.

— To ten facet, który przez cały czas wpychał Travisa z powrotem do kręgu — wyjaśnił mi Shepley.

Travis siłował się z mężczyzną na ziemi. Wokół nich zebrał się niewielki tłumek. Travis okładał przeciwnika pięściami. Shepley, wciąż zadyszany, przycisnął mnie do piersi. Gdy mężczyzna przestał stawiać opór i leżał bezwładny w kałuży krwi, gapie zaczęli się rozchodzić. Widząc wściekłość w oczach Travisa, omijali go szerokim łukiem.

— Travis! — krzyknął Shepley.

W półmroku kuśtykał Ethan, przytrzymując się dla równowagi ceglanej ściany budynku. Widząc, co się dzieje, zawrócił, ale w tej samej chwili Travis ruszył za nim biegiem. Ethan, utykając, przeszedł przez trawnik, po drodze wyrzucając butelkę piwa, którą trzymał w ręku. Starał się jak najszybciej wyjść na ulicę, kiedy jednak znalazł się przy swoim samochodzie, Travis pochwycił go i rzucił nim o maskę.

Zaatakowany błagał o litość, ale Travis złapał go za koszulę i walnął jego głową o drzwi samochodu. Czaszka Ethana stuknęła o przednią szybę, a po chwili Travis, klnąc, roztrzaskał mu twarz o reflektor i znów powalił go na maskę.

— Cholera — mruknął Shepley.

Obejrzałam się za siebie. Budynek Hellerton rozbłysł niebieskim i czerwonym światłem nadjeżdżającego policyjnego radiowozu. Ludzie skakali z drabinki pożarowej i rozbiegali się we wszystkich kierunkach.

— Travis! — wrzasnęłam.

Zostawił bezwładnego Ethana na masce samochodu i podbiegł do nas. Shepley pociągnął mnie na parking i gwałtownym ruchem otworzył drzwi samochodu. Wgramoliłam się na tylne siedzenie, czekając niecierpliwie, aż obaj wsiądą. Kolejne samochody zaczęły wyjeżdżać z parkingu, ale blokował je drugi radiowóz.

Travis i jego kuzyn wskoczyli na siedzenia. Shepley zaklął, widząc, że inne auta wycofują się, tarasując jedyny wyjazd z parkingu. Wrzucił bieg. Dodge podskoczył, wjeżdżając na krawężnik. Pojechaliśmy przez trawnik między dwoma budynkami i znaleźliśmy się na ulicy za uniwersytetem.

Shepley dodał gazu. Zapiszczały opony i zaryczał silnik. Kiedy wzięliśmy zakręt, poleciałam na drzwi, uderzając się w i tak obolały łokieć. Światło latarni ulicznych rzucało smugi na szyby. Jechaliśmy bardzo szybko, ale zdawało się, że minęła godzina, zanim dotarliśmy na parking przed domem.

Shepley zaciągnął hamulec ręczny i wyłączył silnik. Obaj wysiedli w milczeniu. Travis wyciągnął do mnie ramiona i pomógł mi wygramolić się z tylnego siedzenia.

— Co się stało? Jasna cholera, Trav, co z twoją twarzą?! — zawołała America, zbiegając po schodach.

— Opowiem ci w środku — powiedział Shepley i poprowadził ją do drzwi.

Travis wniósł mnie po schodach na górę, bez słowa przeszedł przez salon i korytarz, po czym ułożył mnie na swoim łóżku. Toto skrobnął łapą o moje nogi i wskoczył na łóżko, żeby polizać mnie po twarzy.

— Nie teraz, stary — rzucił Travis ściszonym głosem. Wyprowadził psa na korytarz i zamknął drzwi sypialni.

Uklęknął przy mnie, dotykając postrzępionego rękawa. Na jego oku tworzył się siniak; było zaczerwienione i opuchnięte. Skaleczoną powiekę oblepiała krew. Usta przybrały barwę szkarłatu, a skóra na knykciach była poobcierana. Na białym podkoszulku widniały ślady krwi, trawy i błota.

Gdy dotknęłam jego oka, skrzywił się i odsunął.

— Tak mi przykro, Gołąbku. Próbowałem się do ciebie przecisnąć. Próbowałem... — Odchrząknął. Z gniewu i zmartwienia głos wiązł mu w krtani. — Nie udało mi się.

— Poprosisz Mare, żeby odwiozła mnie do akademika?

— Nie możesz tam dzisiaj wrócić. Na miejscu roi się od glin. Zostań. Będę spał na kanapie.

Odetchnęłam ciężko, z trudem powstrzymując płacz. Travis i tak czuł się fatalnie. Wstał i otworzył drzwi.

— Dokąd idziesz? — spytałam.

— Wezmę prysznic. Zaraz wracam.

Wyminęli się z Mare, która usiadła na łóżku i przytuliła mnie do piersi.

— Tak mi przykro, że mnie tam nie było.

— Nic mi nie jest — powiedziałam, ocierając łzy.

Shepley zapukał, po czym wszedł do pokoju ze szklanką do połowy wypełnioną whisky.

— Masz, napij się.

America wzięła od niego szklankę i przytknęła mi do ust. Odchyliłam głowę do tyłu, sącząc złocisty płyn. Czułam, jak mocny alkohol spływa do żołądka.

— Dzięki — mruknęłam, oddając Shepleyowi szklankę.

— Powinienem był szybciej się do niej przedostać. Nawet nie zauważyłem, kiedy zniknęła. Przepraszam, Abby. Powinienem...

— To nie twoja wina, Shep. Ani w ogóle niczyja.

— Owszem, Ethana — syknął przez zęby. — Ten obleśny sukinsyn przyparł ją do ściany i praktycznie gwałcił.

— Kochanie! — wykrzyknęła zbulwersowana America, przytulając mnie.

— Chyba napiję się jeszcze. — Westchnęłam, wskazując pustą szklankę.

— Ja też. — Shepley poszedł do kuchni.

Travis tymczasem wszedł do sypialni z ręcznikiem na biodrach, przykładając do oka puszkę zimnego piwa. Mare odwróciła się do niego plecami, gdy wkładał bokserki. Sięgnął po swoją poduszkę.

Shepley wrócił z czterema szklankami, tym razem wypełnionymi po brzegi. Wychyliliśmy je bez chwili wahania.

— Do zobaczenia rano — powiedziała America, całując mnie w policzek.

Travis odebrał ode mnie szklankę i postawił ją na stoliku nocnym. Przez chwilę mi się przyglądał, po czym podszedł do szafy, zdjął z wieszaka T-shirt i rzucił go na łóżko.

— Przepraszam cię. Wszystko spieprzyłem. — Znów przyłożył puszkę do oka.

— Wyglądasz okropnie. Jutro będziesz się czuł paskudnie.

Z odrazą pokręcił głową.

— Abby, zostałaś dzisiaj napadnięta. Nie martw się o mnie.

— Trudno się nie martwić, kiedy omal nie straciłeś oka. — Położyłam sobie na kolanach jego T-shirt.

— Nie doszłoby do tego, gdybyś została z Parkerem. Ale wiedziałem, że jeśli cię poproszę, pójdziesz ze mną. Chciałem mu pokazać, że wciąż jesteś moja, a naraziłem cię na niebezpieczeństwo.

Myślałam, że się przesłyszałam. To, co powiedział, kompletnie zbiło mnie z tropu.

— To dlatego poprosiłeś, żebym przyszła? Żeby udowodnić coś Parkerowi?

— Po części tak — przyznał zawstydzony.

Krew odpłynęła mi z twarzy. Travis mnie oszukał — pierwszy raz, odkąd się poznaliśmy. Poszłam z nim do Hellerton, przekonana, że mnie potrzebuje, że mimo wszystko będzie między nami tak jak dawniej. Tymczasem posłużyłam mu za hydrant. Zaznaczył swoje terytorium, a ja mu na to pozwoliłam. Oczy wypełniły mi się łzami.

— Wyjdź — rzuciłam.

— Gołąbku — wyjąkał, robiąc krok w moją stronę.

— Wynoś się! — krzyknęłam. Chwyciłam szklankę ze stolika nocnego i rzuciłam w niego. Uchylił się, więc uderzyła o ścianę, rozpryskując się na setki drobnych, lśniących kawałeczków. — Nienawidzę cię!

Westchnął tak ciężko, jakby uszło z niego powietrze, po czym wyszedł ze zbolałą miną, zostawiając mnie samą w pokoju.

Zdjęłam swoje ubranie i włożyłam T-shirt. Z mojego gardła wydobył się zdumiewający dźwięk — dawno nie szlochałam w sposób tak niekontrolowany. Nie minęła nawet minuta, gdy do sypialni wpadła America.

Wpełzła do łóżka i objęła mnie mocno. Nie zadawała pytań ani nie próbowała mnie pocieszać. Po prostu trzymała mnie w ramionach, podczas gdy moje rzęsiste łzy kropiły poduszkę.

Rozdział dwudziesty

Ostatni taniec

Zanim jeszcze słońce pojawiło się na horyzoncie, razem z Mare po cichu opuściłyśmy mieszkanie. Po drodze do akademika nie zamieniłyśmy ani słowa. Co w sumie mi odpowiadało. Nie chciałam rozmawiać, nie chciałam myśleć, pragnęłam jedynie wymazać z pamięci ostatnie dwanaście godzin. Czułam się ociężała i obolała, jak po wypadku samochodowym. W pokoju zastałyśmy posłane łóżko Kary.

— Mogę tu chwilę zostać? — spytała America. — Muszę pożyczyć od ciebie żelazko.

— Mare, nic mi nie jest. Idź na zajęcia.

— Nieprawda. Nie zostawię cię teraz samej.

— Ale ja chcę zostać sama.

Otworzyła usta, żeby coś powiedzieć, w końcu jednak tylko westchnęła. Wiedziała, że nie zmienię zdania.

— Wrócę później sprawdzić, co z tobą. Odpocznij trochę.

Pokiwałam głową i zamknęłam za nią drzwi. Łóżko zaskrzypiało, kiedy padłam na nie całym ciężarem. Dotąd wierzyłam, że jestem ważna dla Travisa, że mnie potrzebuje.

A w tej chwili czułam się jak ta nowa, droga zabawka, o której mówił Parker. Travis chciał mu udowodnić, że wciąż jestem jego. Jego.

— Jestem niczyja — powiedziałam głośno.

Gdy tylko wybrzmiały te słowa, ogarnął mnie niewypowiedziany smutek. Nie należałam do nikogo.

Nigdy w życiu nie czułam się tak samotna.

❦

Finch postawił przede mną brązową butelkę. Żadne z nas nie było w nastroju do zabawy, lecz przynajmniej pocieszał mnie fakt, że — jak twierdziła America — Travis za żadne skarby nie chciał przyjść na przyjęcie. Z sufitu zwisały puste puszki po piwie, przystrojone czerwoną i różową krepiną, a wokół przechadzały się dziewczyny w czerwonych sukienkach o wszelkich możliwych fasonach. Stoły przystrojono małymi serduszkami z folii. Finch przewrócił oczami na widok tych tandetnych dekoracji.

— Dzień świętego Walentego w siedzibie Sigma Tau. Jakie to romantyczne — powiedział z przekąsem, obserwując pary zakochanych.

Shepley i America tańczyli na dole, podczas gdy Finch i ja w ramach protestu zostaliśmy w kuchni. Szybko opróżniłam butelkę, zdecydowana wymazać z pamięci wspomnienie poprzedniego przyjęcia, na które przyszłam z Travisem.

Finch zdjął kapsel z kolejnego piwa i podał mi butelkę. Wiedział, jak rozpaczliwie pragnę zapomnieć.

— Przyniosę więcej — zaofiarował się, kierując się w stronę lodówki.

— Dla gości jest beczkowe. Butelki tylko dla bractwa — rzuciła pogardliwie dziewczyna, która nagle pojawiła się obok mnie.

Zerknęłam na czerwoną szklankę w jej ręku.

— Może tak tylko powiedział ci twój chłopak, licząc na łatwy seks?

Zmrużyła oczy i odeszła, zabierając ze sobą szklankę.

— Kto to był? — spytał Finch, stawiając na blacie jeszcze cztery butelki.

— Jakaś dziewczyna ze stowarzyszenia studentek — mruknęłam, patrząc, jak odchodzi.

Zanim dołączyli do nas Shepley i America, zdążyliśmy wypić w sumie sześć butelek piwa. Czułam w ustach niesmak, ale teraz łatwiej było mi się uśmiechać. Odprężona, oparłam się o blat. Travis się nie pojawił, więc mogłam w spokoju cieszyć się imprezą.

— Zatańczysz? — zagadnęła mnie America.

Spojrzałam na Fincha.

— Zatańczysz ze mną, Finch?

— A jesteś w stanie? — spytał, unosząc brwi.

— Przekonajmy się — powiedziałam, prowadząc go na parkiet.

Podskakiwaliśmy do rytmu i kołysaliśmy się w takt muzyki, aż poczułam, że się pocę. Gdy już nie mogłam złapać tchu, z głośników popłynęła wolniejsza piosenka. Finch zerknął z zażenowaniem na zakochane pary gromadzące się na parkiecie.

— Mamy do tego zatańczyć?

— To święto zakochanych, Finch. Udawaj, że jestem chłopakiem.

Roześmiał się i objął mnie mocno.

— Trudno udawać, kiedy masz na sobie krótką różową sukienkę.

— Jakbyś nigdy nie widział chłopaka w sukience.

— Racja. — Wzruszył ramionami.

Zachichotałam, opierając głowę na jego ramieniu. Alkohol spowalniał moje reakcje, czułam się ociężała.

— Odbijany, Finch. — Travis przystanął obok nas, trochę rozbawiony, trochę niepewny mojej reakcji.

Zarumieniłam się.

— Jasne — rzucił mój partner, spoglądając na nas z obawą.

— Finch... — syknęłam, widząc, że odchodzi.

Travis przyciągnął mnie do siebie, chociaż starałam się zachować dystans.

— Nie sądziłam, że przyjdziesz.

— Nie miałem takiego zamiaru, ale kiedy dowiedziałem się, że tu będziesz, nie mogłem nie przyjść.

Rozejrzałam się po sali, unikając jego wzroku. Dotkliwie odczuwałam każdy jego gest — dotyk palców na moim ciele, kroki na parkiecie, ruchy ramion, gdy się o mnie ocierał. Czułam się idiotycznie, udając, że tego wszystkiego nie zauważam. Jego oko powoli się goiło, sińce zbladły, a po wybroczynach na twarzy nie pozostał nawet ślad, jakbym wcześniej tylko je sobie wyobraziła. Zniknęły wszelkie pozostałości po tamtej koszmarnej nocy — z wyjątkiem piekących wspomnień.

Śledził każdy mój oddech, a w połowie piosenki westchnął.

— Pięknie wyglądasz, Gołąbku.

— Przestań.

— Mam nie mówić, że jesteś piękna?

— Najlepiej w ogóle nic nie mów.

— Nie chciałem tego.

— O co ci chodzi? — rzuciłam zirytowana.

— Naprawdę pięknie wyglądasz... Chodzi o to, co powiedziałem ci wtedy w moim pokoju. Nie będę kłamać, cieszyłem się, że przerwałem ci randkę z Parkerem...

— To nie była randka, Travis. Chcieliśmy tylko zjeść razem kolację. A teraz on się do mnie nie odzywa. Przez ciebie.

— Słyszałem. Przykro mi.

— Wcale nie.

— Masz rację... — Zająknął się na widok zniecierpliwienia malującego się na mojej twarzy. — Ale... Nie tylko dlatego wyciągnąłem cię na walkę. Chciałem, żebyś tam ze mną była, Gołąbku. Jesteś moim talizmanem.

— Nie jestem dla ciebie nikim. — Spiorunowałam go wzrokiem.

Ściągnął brwi i zatrzymał się w pół kroku.

— Jesteś dla mnie wszystkim.

Zagryzłam wargi; próbowałam udawać zagniewaną, ale trudno było złościć się na niego, kiedy tak na mnie patrzył.

— Przecież mnie nie nienawidzisz, prawda...?

Odsunęłam się od niego.

— Czasem bym chciała. Wtedy wszystko byłoby o wiele łatwiejsze.

Osobliwy, subtelny uśmiech rozjaśnił mu twarz.

— Co bardziej cię wkurza? To, co zrobiłem, żebyś chciała mnie nienawidzić? Czy fakt, że nie potrafisz?

Znów wezbrał we mnie gniew. Zostawiłam go i pobiegłam

po schodach do kuchni. Oczy zaszły mi łzami, jednak nie mogłam się przecież rozkleić na przyjęciu walentynkowym. Finch stał przy stole. Odetchnęłam z ulgą, gdy podał mi piwo.

Przez następną godzinę obserwowałam, jak Travis opędza się od dziewczyn i wychyla jedną whisky za drugą. Ilekroć napotykałam jego spojrzenie, odwracałam wzrok. Bałam się, że urządzi scenę, a na to nie mogłam pozwolić.

— Wyglądacie żałośnie — rzucił Shepley, patrząc na mnie i Fincha.

— Nie mogliby wydawać się bardziej znudzeni, nawet gdyby otwarcie to demonstrowali — dodała z przekąsem America.

— Nie zapominajcie, że wcale nie chcieliśmy tu przyjść — przypomniał im Finch.

Mare zrobiła tę swoją minę, którą zawsze mnie rozbrajała.

— Mogłabyś przynajmniej się postarać, Abby. Ze względu na mnie.

Otworzyłam usta, żeby coś odpowiedzieć, ale w tej samej chwili Finch dotknął mojego ramienia.

— Myślę, że wywiązaliśmy się z zadania. Idziemy, Abby?

Jednym haustem dopiłam piwo i wzięłam go za rękę. Zależało mi, żeby jak najszybciej wyjść, lecz zastygłam w bezruchu, kiedy z dołu dobiegła piosenka, do której tańczyliśmy z Travisem w moje urodziny. Chwyciłam butelkę Fincha i pociągnęłam kolejny łyk, żeby nie dopuścić do siebie wspomnień, jakie przywoływała muzyka.

Obok mnie stanął Brad, opierając się o blat.

— Zatańczymy?

Uśmiechnęłam się i pokręciłam głową. Zaczął coś do mnie mówić, ale przerwał mu Travis.

— Zatańcz ze mną. — Wyciągnął do mnie rękę.

America, Shepley i Finch gapili się, czekając na moją reakcję równie niecierpliwie jak Travis.

— Daj mi spokój — rzuciłam.

— To nasza piosenka, Gołąbku.

— Nie ma żadnej naszej piosenki.

— Gołąbku...

— Nie.

Z wymuszonym uśmiechem spojrzałam na Brada.

— Z przyjemnością zatańczę.

Uśmiech rozjaśnił jego piegowatą twarz; Brad poprowadził mnie do schodów.

Travis zatoczył się do tyłu. Było widać gołym okiem, że poczuł się urażony.

— Toast! — zawołał.

Wzdrygnęłam się i obejrzałam za siebie. Travis wskoczył na krzesło, wyrywając butelkę piwa z rąk osłupiałego chłopaka, który stał najbliżej niego. America przyglądała mu się z zatroskaną miną.

— Za gnojków — powiedział, wskazując na Brada. — Za dziewczyny, które łamią nam serca. — Skłonił się w moją stronę z zamglonym wzrokiem. — I za absolutny koszmar utraty najlepszej przyjaciółki, bo byłem na tyle głupi, żeby się w niej zakochać.

Wychylił resztkę piwa i rzucił butelkę na podłogę. Zapadła cisza, jeśli nie liczyć dźwięków muzyki dobiegających z dolnego poziomu. Wszyscy patrzyli na Travisa zupełnie zdezorientowani.

Zażenowana wzięłam Brada za rękę i zeszliśmy po schodach na parkiet. Kilka par podążyło za nami, obserwując bacznie, czy się rozpłaczę lub w inny sposób zareaguję na tyradę Travisa. Zawiodłam ich, zachowując obojętność.

Kiedy dość sztywno zaczęliśmy tańczyć, Brad westchnął.

— To było trochę... dziwaczne.

— Witaj w moim świecie.

Travis przecisnął się między tańczącymi i, z trudem utrzymując równowagę, stanął obok mnie.

— Odbijany.

— Nie. Jezu! — westchnęłam, nie patrząc na niego.

Po chwili jednak spojrzałam; Travis świdrował wzrokiem Brada.

— Jeśli zaraz nie odczepisz się od mojej dziewczyny, rozerwę ci pieprzone gardło. Tu, na parkiecie.

Brad wydawał się rozdarty. Rzucał niespokojne spojrzenie to na mnie, to na Travisa.

— Przepraszam, Abby — wybąkał w końcu, wycofując się.

Ruszył na schody, a ja zostałam sama, upokorzona.

— To, co teraz do ciebie czuję, Travis, jest bardzo bliskie nienawiści.

— Zatańcz ze mną — odezwał się błagalnie, z trudem zachowując równowagę.

Piosenka się skończyła, a ja odetchnęłam z ulgą.

— Idź, wypij jeszcze jedną butelkę whisky.

Odwróciłam się, żeby zatańczyć z jedynym samotnym chłopakiem, który pozostał na parkiecie.

Następny utwór miał szybsze tempo. Uśmiechnęłam się do mojego nowego, zaskoczonego partnera, próbując zignorować fakt, że Travis stoi ledwie parę kroków dalej. Inny chłopak, członek Sigma Tau, zaczął tańczyć tuż za mną, chwytając mnie za biodra. Przyciągnęłam go bliżej. Przypomniałam sobie, jak Travis i Megan tańczyli w klubie Red Door, i postarałam się odtworzyć tę scenę, o której tyle razy pragnęłam zapomnieć. Obłapiały mnie dwie pary rąk, a ilość alkoholu w organizmie pomagała mi zapomnieć o bardziej wstrzemięźliwej stronie mojej natury.

Nagle znalazłam się w powietrzu. Travis przerzucił mnie sobie przez ramię, odpychając z całej siły jednego z moich partnerów, tak że ten upadł na podłogę.

— Puść mnie! — krzyknęłam, okładając go pięściami.

— Nie pozwolę, żebyś się kompromitowała z mojego powodu — powiedział wściekłym głosem, przeskakując po dwa schodki naraz.

Wszystkie pary oczu skierowały się na nas. Travis wnosił mnie po schodach na górę, a ja wierzgałam i wrzeszczałam.

— Nie sądzisz, że to jest dopiero kompromitujące? — spytałam, próbując się wyswobodzić.

— Shepley?! — zawołał Travis, podczas gdy ja młóciłam rękami powietrze. — Czy Donnie czeka na zewnątrz?

— Chyba tak...

— Puść ją! — rozkazała Mare, robiąc krok w naszą stronę.

— America! — wrzasnęłam. — Nie stój tak! Pomóż mi!

Roześmiała się.

— Wyglądacie idiotycznie.

Byłam zaszokowana i wściekła, że bawi ją ta sytuacja. Gdy Travis zmierzał do wyjścia, rzuciłam jej gniewne spojrzenie.

— Wielkie dzięki, przyjaciółko! — Chłodne powietrze

zmroziło moje skąpo okryte ciało i zaczęłam protestować coraz głośniej. — Puść mnie, do cholery!

Travis otworzył drzwi samochodu, wepchnął mnie na tylne siedzenie, a sam usiadł obok.

— Donnie? Ty jesteś dziś niepijący, wyznaczony na kierowcę?

— No tak — odparł Donnie, obserwując niepewnie moje próby ucieczki.

— Odwieź nas do domu.

— Travis... To nie jest...

— Rób, co mówię, Donnie, albo przywalę ci w potylicę. — Głos Travisa był opanowany, choć zatrważający. — Mówię serio.

Gdy Donnie zjechał z krawężnika, spróbowałam dosięgnąć klamki.

— Nigdzie z tobą nie jadę!

Kiedy Travis chwycił mnie za oba nadgarstki, pochyliłam się, żeby ugryźć go w ramię. Zamknął oczy i jęknął cicho, gdy zatopiłam zęby w jego ciele.

— Postaraj się lepiej, Gołąbku. Mam dość twoich gierek.

Szarpnęłam się.

— Moich gierek?! Wypuść mnie z samochodu!

Złapał mnie mocniej za ręce.

— Kocham cię, do cholery! Nigdzie nie pójdziesz, póki nie wytrzeźwiejemy i nie wyjaśnimy sobie wszystkiego!

— Potrzebujesz wyjaśnień, Travis?!

Puścił moje nadgarstki. Skrzyżowałam ręce na piersi, dąsając się przez całą dalszą drogę.

Gdy zajechaliśmy na parking, nachyliłam się do Donniego.

— Możesz mnie zabrać do domu?

Travis wyciągnął mnie z samochodu, znów przełożył sobie przez ramię i ruszył na schody.

— Dobranoc, Donnie.

— Zadzwonię do twojego taty i się mu poskarżę! — zagroziłam Travisowi.

Roześmiał się głośno.

— A on pewnie poklepie mnie po plecach i spyta, czemu tak długo zwlekałem!

Chwilę borykał się z zamkiem, podczas gdy ja wierzgałam, próbując mu się wyrwać.

— Przestań wreszcie, Gołąbku, bo oboje spadniemy ze schodów.

W końcu otworzył drzwi i ciężkim krokiem wszedł do pokoju Shepleya.

— Puścisz mnie wreszcie? — zażądałam.

— Jasne — odparł, kładąc mnie na łóżku. — Prześpij się. Pogadamy jutro rano.

W pokoju panował półmrok, do środka wpadał jedynie prostokąt światła z korytarza. Próbowałam skupić wzrok, chociaż przeszkadzały mi ciemność, piwo i złość. Gdy w smudze światła dostrzegłam pełen samozadowolenia uśmiech Travisa, walnęłam pięściami w materac.

— Nie mów mi, co mam robić! Nie jestem twoją własnością!

Odwrócił się z twarzą wykrzywioną gniewem, podszedł do łóżka, oparł ręce na materacu i się nachylił.

— Ale ja jestem twoją!!! — Żyły wystąpiły mu na szyi, kiedy to wykrzyczał. Z kamienną twarzą napotkałam jego wzrok. Spojrzał na moje usta, dysząc ciężko. — Należę do ciebie... — wyszeptał. Kiedy zdał sobie sprawę z tego, jak blisko jesteśmy, nagle zmiękł.

Zanim zdążyłam pomyśleć, ujęłam jego twarz w dłonie i pocałowałam go w usta. Travis bez chwili wahania wziął mnie w ramiona i zaniósł do swojej sypialni. Oboje padliśmy na jego łóżko.

Ściągnęłam z niego koszulę i w ciemności sięgnęłam do paska. Rozpiął klamrę i odrzucił dżinsy w mrok. Jedną ręką podniósł mnie z materaca, a drugą rozpiął zamek sukienki. Zdjęłam ją przez głowę i cisnęłam na podłogę. Travis pocałował mnie, jęcząc cicho.

W mgnieniu oka zdjął bokserki i przywarł do mnie całym ciałem. Chwyciłam go za pośladki, ale oparł się, kiedy próbowałam go przyciągnąć.

— Oboje jesteśmy pijani — wysapał.

— Proszę.

Objęłam go nogami, pragnąc za wszelką cenę rozładować napięcie. Postanowił, że do siebie wrócimy, a ja nie zamierzałam walczyć z tym, co nieuniknione, więc byłam więcej niż gotowa spędzić tę noc zaplątana w jego pościel.

— To nie jest w porządku — wyznał.

Był tuż nade mną, dotykaliśmy się czołami. Miałam nadzieję, że opiera się bez przekonania i że w jakiś sposób przekonam go, iż jest w błędzie. Nie umiałam wytłumaczyć, dlaczego nie potrafimy bez siebie wytrzymać, ale nie potrzebowałam już wyjaśnienia. Ani nawet usprawiedliwienia. W tym momencie potrzebowałam tylko jego.

— Pragnę cię.

— Chcę, żebyś to powiedziała.

Całą sobą wyrywałam się do niego i czułam, że nie wytrzymam ani chwili dłużej.

— Co tylko chcesz.

— Powiedz, że jesteś moja. Że zechcesz mnie z powrotem. Nie zrobię tego, jeśli nie będziemy znów razem.

— Tak naprawdę nigdy nie byliśmy osobno — odparłam z nadzieją, że to wystarczy.

Pokręcił głową, muskając ustami moje wargi.

— Muszę usłyszeć, jak to mówisz. Muszę wiedzieć, że jesteś moja.

— Jestem twoja od chwili, gdy się poznaliśmy. — W moim głosie zabrzmiał błagalny ton.

W innych okolicznościach czułabym się zawstydzona, ale tym razem było mi już wszystko jedno. Walczyłam z uczuciami, strzegłam ich, dusiłam je w sobie. Odkąd zaczęłam studia na Eastern, przeżyłam najszczęśliwsze chwile w całym moim życiu, wszystkie z Travisem. Na zmianę kłóciliśmy się i żartowaliśmy, kochałam go i płakałam, ale przy nim byłam zawsze tam, gdzie chciałam być.

Uniósł w uśmiechu kąciki ust, dotknął mojej twarzy i pocałował mnie czule. Kiedy znów go przyciągnęłam, już się nie opierał. Naprężył mięśnie i wstrzymał oddech, wchodząc we mnie.

— Powiedz to jeszcze raz — poprosił.

— Jestem twoja — wyszeptałam. Pragnęłam go każdą cząstką ciała. — Nie chcę nigdy więcej być bez ciebie.

— Obiecaj mi — jęknął przy kolejnym pchnięciu.

— Kocham cię. Zawsze będę cię kochać. — Wypowiedziałam te słowa niewiele głośniej od westchnienia, za to patrząc mu prosto w oczy. Widziałam w przyćmionym świetle, jak znika z nich niepewność, a twarz rozpromienia się radością. Wreszcie, usatysfakcjonowany, przypieczętował to pocałunkiem.

❦

Obudził mnie pocałunkami. Głowę miałam ociężałą od nadmiaru alkoholu wypitego poprzedniego wieczoru, ale ostatnią godzinę przed snem pamiętałam wyraźnie. Travis pieścił miękkimi wargami moje dłonie, ramiona i szyję, a kiedy dotarł do ust, uśmiechnęłam się.

— Dzień dobry.

Nie odpowiedział, tylko nadal mnie całował, aż w końcu objął mnie mocno silnymi ramionami, kryjąc twarz w zagłębieniu mojej szyi.

— Wydajesz się dzisiaj dziwnie cichy — zauważyłam, przesuwając palcami po jego nagich plecach i dalej po pośladkach. Oplotłam go nogami i pocałowałam w policzek.

— Chcę być taki — szepnął, kręcąc głową.

Uniosłam brwi.

— Coś mnie ominęło?

— Nie chciałem cię budzić. Pośpij sobie jeszcze.

Oparłam się na poduszce i uniosłam jego podbródek; miał przekrwione oczy i zaczerwienioną skórę.

— Co się z tobą dzieje, do cholery? — spytałam zaniepokojona.

Wziął mnie za rękę i ją pocałował, po czym przytknął czoło do mojej szyi.

— Śpij, Gołąbku. Proszę.

— Coś się wydarzyło? Chodzi o Mare?

Usiadłam na łóżku. Wyraz jego twarzy nie zmienił się, chociaż musiał widzieć lęk w moich oczach. Westchnął tylko i usiadł obok mnie, skupiając wzrok na mojej dłoni.

— Nie... Z Mare wszystko w porządku. Wrócili z Shepleyem do domu o czwartej nad ranem. Jeszcze nie wstali. Jest wcześnie, chodźmy spać, dobrze?

Serce zaczęło mi walić; wiedziałam, że już nie zasnę. Travis dotknął moich policzków i pocałował mnie tak, jakby robił to po raz ostatni. Opuścił mnie na poduszkę, znów pocałował, objął mocno i oparł mi głowę na piersi.

Zastanawiałam się, jakie mogły być przyczyny jego dziwnego zachowania. Przytuliłam go, bojąc się zapytać.

— Spałeś?

— Nie mogłem... Nie chciałem... — Zamilkł.

Pocałowałam go w czoło.

— Nie wiem, o co chodzi, ale przejdziemy przez to razem — zapewniłam go. — Prześpij się. Porozmawiamy, kiedy się obudzisz.

Podniósł głowę i przyjrzał się uważnie mojej twarzy. Dostrzegłam w jego oczach nadzieję, a jednocześnie nieufność.

— Jak to przejdziemy przez to razem?

Ściągnęłam brwi, zdezorientowana. Nie miałam pojęcia, co mogło się wydarzyć, kiedy spałam, ani dlaczego tak bardzo teraz cierpi.

— Nie rozumiem, co się dzieje, ale jestem tutaj.

— Jesteś tutaj? To znaczy, że zostaniesz? Ze mną?

Musiałam mieć śmieszną minę, ale kręciło mi się w głowie od alkoholu i dziwacznych pytań Travisa.

— Tak. Sądziłam, że wyjaśniliśmy to sobie wczoraj wieczorem.

— No tak. — Pokiwał głową, nieco ośmielony.

W zadumie rozejrzałam się po pokoju. Nagie ściany, które zapamiętałam ze swojej pierwszej tutaj wizyty, pokryły się ozdobami z miejsc, które odwiedzaliśmy razem, a w czarnych ramkach wisiały zdjęcia moje, Toto, nasze i wspólnych przyjaciół. Zamiast sombrera nad wezgłowiem łóżka spostrzegłam dużą fotografię nas obojga, zrobioną na moim przyjęciu urodzinowym.

— Myślałeś, że obudzę się wściekła na ciebie, prawda? Że sobie pójdę?

Wzruszył ramionami, nieudolnie udając obojętność, co kiedyś przychodziło mu bez trudu.

— To twój stały numer — powiedział.

— Dlatego tak się martwisz? Nie spałeś całą noc, zastanawiając się, co zrobię, kiedy się obudzę?

Poruszył się niespokojnie, jakby się szykował na trudne wyznanie.

— Nie chciałem, żeby wczorajszy wieczór tak wyglądał. Byłem trochę pijany, nękałem cię na przyjęciu jak jakiś pieprzony prześladowca, a potem zawlokłem cię tutaj wbrew twojej woli... A jeszcze później... — Pokręcił głową, widocznie zdegustowany wspomnieniem minionej nocy.

— ...przeżyliśmy najwspanialszy seks w życiu? — Uśmiechnęłam się, ściskając jego dłoń.

Zaśmiał się i trochę odprężył.

— Czyli że wszystko w porządku?

Pocałowałam go czule, dotykając policzków.

— Jasne, głuptasie. Obiecałam, prawda? Powiedziałam wszystko, co chciałeś usłyszeć, znów jesteśmy razem, a ty dalej się zamartwiasz?

Uśmiech zniknął mu z twarzy.

— Travis, przestań, kocham cię — powiedziałam, wygładzając palcami zmarszczki niepokoju wokół jego oczu. — Mogliśmy przełamać ten absurdalny impas już w Święto Dziękczynienia, ale...

— Czekaj... Co? — przerwał mi.

— Już wtedy byłam gotowa do ciebie wrócić, ale powiedziałeś, że z nami koniec, że mam być szczęśliwa, a ja uniosłam się dumą i nie przyznałam się, że chcę być z tobą.

— Żartujesz?! Chciałem ci to ułatwić! Wiesz, jak cierpiałem?

— Po feriach wydawałeś się całkiem zadowolony.

— Grałem ze względu na ciebie! Bałem się, że całkiem cię stracę, jeśli przestanę udawać, że nadal jesteśmy przyjaciółmi i że to mi odpowiada. A mogłem wtedy być z tobą... To chcesz powiedzieć? Co ci strzeliło do głowy?

— Ja... — Nie potrafiłam się wytłumaczyć. Miał rację. Przysporzyłam cierpienia nam obojgu. — Przepraszam.

— Przepraszasz? Omal nie zapiłem się na śmierć! Prawie nie wstawałem z łóżka, a w sylwestra roztrzaskałem komórkę na milion kawałeczków, żeby tylko do ciebie nie zadzwonić! A ty przepraszasz!

Zagryzłam wargi, kiwając głową. Poczułam się zawstydzona. Nie miałam pojęcia, przez co przeszedł. Jego słowa głęboko mnie poruszyły.

— Tak mi przykro...

— Wybaczam ci. — Wreszcie uśmiechnął się szeroko. — Nie rób tego nigdy więcej.

— Obiecuję.

W uśmiechu zrobiły mu się dołeczki w policzkach.

— Kocham cię.

Rozdział dwudziesty pierwszy

Dym

Mijały kolejne tygodnie. Zaskoczyło mnie, że tak szybko nadeszła przerwa wiosenna. Tak jak można było się spodziewać, potok plotek stopniowo ustał i ludzie przestali się na nas gapić. Życie wróciło do normy. W podziemiach uczelni od tygodni nie odbyła się żadna walka. Adam postanowił przez jakiś czas trzymać się w cieniu po tym, jak w rezultacie tamtej feralnej nocy nastąpiła fala aresztowań. Z kolei Travis denerwował się, czekając niecierpliwie na wiadomość o następnej walce, ostatniej w sezonie, dzięki której mógłby opłacić rachunki i przeżyć do jesieni.

Tu i ówdzie wciąż jeszcze zalegał śnieg, a w piątek przed feriami na trawniku odbywała się ostatnia bitwa na śnieżki. Brnęliśmy we dwoje przez oblodzony chodnik do stołówki. Uchylając się przed śnieżkami, trzymałam się mocno jego ramienia, w obawie że się poślizgnę.

— Nie trafią cię, Gołąbku. Nie będą ryzykować.

Przytknął mi do policzka czerwony zimny nos.

— Zdaje mi się, że celują na oślep, nie zważając na twoje humory.

Przytulił mnie, pogłaskał po ramieniu i pewnie poprowadził dalej wśród ogólnego zamieszania. Zatrzymaliśmy się raptownie, gdy grupka dziewczyn uciekających przed gradem śnieżek z piskiem przebiegła nam drogę. Kiedy zniknęły ze ścieżki, dobrnęliśmy bezpiecznie do stołówki.

— Widzisz? Mówiłem, że się uda — powiedział z uśmiechem.

Wyraz rozbawienia przygasł na jego twarzy, gdy zbita śnieżna kula rozbiła się o drzwi tuż obok nas. Zlustrował trawnik gniewnym wzrokiem, ale na widok tłumu studentów rzucających śnieżkami na wszystkie strony szybko przeszło mu pragnienie odwetu.

Pociągnął za klamkę. Topniejący śnieg spływał na ziemię po metalowej tafli drzwi.

— Wejdźmy do środka.

Pokiwałam głową.

— Dobry pomysł.

Trzymając się za ręce, szliśmy wzdłuż bufetu i kładliśmy na tacy parujące talerze z różnymi potrawami. Kasjerka przywykła do naszych obyczajów i już kilka tygodni temu przestała patrzeć na nas ze zdumieniem.

— Abby. — Brazil skinął mi głową na powitanie i mrugnął do Travisa. — Macie jakieś plany na przyszły tydzień?

— Zostajemy tutaj. Przyjeżdżają moi bracia — odparł Travis, zajęty rozdzielaniem porcji jedzenia na dwa plastikowe talerze.

— Zamorduję Davida Lapinskiego! — zaczęła wygrażać

America, która podeszła do naszego stolika, strzepując śnieg z włosów.

— Słuszna decyzja — zażartował Shepley, po czym zachichotał nerwowo, gdy Mare posłała mu ostrzegawcze spojrzenie. — Straszny z niego dupek.

Poszła do bufetu, a my roześmialiśmy się, widząc, jak Shepley odprowadza ją rozżalonym wzrokiem, a następnie podąża za nią.

— Dał się jej owinąć wokół palca — stwierdził Brazil z niesmakiem.

— America jest trochę spięta — wyjaśnił Travis. — W tym tygodniu ma poznać jego rodziców.

Brazil pokiwał głową, po czym uniósł brwi.

— Oni naprawdę...?

Skinęłam głową.

— Naprawdę. To już postanowione.

— No, no... — Wydawał się zaszokowany. Dłubał w talerzu z wyrazem niedowierzania na twarzy. Byliśmy bardzo młodzi i nie pojmował, czemu Shepley przyjmuje na siebie takie zobowiązanie.

— Kiedyś zrozumiesz, Brazil. — Travis uśmiechnął się, patrząc na mnie.

W sali wrzało. Studenci, podekscytowani perspektywą ferii, z rozbawieniem obserwowali spektakl za oknami. Stołówka wypełniała się ludźmi i narastającym hałasem, który wszyscy starali się przekrzyczeć.

Gdy Shepley i Mare wrócili do stolika z tacami, byli już pogodzeni. Zadowolona Mare usiadła na krześle obok mnie, szczebiocząc o planowanej wizycie u przyszłych teściów. Mieli ruszyć w drogę tego wieczoru. Nic dziwnego, że ulegała zmiennym nastrojom.

Kruszyła chleb, przejęta tym, co ma spakować i ile bagażu zabrać, żeby nie wydać się pretensjonalną, ale w sumie trzymała się nieźle.

— Już ci mówiłem, kochanie. Pokochają cię. Pokochają cię tak samo jak ja — zapewnił ją Shepley, zakładając jej włosy za uszy.

Westchnęła, ale uniosła nieznacznie kąciki ust, jak zawsze, gdy Shepley starał się dodać jej otuchy.

Nagle komórka Travisa zawibrowała i przesunęła się po blacie stołu. Zignorował to, racząc Brazila opowieścią o naszej pierwszej grze w pokera z jego braćmi. Zerknęłam na wyświetlacz i klepnęłam go w ramię.

— Trav?

Natychmiast odwrócił się od Brazila, by poświęcić mi całą swoją uwagę.

— Tak, Gołąbku?

— Może jednak odbierzesz.

Spojrzał na komórkę i westchnął.

— Może jednak nie.

— A jeśli to coś ważnego?

Przytknął telefon do ucha.

— Co jest, Adam? — Rozglądał się po sali zasłuchany i od czasu do czasu kiwał głową. — To moja ostatnia walka. Nie jestem pewien. Nie przyjdę bez niej, a Shepley wyjeżdża z miasta. Wiem... Dobrze cię słyszę. Hm... właściwie to niezły pomysł.

Ściągnęłam brwi, widząc, jak się rozpromienia na myśl

o propozycji, jaką złożył mu Adam — cokolwiek to było. Kiedy się rozłączył, przyjrzałam mu się wyczekująco.

— Wystarczy na czynsz za następne osiem miesięcy. Adam zaprosił Johna Savage'a, który chce przejść na zawodowstwo.

— Nigdy nie widziałem, jak walczy, a ty? — spytał Shepley, nachylając się do nas.

Travis pokiwał głową.

— Tylko raz, w Springfield. Dobry jest.

— Nie dość dobry — wtrąciłam się; Travis pocałował mnie w czoło z wdzięcznością. — Mogę zostać w domu, Trav.

— Nie. — Pokręcił głową.

— Nie chcę, żebyś przeze mnie dał się pobić tak jak ostatnio.

— Nie, Gołąbku.

— Będę na ciebie czekać. — Udawałam, że podoba mi się ten pomysł, chociaż wcale tak nie było.

— Poproszę Trenta, żeby przyszedł. Tylko jemu mogę zaufać na tyle, żeby skupić się na walce.

— Wielkie dzięki, dupku — burknął Shepley.

— Hej, dostałeś swoją szansę — odciął się Travis tylko na wpół żartobliwie.

Jego kuzyn zrobił zawstydzoną minę. Wciąż czuł się trochę winny po tamtym wieczorze w Hellerton. Przez kilka tygodni codziennie mnie przepraszał, aż w końcu przestał o tym wspominać i cierpiał w milczeniu. America i ja próbowałyśmy go przekonać, że nie jest niczemu winny, lecz Travis do tej pory obarczał go odpowiedzialnością za to, co się stało.

— Shepley, w niczym nie zawiniłeś. Odciągnąłeś go ode

mnie, nie pamiętasz? — przypomniałam, poklepując go po plecach. — Kiedy ma się odbyć ta walka? — spytałam Travisa.

— W przyszłym tygodniu. — Wzruszył ramionami. — Chcę, żebyś tam była. Potrzebuję cię.

Uśmiechnęłam się, opierając podbródek na jego ramieniu.

— Wobec tego pójdę.

Odprowadził mnie na zajęcia, mocniej ściskając mnie za rękę, ilekroć ślizgałam się na oblodzonej ścieżce.

— Musisz bardziej uważać — rzucił z przekąsem.

— Robię to specjalnie. Straszny z ciebie frajer.

— Jeśli chcesz, żebym cię objął, wystarczy poprosić — powiedział, przytulając mnie do piersi.

Nie zwracaliśmy uwagi na mijających nas studentów i latające w powietrzu śnieżki. Travis wziął mnie na ręce i nie przestawał całować, z łatwością idąc przez kampus. Gdy wreszcie postawił mnie na ziemi przed drzwiami sali, pokręcił głową.

— W przyszłym semestrze musimy tak ułożyć sobie plan, żeby mieć więcej wspólnych zajęć.

— Pomyślę o tym — odparłam. Pocałowałam go na pożegnanie i skierowałam się do swojej ławki.

Przez chwilę jeszcze się do mnie uśmiechał, po czym udał się na swoje zajęcia w sąsiednim budynku. Moi koledzy przywykli do naszych bezwstydnych demonstracji uczuć, a jego kumple przyzwyczaili się, że zawsze parę minut się spóźnia.

Zaskoczyło mnie, jak szybko minął czas. Oddałam ostatnią pracę semestralną i wróciłam do akademika. Kara jak zwykle siedziała na łóżku. Zaczęłam grzebać w szufladach w poszukiwaniu najpotrzebniejszych rzeczy.

— Wyjeżdżasz? — spytała.

— Nie, ale muszę się spakować. Umówiłam się z Travem na wydziale nauk ścisłych. Następny tydzień spędzę u niego.

— Tak myślałam — mruknęła, nie odrywając oczu od książki.

— Miłych ferii, Karo.

— Aha.

Uczelnia opustoszała, jeśli nie liczyć kilku maruderów. Za rogiem zobaczyłam Travisa, który dopalał papierosa. Na ogolonej głowie miał wełnianą czapkę. Jedną rękę trzymał w kieszeni znoszonej ciemnobrązowej skórzanej kurtki. Wydmuchiwał dym przez nos i wpatrywał się w ziemię, pogrążony w myślach. Dopiero gdy podeszłam blisko, zobaczyłam, że coś naprawdę go dręczy.

— Co jest, kochanie? — Nie podniósł wzroku. — Travis?

Zamrugał na dźwięk mojego głosu i zdobył się na wymuszony uśmiech.

— Hej, Gołąbku.

— Wszystko w porządku?

— Teraz już tak — odparł, przytulając mnie.

— Dobra, o co chodzi? — Uniosłam brwi i skrzywiłam się, nie dowierzając jego słowom.

— Dużo myślałem... — Westchnął. Nie odzywałam się, czekając na ciąg dalszy. — Ostatni tydzień, walka, ty...

— Powiedziałam ci. Zostanę w domu.

— Chcę, żebyś tam była. — Rzucił papierosa na ziemię. Przez chwilę patrzył, jak niedopałek znika w topniejącym śniegu, po czym pociągnął mnie za sobą na parking.

— Rozmawiałeś z Trentem? — spytałam.

Pokręcił głową.

— Czekam, aż do mnie oddzwoni.

America opuściła szybę i wystawiła głowę przez otwarte okno dodge'a.

— Pośpieszcie się! Jest lodowato!

Travis uśmiechnął się, przyśpieszając kroku. Otworzył mi drzwi. Shepley i America po raz kolejny powtarzali rozmowę, jaką odbywali w nieskończoność, odkąd Mare dowiedziała się, że Shep chce przedstawić ją swoim rodzicom. Gdy Travis w milczeniu wyglądał przez okno, zabrzęczała jego komórka.

— Co, u diabła, Trent? Dzwoniłem cztery godziny temu. Przecież nie pracujesz. Wszystko jedno. Słuchaj. Chciałbym, żebyś mi wyświadczył przysługę. W przyszłym tygodniu walczę. Musisz przyjść. Nie, nie wiem dokładnie kiedy, zadzwonię. Musisz pojawić się w ciągu godziny. Możesz to dla mnie zrobić? Możesz czy nie, gnojku? Chcę, żebyś miał oko na Gołąbka. Ostatnim razem jakiś dupek dobierał się do niej i... No tak... — Ściszył głos. — Jasne, zająłem się tym. Więc jeśli zadzwonię... Dzięki, Trent.

Rozłączył się, zatrzaskując klapę komórki, i oparł głowę na zagłówku fotela.

— Ulżyło ci? — spytał Shepley, obserwując go w lusterku wstecznym.

— Tak. Nie byłem pewien, jak sobie bez niego poradzę.

— Mówiłam ci... — odezwałam się błagalnym tonem.

— Gołąbku... Ile razy mam to powtarzać?

Pokręciłam głową, zirytowana jego niecierpliwym tonem.

— Nie rozumiem. Kiedyś nie byłam ci potrzebna.

Pogłaskał mnie po policzku.

— Kiedyś nawet cię nie znałem. Jeśli cię nie ma, nie potrafię się skupić. Zastanawiam się, gdzie jesteś, co robisz... A gdy jesteś, gdy cię widzę, mogę się skoncentrować na walce. Wiem, że to brzmi głupio, ale tak jest.

— I to mi się podoba — skwitowałam, całując go w usta.

— No jasne — wyszeptała America.

❦

W mrocznych podziemiach Keaton Hall Travis mocno mnie przytulił. W zimnym wieczornym powietrzu mieszała się para z naszych oddechów. Przez ścianę słyszałam ciche odgłosy rozmów.

Keaton było najstarszym budynkiem w całym college'u i chociaż walki odbywały się tu już wcześniej, dziwnie się niepokoiłam. Adam spodziewał się tłumu kibiców, a w Keaton było mało miejsca. Przy wiekowych ceglanych ścianach stały rusztowania z belek — znak, że piwnice właśnie odnawiano.

— To jeden z gorszych pomysłów Adama — wyraził swą opinię Travis z nabzdyczoną miną.

— Za późno na zmianę decyzji — zauważyłam, spoglądając na rusztowanie.

Zadzwoniła komórka Travisa. Gdy odebrał, w blasku wyświetlacza jego twarz rozbłysła na niebiesko. Zmarszczył czoło, po czym wystukał parę numerów, zamknął telefon i objął mnie mocno.

— Mam wrażenie, że się denerwujesz — wyszeptałam.

— Poczuję się lepiej, kiedy zjawi się Trent.

— Jestem tu, marudna mała dziewczynko... — odezwał się Trent ściszonym głosem. Ledwie widziałam w mroku jego twarz, ale chyba się uśmiechał. — Jak się czujemy? — spytał. Przytulił mnie jedną ręką, a drugą żartobliwie pchnął Travisa.

— Nieźle, Trent.

Travis od razu się odprężył, wziął mnie za rękę i poprowadził na tył budynku.

— Jeśli zjawią się gliny i zostaniemy rozdzieleni, spotkamy się później w akademiku, dobrze? — zwrócił się do brata.

Przystanęliśmy przy znajdującym się tuż nad ziemią okienku piwnicznym. Było otwarte, co oznaczało, że Adam jest w środku i czeka.

— Chyba sobie żartujesz — burknął Trenton. — Nawet Abby ledwie się tędy przeciśnie.

— Bez obaw — uspokoił go brat, wpełzając w mrok.

Jak tyle razy przedtem, wślizgnęłam się za nim do środka, wiedząc, że na dole mnie pochwyci.

Odczekaliśmy chwilę. Trenton stęknął, odepchnął się od parapetu i wylądował na betonowej podłodze, omal nie tracąc równowagi.

— Masz szczęście, że kocham Abby. Nie zrobiłbym tego dla byle kogo — mruknął, otrzepując koszulę.

Travis podskoczył i zatrzasnął okienko.

— Tędy — powiedział, prowadząc nas pośród ciemności.

Mijaliśmy kolejne korytarze. Ściskałam Travisa za rękę, podczas gdy Trenton szedł za nami, trzymając się mojego T-shirtu. Kawałki żwiru chrzęściły mi pod nogami na betonowej podłodze. Otwierałam szeroko oczy, żeby przyzwyczaić je do ciemności, ale z braku światła nie mogłam skupić wzroku.

Po trzecim zakręcie Trenton westchnął.

— W życiu nie odnajdziemy drogi powrotnej.

— Po prostu idź za mną. Będzie dobrze — odparł Travis, poirytowany narzekaniem brata.

Kiedy zrobiło się nieco jaśniej, wiedziałam, że jesteśmy blisko. Gdy cichy pomruk tłumu urósł do dzikiego wrzasku, zorientowałam się, że jesteśmy na miejscu. Mała sala, w której Travis zwykle czekał, aż zostanie wywołany, zazwyczaj była wyposażona w jedną lampę i jedno krzesło, ale tym razem, z powodu prac remontowych, znajdowało się tu mnóstwo ławek, krzeseł i innych sprzętów przykrytych białymi płachtami.

Kiedy Travis z Trentonem omawiali strategię walki, wyjrzałam na zewnątrz. W zbitym tłumie panował taki sam zamęt jak podczas ostatniej walki, tyle że na mniejszej przestrzeni. Meble w zakurzonych pokrowcach ustawiono pod ścianami, żeby zrobić więcej miejsca dla widzów.

W sali panował półmrok. Przypuszczałam, że Adam chciał zadbać o to, żebyśmy nie zwracali na siebie uwagi. Lampy, zwisające z sufitu, rzucały blade światło na banknoty unoszone wysoko, w miarę jak wciąż obstawiano zawodników.

— Gołąbku, słyszałaś? — Travis dotknął mojego ramienia.

— Co mówiłeś? — spytałam, mrugając.

— Chcę, żebyś stanęła przy tych drzwiach, dobrze? I przez cały czas trzymaj Trenta za rękę.

— Nie ruszę się stąd. Obiecuję.

Uśmiechnął się, demonstrując perfekcyjne dołeczki w policzkach.

— Teraz to ty wyglądasz na zdenerwowaną.

Zerknęłam na drzwi.

— Mam złe przeczucia, Trav. Nie chodzi o walkę, ale... Nie wiem, czemu to miejsce przyprawia mnie o gęsią skórkę.

— Nie zostaniemy tu długo — zapewnił mnie.

Adam przemówił przez megafon i poczułam na policzkach ciepłe znajome dłonie.

— Kocham cię.

Travis objął mnie mocno i podniósł, a potem pocałował. W końcu opuścił mnie na podłogę, chwycił dłoń Trenta i położył ją na moim ramieniu.

— Nie spuszczaj z niej oka — nakazał bratu. — Nawet na sekundę. Kiedy zacznie się walka, to miejsce zamieni się w piekło.

— Witamy naszych zawodników! — odezwał się Adam przez megafon. — John Savage...

— Będę jej strzegł z narażeniem życia, braciszku. — Trenton otoczył mnie ramieniem. — A teraz idź, dokop temu gnojkowi i wynośmy się stąd jak najprędzej.

— ...i Travis „Wściekły Pies" Maddox! — ryknął Adam przez megafon.

Gdy Travis przeciskał się przez tłum, powstał ogłuszający hałas. Zerknęłam na Trentona, który uśmiechał się nieznacznie. Ktoś inny mógłby tego nie zauważyć, ale ja dostrzegałam w jego wzroku dumę z brata.

Kiedy Travis stanął na środku kręgu, z trudem przełknęłam ślinę. John był niewiele potężniejszy, ale wyglądał zupełnie inaczej niż pozostali zawodnicy, których dotąd oglądałam, łącznie z tym w Vegas. Nie próbował, jak inni, zastraszyć przeciwnika surowym spojrzeniem. Przyglądał mu się uważnie, w myślach przygotowując plan walki. W jego oczach nie dostrzegłam śladu rozsądku. Travis nie tylko musiał stoczyć walkę — miał przed sobą demona.

Zresztą sam chyba widział różnicę. Tym razem nie uśmiechał się jak zwykle, tylko patrzył w skupieniu na przeciwnika. Gdy rozległ się dźwięk rogu, John zaatakował.

— Jezu... — Ścisnęłam ramię Trentona.

Poruszał się identycznie jak Travis, jakby stanowili jeden organizm. Sztywniałam, ilekroć John brał zamach, i z trudem powstrzymywałam się od zamykania oczu. Nie chybiał; był przebiegły i precyzyjny. Inne walki Travisa wydawały się niedbałe w porównaniu z tą. Surowa siła ciosów budziła strach i podziw, jakby cała rzecz miała swoją choreografię i została przećwiczona do perfekcji.

W zastałym, ciężkim powietrzu unosił się kurz z pokrowców na meble i z każdym gwałtownym wdechem drażnił mi gardło. Im dłużej trwała walka, tym gorsze miałam przeczucia. Nie potrafiłam się z nich otrząsnąć, a jednak mimo woli nie ruszałam się z miejsca, żeby Travis mógł się skupić.

Kiedy jak zahipnotyzowana śledziłam ten podziemny spektakl, ktoś z całej siły mnie popchnął. Pod wpływem uderzenia odrzuciłam głowę do tyłu, po czym mocniej chwyciłam Trentona za rękę, żeby zostać tam, gdzie obiecałam. Trenton odwrócił się gwałtownie, złapał za koszule dwóch stojących za nami mężczyzn i powalił ich na ziemię niczym szmaciane lalki.

— Cofnijcie się, kurwa, bo zabiję! — wrzasnął do gapiów, którzy patrzyli na mężczyzn leżących na podłodze.

Gdy ścisnęłam go mocniej za rękę, poklepał mnie po dłoni.

— Trzymam cię, Abby. Oglądaj walkę.

Travis radził sobie całkiem nieźle. Westchnęłam, kiedy zadał pierwszą ranę. Tłum głośno zawył, ale kibice wokół nas, pomni ostrzeżenia Trentona, trzymali się na bezpieczną odległość. Travis zadał mocny cios, zerknął na mnie przelotnie i znów przeniósł wzrok na Johna. Poruszał się zwinnie, z precyzją, jakby przewidywał kolejne ruchy przeciwnika.

John, wyraźnie zniecierpliwiony, objął go ramionami i pociągnął na podłogę. Tłumek otaczający prowizoryczny ring jeszcze bardziej się ścieśnił. Kiedy akcja przeniosła się do parteru, kibice pochylili głowy.

— Nie widzę go, Trent! — zawołałam, podskakując na palcach.

Trenton wypatrzył obok drewniane krzesło Adama, płynnym ruchem wziął mnie pod rękę i pomógł mi na nie wejść.

— Teraz widzisz?

— Tak — powiedziałam, dla równowagi przytrzymując się jego ramienia. — Travis jest na górze, ale John obejmuje go nogami za szyję.

Trenton stanął na palcach, pochylił się nieco i wolną dłonią zakrył usta.

— Trzaśnij go w dupę, Travis!

Spojrzałam w dół na Trentona, po czym skupiłam wzrok na ringu. W pewnym momencie Travis spróbował się podnieść, lecz John wciąż ściskał go mocno za kark. Travis opadł w końcu na kolana i z całej siły cisnął przeciwnikiem o beton. Nogi Johna opadły bezwładnie, a Travis, wyswobodzony z uścisku, uniósł łokieć i zaczął okładać go pięściami, dopóki Adam go nie odciągnął i nie narzucił na zwiotczałe ciało Johna kwadratowego kawałka czerwonego materiału.

Publiczność zawrzała, głośno wiwatując. Kiedy Adam podniósł rękę Travisa, Trenton objął mnie za nogi i pokazał bratu znak zwycięstwa. Ten uśmiechnął się do mnie zakrwawionymi ustami. Jego prawe oko już zaczęło puchnąć.

Gdy pieniądze przechodziły z rąk do rąk, a tłum z wolna się rozpraszał, moją uwagę zwróciła wisząca w rogu lampa naftowa. Kołysała się i migotała gwałtownie. Nafta kapała na płachtę materiału. Zamarłam.

— Trent?

Spojrzał na mnie. Ruchem głowy wskazałam tamto miejsce. W tej samej chwili lampa wyślizgnęła się z uchwytu i spadła na płachtę, która natychmiast zajęła się ogniem.

— Jasna cholera! — wrzasnął Trenton, chwytając mnie za nogi.

Kilku stojących w pobliżu mężczyzn odskoczyło gwałtownie do tyłu. Patrzyli w osłupieniu, jak ogień się rozprzestrzenia. W kącie sali unosiły się kłęby czarnego dymu. Wszyscy naraz rzucili się do wyjścia.

Napotkałam wzrok Travisa. Na jego twarzy malował się wyraz autentycznego przerażenia.

— Abby! — zawołał i zaczął przepychać się do mnie przez morze ludzi.

— Szybciej! — krzyknął Trenton, zdejmując mnie z krzesła.

Zrobiło się ciemno, a z drugiego końca sali dobiegały głośne trzaski. Kolejne lampy zapalały się i wybuchały. Trenton złapał mnie za rękę i pociągnął za sobą, próbując przecisnąć się przez tłum.

— Nie możemy wyjść tędy! — zaprotestowałam. — Musimy wrócić tą samą drogą, którą przyszliśmy!

Rozejrzał się, analizując w myślach plan ucieczki. Znów spojrzałam na Travisa, który starał się do nas dołączyć, ale tłum napierał, pchając go w przeciwną stronę. Podniecone wiwaty, rozbrzmiewające jeszcze przed chwilą, przeszły w okrzyki przerażenia. Wszyscy desperacko przeciskali się do drzwi.

Trenton pociągnął mnie do wyjścia. Obejrzałam się za siebie.

— Travis! — zawołałam, wyciągając do niego ręce.

Kasłał i machał rękami, rozganiając dym.

— Tędy, Trav! — zawołał do niego brat.

— Spieprzajcie stąd, Trent! Wyprowadź ją na zewnątrz! — odkrzyknął Travis, kaszląc.

Trenton spojrzał na mnie, pełen wątpliwości. W jego oczach zobaczyłam strach.

— Nie wiem, jak stąd wyjść — wyznał.

Znów obejrzałam się na Travisa, którego postać ledwie majaczyła wśród płomieni.

— Travis!

— Uciekajcie! Spotkamy się na zewnątrz! — Jego głos nikł w ogólnym zamieszaniu.

Chwyciłam Trenta za rękaw.

— Tędy! — krzyknęłam.

Łzawiły mi oczy — ze strachu i od dymu. Dziesiątki spanikowanych ludzi odgradzały Travisa od wyjścia.

Trzymałam się mocno jego brata, po drodze spychając wszystkich na bok. Gdy dotarliśmy do wyjścia, rozejrzałam się wokół — w poświacie ognia jarzyły się słabo dwa korytarze.

— Tędy — powiedziałam.

— Na pewno? — Głos Trentona był pełen lęku i wątpliwości.

— Szybko! — Pociągnęłam go za rękę.

Im prędzej biegliśmy, tym ciemniej robiło się wokół. Po paru minutach oddychało mi się łatwiej, bo w korytarzach nie było dymu, lecz wciąż słyszałam przerażone okrzyki, coraz głośniejsze i coraz bardziej rozpaczliwe, co tylko podsycało moje pragnienie wydostania się na zewnątrz. Szłam przed siebie szybko i wytrwale. Za drugim zakrętem poruszaliśmy się już całkiem po omacku. Jedną rękę trzymałam przed sobą, macając ściany, drugą ściskałam dłoń Trentona.

— Myślisz, że zdołał się wydostać? — spytał.

Jego pytanie wytrąciło mnie z równowagi, wolałam nie zastanawiać się nad odpowiedzią.

— Lepiej się nie zatrzymujmy — wykrztusiłam.

Opierał się przez chwilę, ale gdy znów pociągnęłam go za sobą, zamigotało światełko. Podniósł zapalniczkę, mrużąc oczy w poszukiwaniu wyjścia z tej ciasnej przestrzeni. Podążyłam za światłem i na widok drzwi wydałam z siebie stłumiony okrzyk.

— Tędy — powiedziałam, ciągnąc Trentona za rękę.

Kiedy wpadłam do następnej sali, zderzyłam się z ludźmi, którzy powalili mnie na ziemię. Trzy dziewczyny i dwaj chłopcy o ubrudzonych twarzach patrzyli na mnie szeroko otwartymi, pełnymi lęku oczami.

Jeden z nich wyciągnął rękę i pomógł mi wstać.

— Tam na dole są okna, przez które możemy wyjść — rzucił.

— Właśnie stamtąd przyszliśmy. Nic tam nie ma. — Pokręciłam głową.

— Widocznie je przeoczyliście. Wiem, że tam są.

Trenton szarpnął mnie za ramię.

— Chodź, Abby, znają drogę do wyjścia.

Znów pokręciłam głową.

— Tędy przyszliśmy z Travisem. — Szarpnął mnie mocniej. — Jestem tego pewna.

— Obiecałem mu, że nie spuszczę cię z oka. Idziemy z nimi.

— Trent, już tam byliśmy. Nie widziałam żadnych okien.

— Chodźmy już, Jason! — zawołała jedna z dziewczyn.

— Idziemy — odparł chłopak, patrząc na Trenta.

Ten znów mnie pociągnął, ale mu się wyrwałam.

— Trent, proszę! To na pewno tutaj, zapewniam cię!

— Idę z nimi. I ty też, błagam.

Pokręciłam głową; łzy płynęły mi po policzkach.

— Już tu byłam. Tam nie ma wyjścia!

— Idziesz ze mną! — wrzasnął, po raz kolejny szarpiąc mnie za ramię.

— Przestań, Trent! To nie ta droga! — zawołałam.

Poślizgnęłam się na betonowej posadzce, a kiedy poczułam gryzący dym, szarpnęłam się i pobiegłam w przeciwną stronę.

— Abby! Abby! — krzyknął za mną Trenton.

Pędziłam przed siebie, wyciągając ręce do przodu, żeby nie wpaść na ścianę.

— Chodź z nami! — ponagliła go dziewczyna. — Z nią zginiesz!

Uderzyłam ramieniem o krawędź muru, zawirowałam i upałam. Przeczołgałam się kawałek, wysuwając przed siebie drżącą dłoń. Gdy wymacałam palcami ściankę z gipsu, wstałam i ruszyłam wzdłuż niej. W końcu wyczułam futrynę drzwi i weszłam do kolejnej sali.

Mimo bezkresnej ciemności zwalczyłam odruch paniki. Starałam się iść prosto do następnego załomu. Minęło kilka minut. Z tyłu dobiegły mnie jęki i zawodzenie. Poczułam, jak wzbiera we mnie strach.

— Proszę — wyszeptałam w gęstym mroku. — Niech to będzie droga do wyjścia.

Wymacałam kolejną futrynę, a kiedy stanęłam w drzwiach, moim oczom ukazała się srebrzysta poświata. Światło księżyca sączyło się przez szybę okienka. Załkałam.

— Trent! — zawołałam. — To tutaj! Trent! — Zmrużyłam oczy, dostrzegłszy w ciemności jakiś ruch. — Trent! — krzyknęłam głośno. Serce zatrzepotało mi w piersi.

Z początku myślałam, że cienie migoczące na ścianach to ludzie, tymczasem zobaczyłam szybko rozprzestrzeniające się płomienie. Zamarłam z przerażenia.

— O mój Boże — jęknęłam, spoglądając na piwniczne okienko. Travis zatrzasnął je za nami, a ja byłam zbyt niska, żeby go dosięgnąć.

Rozejrzałam się za czymś, na czym mogłabym stanąć. Zauważyłam kilka mebli w białych pokrowcach. Takich samych jak te, które zajmując się ogniem, zamieniały piwnice w morze ognia.

Ściągnęłam białą płachtę z jednego z biurek i zrzuciłam ją na posadzkę. Wokół wzbiła się chmura kurzu. Przeciągnęłam ciężki drewniany mebel pod okno i wspięłam się na niego, kasząc od dymu, który powoli wdzierał się do środka. Okienko wciąż było dla mnie za wysoko.

Stęknęłam z wysiłku, próbując je otworzyć. Niezdarnie przekręcałam klamkę, bez rezultatu.

— No dalej, do cholery! — wrzasnęłam.

Odchyliłam się do tyłu, całym ciałem próbując nabrać impetu. Kiedy to nie zadziałało, wsunęłam paznokcie pod krawędź framugi i ciągnąc z całej siły, omal ich nie wyrwałam. Kątem oka dostrzegłam błysk światła i krzyknęłam na widok ognia, który pochłaniał białe płachty w korytarzu, w którym byłam przed chwilą.

Spojrzałam w górę na okno. Podjęłam jeszcze jedną próbę wyważenia framugi. Krwawiły mi opuszki palców, metalowe krawędzie wrzynały się w skórę. W końcu instynkt wziął górę nad wszystkimi zmysłami — zacisnęłam dłonie w pięści i walnęłam w szybę. Na szkle pojawiły się niewielkie pęknięcie i moja krew.

Ponownie uderzyłam w okno pięścią, po czym zdjęłam but i rąbnęłam nim z całej siły. W oddali usłyszałam syreny. Zaszlochałam, bezradnie bijąc dłońmi o szybę. Całe moje dalsze życie było zaledwie parę centymetrów ode mnie, po drugiej stronie okna. Jeszcze raz uczepiłam się framugi, po czym zaczęłam uderzać w szybę obiema pięściami.

— Na pomoc! — krzyknęłam. Ogień zbliżał się błyskawicznie. — Niech ktoś mi pomoże!

Nagle za plecami usłyszałam cichy kaszel.

— Gołąbku?

Odwróciłam się gwałtownie na dźwięk znajomego głosu. W drzwiach pojawił się Travis z twarzą i ubraniem pobrudzonymi sadzą.

— Travis! — zawołałam.

Zeskoczyłam z biurka i podbiegłam do niego. Był wyczerpany i brudny.

Rzuciłam mu się w ramiona. Objął mnie mocno, krztusząc się i z trudem łapiąc oddech. Dotknął moich policzków.

— Gdzie Trent? — spytał słabym, ochrypłym głosem.

— Poszedł z nimi! — ryknęłam, zalewając się łzami. — Przekonywałam go, że znam drogę, ale nie chciał słuchać!

Ze ściągniętymi brwiami spojrzał na zbliżające się płomienie. Odetchnęłam ciężko i zakasłałam, czując w płucach dym. Travis miał oczy pełne łez.

— Wydostanę nas stąd, Gołąbku.

Pocałował mnie w usta szybko i stanowczo, po czym wspiął się na moją prowizoryczną drabinę.

Naparł na okno, próbując je otworzyć. Z wysiłku drżały mu mięśnie.

— Cofnij się, Abby! Muszę stłuc szybę.

Bałam się ruszyć, ale cofnęłam się o krok, dzielący mnie od jedynej drogi ucieczki. Travis zgiął łokieć, zamierzył się i z dzikim krzykiem walnął w okno. Odwróciłam się, pokrwawionymi dłońmi osłaniając twarz przed odłamkami szkła.

— Szybko! — zawołał, wyciągając do mnie rękę.

Od ognia robiło się coraz goręcej. Wreszcie Travis podniósł mnie i wypchnął przez okienko.

Na zewnątrz uklękłam, czekając na niego. Gdy się wygramolił, pomogłam mu wstać. Z drugiej strony budynku huczały syreny, na murach tańczyły czerwono-niebieskie światła samochodów policyjnych i wozów strażackich.

Podbiegliśmy do grupki osób stojących przed budynkiem, szukając wśród nich Trentona. Travis coraz bardziej rozpaczliwie wykrzykiwał imię brata. Wydobył z kieszeni komórkę, żeby sprawdzić nieodebrane połączenia, po czym zamknął ją z trzaskiem i zakrył usta poczerniałą dłonią.

— Trent! — krzyknął, wyciągając szyję.

Ci, którym udało się wydostać z podziemi, obejmowali się, cicho popłakując. Z przerażeniem obserwowali strażaków lejących wodę i wskakujących do piwnic z sikawkami.

Travis przeczesał palcami szczecinę na głowie.

— On nie wyszedł, Gołąbku — szepnął. — Nie wyszedł.

Wstrzymałam oddech, widząc, jak sadza na jego policzkach spływa razem ze łzami. Opadł na kolana, a ja razem z nim.

— Trent to bystry chłopak, Trav. Jakoś się wydostał. Na pewno znalazł inne wyjście — pocieszyłam go bez przekonania.

Wtulił się we mnie, uczepiony mojego T-shirtu. Objęłam go mocno, nie wiedząc, co innego mogę zrobić.

Minęła godzina. Ucichły krzyki i zawodzenie ocalonych i gapiów. Z coraz bardziej słabnącą nadzieją obserwowaliśmy strażaków, którzy wynieśli z piwnicy dwie osoby. Sanitariusze opatrywali rannych, karetki odjeżdżały w mrok z poparzonymi. Wciąż czekaliśmy. Pół godziny później wyniesiono ciała tych, których nie dało się już uratować. Wszędzie wokół leżały ofiary pożaru, a było ich znacznie więcej niż tych, którzy zdołali uciec. Travis nie spuszczał wzroku z drzwi, mając nadzieję ujrzeć brata.

— Travis?

Odwróciliśmy się jednocześnie. Obok nas przystanął Adam. Travis wstał z kolan.

— Cieszę się, że wam się udało — powiedział wstrząśnięty i oszołomiony Adam. — Gdzie Trent?

Travis nie odpowiedział.

Znów spojrzeliśmy na zwęglone szczątki Keaton Hall. Z okien budynku wydobywał się gęsty czarny dym. Schowałam twarz na piersi Travisa i mocno zacisnęłam powieki w nadziei, że za chwilę obudzę się z koszmaru.

— Muszę... muszę zadzwonić do taty — wykrztusił Travis. Ściągnął brwi, wyjmując z kieszeni komórkę.

Westchnęłam głęboko. Miałam nadzieję, że mój głos zabrzmi przekonująco.

— Może powinieneś zaczekać. Jeszcze nic nie wiemy.

Z drżącymi wargami wpatrywał się w wyświetlacz.

— Cholera, to nie jest w porządku. Nie powinien tam być.

— To był wypadek. Nie mogłeś tego przewidzieć. — Pogłaskałam go po policzku.

Rysy mu stężały. Zamknął oczy. Wziął głęboki oddech i wystukał numer ojca.

Rozdział dwudziesty drugi

Podróż samolotem

Na wyświetlaczu zamiast numeru pojawiło się imię. Travis otworzył szeroko oczy.

— Trent? — Uśmiechnął się, zaskoczony i rozpromieniony. — To Trent! — Gdy to powiedział, wstrzymałam oddech, ściskając go za ramię. — Gdzie jesteś? W akademiku? Będę tam za chwilę, nie waż się ruszyć!

Popędziłam za nim przez kampus, ledwie nadążając. Gdy dotarliśmy do akademika, z trudem łapałam oddech. Travis wbiegł na górę po schodach, ciągnąc mnie za sobą.

— Jezu Chryste, braciszku! Już myślałem, że się sfajczyłeś! — wykrzyknął Trenton, obejmując nas oboje.

— Ty dupku! — wrzasnął Travis, odpychając go. — Myślałem, że nie żyjesz! Czekałem, aż wyniosą twoje ciało!

Przez chwilę patrzył na brata z marsową miną, po czym przytulił go mocno, a zaraz potem mnie też przyciągnął do siebie. Po paru minutach wypuścił z objęć Trenta, a mnie wciąż obejmował.

Trent spojrzał na mnie ze skruszoną miną.

— Przepraszam, Abby. Spanikowałem.

Pokręciłam głową.

— Cieszę się, że nic ci się nie stało.

— Mnie? Lepiej byłoby, żebym się tam spalił, niż gdyby Travis zobaczył, jak wychodzę bez ciebie. Próbowałem cię odszukać, kiedy mi uciekłaś, ale się zgubiłem. Chodziłem wokół budynku, szukając tamtego okienka, ale dorwały mnie gliny i kazali mi spadać. Myślałem, że oszaleję! — Przeczesał palcami krótkie włosy.

Travis otarł kciukami moje policzki, a następnie podciągnął podkoszulek, żeby wytrzeć twarz z sadzy.

— Wynośmy się stąd. Lada moment zaroi się tu od gliniarzy. — Ponownie przytulił brata.

Zeszliśmy na dół do hondy Mare. Travis patrzył, jak zapinam pas. Zaniepokoił się, gdy zakasłałam.

— Może powinienem zawieźć cię do szpitala, żeby cię zbadali.

— Nic mi nie jest — powiedziałam, biorąc go za rękę. Spostrzegłam głęboką ranę na jego knykciach. — Skaleczyłeś się w walce czy tłukąc szybę?

— Tłukąc szybę — odparł. Zerknął na moje pokrwawione paznokcie.

— Uratowałeś mi życie, wiesz?

— Nie wyszedłbym bez ciebie.

— Wiedziałam, że po mnie przyjdziesz — wyszeptałam, ściskając jego dłoń.

Trzymaliśmy się za ręce przez całą drogę do mieszkania. Nie potrafiłam powiedzieć, czyją krew z siebie zmywam, gdy spływała ze mnie pod prysznicem wraz z popiołem. Kiedy położyłam się do łóżka, wciąż czułam dym i swąd poparzonych ciał.

Travis podał mi szklankę wypełnioną złocistym płynem.

— Napij się. To pomoże ci się odprężyć.

— Nie jestem zmęczona.

— Mimo wszystko spróbuj odpocząć, Gołąbku. — Miał przekrwione oczy i wyraz znużenia na twarzy.

— Niemal boję się zamknąć oczy — powiedziałam, przełykając whisky.

Odebrał ode mnie szklankę, postawił ją na stoliku nocnym i usiadł koło mnie. Milczeliśmy, a wydarzenia z ostatnich kilku godzin powoli docierały do naszej świadomości. Zacisnęłam mocno powieki na wspomnienie przerażonych okrzyków ludzi uwięzionych w piwnicy. Nie byłam pewna, ile czasu minie, zanim o tym zapomnę, jeśli w ogóle mi się to uda.

Wyrwałam się z mojego koszmaru na jawie dopiero wtedy, gdy Travis położył mi na kolanie ciepłą dłoń.

— Wiele osób dzisiaj zginęło.

— Wiem.

— Dopiero jutro dowiemy się ile.

— W drodze do wyjścia minęliśmy z Trentem grupkę studentów. Ciekawe, czy im się udało. Byli tacy wystraszeni...

Zbierało mi się na płacz, ale zanim łzy popłynęły mi po policzkach, Travis objął mnie silnymi ramionami. Od razu poczułam się pewnie i bezpiecznie. Wcześniej przerażało mnie, że tak mi z nim dobrze, ale w tej chwili byłam wdzięczna, odnajdując poczucie bezpieczeństwa po tych okropnych wydarzeniach. Tylko z jednego powodu mogłam się tak przy nim czuć.

Należałam do niego.

Wtedy już wiedziałam. Bez cienia wątpliwości, bez obaw, co powiedzą inni, bez strachu przed konsekwencjami. Uśmiechnęłam się na myśl o słowach, które miałam wypowiedzieć.

— Travis? — Wtuliłam się w jego pierś.

— Co, kochanie? — spytał szeptem.

Jednocześnie zadzwoniły nasze telefony. Podałam mu jego komórkę i odebrałam swoją.

— Halo?

— Abby?! — wrzasnęła America.

— Wszystko w porządku, Mare. Nic nam się nie stało.

— Właśnie się dowiedzieliśmy! Mówią o tym we wszystkich wiadomościach!

Obok mnie Travis relacjonował wydarzenia Shepleyowi, podczas gdy ja próbowałam uspokoić przyjaciółkę. Odpowiadałam na dziesiątki pytań i starając się o wyważony ton, opisywałam najbardziej przerażające sceny w całym moim życiu. Odprężyłam się w chwili, gdy Travis położył mi dłoń na ramieniu.

Miałam wrażenie, że opowiadam cudzą historię — bezpieczna u niego w mieszkaniu, daleko od koszmaru, który mógł spowodować naszą śmierć. America rozpłakała się, kiedy skończyłam. Zdała sobie sprawę, jak niewiele dzieliło nas od najgorszego.

— Zaraz zacznę się pakować. Rano będziemy w domu. — Pociągnęła nosem.

— Nie śpieszcie się, Mare. Nic nam nie jest.

— Muszę się z tobą zobaczyć. Muszę cię przytulić i upewnić się, że wszystko w porządku.

— Nie martw się. Przytulisz mnie w piątek.

Chlipnęła.

— Kocham cię, Abby.

— Ja ciebie też. Bawcie się dobrze.

Travis spojrzał na mnie i przycisnął do ucha komórkę.

— Zajmij się swoją dziewczyną, Shep. Chyba jest roztrzęsiona. Wiem, stary... Ja też. Do zobaczenia.

Rozłączyliśmy się niemal równocześnie i przez chwilę siedzieliśmy w milczeniu, jakby nadal nie wierząc w to, co się stało. Po paru minutach Travis oparł się o poduszkę i przyciągnął mnie do piersi.

— Z Mare wszystko w porządku? — spytał, patrząc w sufit.

— Zdenerwowała się, ale przyjdzie do siebie.

— Całe szczęście, że ich tam nie było.

Zacisnęłam zęby. Nawet nie pomyślałam, co mogłoby się stać, gdyby nie pojechali do rodziców Shepleya. Przypomniałam sobie przerażone spojrzenia dziewczyn z piwnicy, uciekających w tłumie chłopaków, po czym w ich miejsce stanęła mi przed oczami wystraszona twarz Mare. Poczułam mdłości na myśl o jej pięknych blond włosach, ubrudzonych i nadpalonych, rozrzuconych na trawniku wśród ciał innych ofiar.

— Całe szczęście — powiedziałam, wzdrygając się.

— Przepraszam. Dość dzisiaj przeszłaś. Nie powinienem pogarszać sprawy.

— Ty też tam byłeś, Trav.

Milczał przez chwilę. Gdy otworzyłam usta, żeby coś dodać, odetchnął głęboko.

— Rzadko się boję — wyznał w końcu. — Bałem się tego ranka, kiedy się obudziłem, a ciebie nie było. Bałem się, gdy mnie zostawiłaś po powrocie z Vegas. Bałem się, kiedy sądziłem, że będę musiał powiedzieć tacie o śmierci Trentona w pożarze. Ale gdy zobaczyłem cię w tej piwnicy pośród płomieni... przeraziłem się. Dopadłem drzwi, byłem tak blisko wyjścia, ale... po prostu nie mogłem stamtąd wyjść bez ciebie.

— Co ty mówisz? Zwariowałeś? — Obróciłam głowę gwałtownie, żeby spojrzeć mu w oczy.

— Pierwszy raz w życiu myślałem tak jasno. Zawróciłem do sali, gdzie byłaś. Nic innego się nie liczyło. Nie wiedziałem nawet, czy się stamtąd wydostaniemy, po prostu chciałem być tam gdzie ty, cokolwiek to mogło znaczyć. Jedyne, czego naprawdę się boję, to życia bez ciebie, Gołąbku.

Podparłam się łokciem i pocałowałam go czule, a potem się uśmiechnęłam.

— Wobec tego nie masz się czego bać. Już zawsze będziemy razem.

Westchnął.

— Zrobiłbym to jeszcze raz. Po to, żebyśmy mogli być tutaj, teraz.

Ciążyły mi powieki. Wzięłam głęboki oddech. Wciąż czułam w płucach gryzący dym. Zakasłałam, zaraz jednak znów się odprężyłam, gdy na czole poczułam miękkie wargi. Przesunął dłonią po moich wilgotnych włosach. W ciemności słyszałam równe bicie jego serca.

— To jest to — szepnął.

— Co takiego?

— To jest ten moment. Kiedy patrzę, jak śpisz... z taką spokojną twarzą. To jest to. Nie czułem tego, odkąd umarła mama, ale teraz znów czuję. — Ponownie westchnął głęboko i przyciągnął mnie bliżej. — Wiedziałem w chwili, gdy cię poznałem, że masz w sobie coś, czego potrzebuję. Że ty to ty.

Uniosłam w uśmiechu kąciki ust i skryłam twarz na jego piersi.

— To my, Trav. Nic nie ma sensu, kiedy nie jesteśmy razem. Zauważyłeś?

— Czy zauważyłem? Powtarzam ci to od roku! To informacja oficjalna! Panienki, walki, rozstania, Parker, Vegas... Nasz związek zniesie wszystko.

Podniosłam głowę. Patrzył na mnie zadowolony. Miał w oczach spokój, podobnie jak wtedy, gdy przegrałam zakład i musiałam z nim zamieszkać i gdy pierwszy raz powiedziałam mu, że go kocham, i jak tego ranka po walentynkach. Podobny do tego, który już znałam, a jednak inny. Absolutny i ostateczny. Ostrożną nadzieję w jego wzroku zastąpiło bezwarunkowe zaufanie.

A ja czułam dokładnie to samo.

— Vegas? — zagadnęłam.

Zmarszczył czoło, niepewny, do czego zmierzam.

— Tak?

— Myślałeś o tym, żeby tam wrócić?

Uniósł brwi.

— To chyba nie najlepszy pomysł.

— Tylko na jedną noc?

Zdezorientowany rozejrzał się po ciemnym pokoju.

— Na jedną noc?

— Ożeń się ze mną — poprosiłam bez wahania. Zdziwiłam się, jak szybko i łatwo przyszło mi to powiedzieć.

Uśmiechnął się szeroko.

— Kiedy?

Wzruszyłam ramionami.

— Możemy zarezerwować lot na jutro. Jest przerwa wiosenna. Nie mam żadnych planów, a ty?

— Załatwione! — zawołał, sięgając po telefon. — American Airlines... — Przyglądał się bacznie mojej reakcji w oczekiwaniu na połączenie. — Dwa bilety do Vegas. Jutro. Hm... — Spojrzał na mnie. Może myślał, że zmienię zdanie. — Podróż w obie strony. Są miejsca?

Oparłam podbródek na jego piersi; uśmiech nie znikał mu z twarzy.

— Tak... Jedną chwileczkę. — Wskazał swój portfel. — Wyjmij kartę, Gołąbku — poprosił, nadal uważnie mnie obserwując.

Nachyliłam się, wyjęłam kartę z portfela i mu podałam.

Nie spuszczając ze mnie wzroku, wyrecytował numer do słuchawki. Podał datę ważności karty, a ja wciąż nie protestowałam.

— Tak, proszę pani. Odbierzemy bilety przed odprawą. Dziękuję.

Gdy podał mi telefon, odłożyłam go na stolik nocny, czekając, co powie.

— Właśnie mi się oświadczyłaś. — Chyba wciąż jeszcze podejrzewał jakiś podstęp.

— Wiem.

— To się dzieje naprawdę. Przed chwilą zarezerwowałem

dwa bilety do Vegas na jutro w południe. A to znaczy, że jutro wieczorem weźmiemy ślub.

— Dziękuję.

Zmrużył oczy.

— W poniedziałek zaczniesz zajęcia jako pani Maddox.

— No tak... — Rozejrzałam się po pokoju.

Travis uniósł brew.

— Masz wątpliwości?

— Czeka mnie niezłe zamieszanie z wymianą dokumentów.

Pokiwał powoli głową, pełen nadziei.

— Wyjdziesz za mnie jutro?

Uśmiechnęłam się.

— Aha.

— Poważnie?

— Tak.

— Cholera, jak ja cię kocham! — Ujął moją twarz w dłonie i ucałował mnie siarczyście. — Tak bardzo cię kocham, Gołąbku — powtórzył, obsypując mnie pocałunkami.

— Pamiętaj o tym za pięćdziesiąt lat, gdy ciągle będę ogrywać cię w pokera. — Zachichotałam.

Uśmiechnął się triumfalnie.

— Kochanie, jeśli to ma oznaczać, że spędzimy ze sobą kolejnych sześćdziesiąt, siedemdziesiąt lat, pozwolę ci na to.

— Jeszcze pożałujesz.

— Na pewno nie.

Zrobiłam szelmowską minę.

— Jesteś na tyle o tym przekonany, żeby założyć się o tego błyszczącego harleya, który stoi na parkingu?

Spoważniał i pokręcił głową.

— Założyłbym się o wszystko, co mam. Nie żałuję ani jednej spędzonej z tobą sekundy, Gołąbku, i nigdy nie będę żałował.

Wyciągnęłam do niego rękę. Bez wahania uniósł ją do ust, czule dotykając ustami knykci. W pokoju panowała cisza, słychać było jedynie nasze oddechy.

— Abby Maddox... — wyszeptał. Zobaczyłam jego rozpromienioną twarz w świetle księżyca.

Przytuliłam policzek do jego nagiej piersi.

— Travis i Abby Maddox. Ładnie brzmi.

— Pierścionek — powiedział nagle.

— Pomyślimy o tym później. Zaskoczyłam cię.

— No, nie wiem... — Przyjrzał mi się z obawą.

— Co? — spytałam, sztywniejąc.

— Nie wkurzaj się. — Poruszył się niespokojnie, mocniej mnie obejmując. — Właściwie... już się tym zająłem.

— Czym? — Zajrzałam mu w twarz.

Zapatrzył się w sufit i westchnął.

— Będziesz zła...

— Travis...

Sięgnął do szuflady stolika nocnego i grzebał w niej przez chwilę.

— Co? Kupiłeś prezerwatywy? — spytałam, odgarniając włosy z czoła.

Zaśmiał się.

— Nie, Gołąbku. — Stęknął z wysiłku, sięgając po omacku w głąb szuflady. W końcu wydobył ze środka małe aksamitne pudełeczko. Położył je sobie na piersi i oparł głowę na moim ramieniu.

— Co to jest?

— A jak myślisz?

— Dobrze, spytam inaczej. Odkąd to masz?

Westchnął głęboko. Pudełeczko zafalowało na jego piersi.

— Od jakiegoś czasu.

— Trav...

— Pewnego dnia po prostu go zobaczyłem i od razu wiedziałem, gdzie powinien się znaleźć... Na twoim pięknym paluszku.

— Pewnego dnia... Czyli kiedy?

— A jakie to ma znaczenie? — Trochę się naburmuszył. Roześmiałam się mimo woli. — Otwórz.

Dotknęłam miękkiego aksamitu, otworzyłam złotą klamerkę i uchyliłam wieczko. W środku coś zamigotało. Zatrzasnęłam pudełeczko.

— Travis!

— Wiedziałem, że się wściekniesz — rzucił, wiercąc się niecierpliwie.

Obracałam w dłoniach pudełeczko, niczym granat, który w każdej chwili może eksplodować. Zamknęłam oczy, kręcąc głową.

— Zwariowałeś?

— Wiem. Wiem, co sobie myślisz, ale musiałem. To był ten jedyny. I nie pomyliłem się! Nigdy dotąd nie widziałem równie doskonałego!

W jego brązowych oczach nie dostrzegłam niepokoju, lecz dumę. Delikatnie odebrał mi pudełeczko, otworzył i wyjął pierścionek. W przyćmionym świetle sypialni zamigotał duży, okrągły brylant.

— Jest... Boże, jest niezwykły — wyszeptałam.

Travis ujął moją lewą dłoń.

— Mogę włożyć ci go na palec? — spytał, wpatrując się we mnie. Kiedy przytaknęłam, wsunął mi na palec pierścionek i przytrzymał przez chwilę. — Teraz dopiero wygląda niezwykle.

Oboje patrzyliśmy na moją dłoń, równie zaszokowani wrażeniem, jakie robił duży brylant na moim drobnym, szczupłym palcu. Wokół niego w oprawie z białego złota połyskiwały mniejsze brylanciki.

— Mogłeś zamiast tego odłożyć na samochód — powiedziałam cicho. Głos wiązł mi w krtani.

Ucałował moją dłoń.

— Wiesz, ile razy wyobrażałem sobie, jak będzie wyglądał na twoim palcu? A teraz...

— Co? — Uśmiechnęłam się na widok jego rozanielonej miny.

— Myślałem, że minie dobrych pięć lat, zanim się na to zdobędę.

— Chciałam tego tak samo jak ty. Ale ta moja pokerowa twarz...

Epilog

Travis ścisnął mnie za rękę. Wstrzymałam oddech. Próbowałam się uśmiechać, ale mimo woli marszczyłam twarz. Na białym suficie widniały miejscami zacieki, ale poza tym było nieskazitelnie czysto. Żadnych rupieci, żadnych zbędnych sprzętów. Wszystko na swoim miejscu, dzięki czemu czułam się w miarę swobodnie. Podjęłam decyzję i nie zamierzałam się z niej wycofać.

— Kochanie? — Travis zmarszczył czoło.

— Dam radę — powiedziałam, spoglądając w sufit. Podskoczyłam, czując pieczenie, lecz po chwili znów siedziałam na miejscu. Gdy zabrzęczała moja komórka, Travis przypatrywał mi się z niepokojem.

— Gołąbku...

Lekceważąco pokręciłam głową.

— No dobrze. Jestem gotowa.

Odsunęłam od ucha telefon, żeby wysłuchać nieuchronnej reprymendy.

— Zamorduję cię, Abby Abernathy! — zawołała America. — Zabiję cię!

— W zasadzie to już Abby Maddox — powiedziałam, uśmiechając się do męża.

— To nie fair! — jęknęła już łagodniejszym tonem. — Miałam być twoją druhną! Miałam wybierać z tobą suknię ślubną, zorganizować ci wieczór panieński i trzymać bukiet!

— Wiem.

Na widok mojej skrzywionej miny Travis przestał się uśmiechać.

— Nie musisz tego robić — powiedział, ściągając brwi.

Wolną ręką ścisnęłam go za palce.

— Wiem.

— Już to mówiłaś! — zdenerwowała się Mare.

— Nie mówiłam do ciebie.

— Rozmawiasz ze mną czy nie? — spytała rozeźlona. — Nie wykręcisz się tak łatwo, słyszysz? Nigdy ci nie wybaczę!

— Wybaczysz.

— Ty... jesteś... jesteś zwyczajnie podła, Abby! Jesteś najokropniejszą najlepszą przyjaciółką!

Roześmiałam się. Mężczyzna siedzący obok mnie podskoczył raptownie.

— Proszę się nie ruszać, pani Maddox.

— Przepraszam — powiedziałam.

— Kto to? — spytała America.

— Griffin.

— Kim jest Griffin, do cholery? Niech zgadnę, zaprosiłaś na ślub kompletnie obcego faceta zamiast najlepszej przyjaciółki? — Mówiła coraz bardziej nieprzyjemnym głosem.

— Nie. Nie było go na ślubie — odparłam, nabierając głęboko powietrza.

Travis westchnął i poruszył się niespokojnie na krześle. Wciąż ściskał moją dłoń.

— Obiecałam ci to, pamiętasz? — Uśmiechnęłam się do niego mimo bólu.

— Przepraszam, ale chyba tego nie wytrzymam — odparł głosem zachrypłym ze zmartwienia. Rozluźnił uchwyt i spojrzał na Griffina. — Proszę się pośpieszyć.

Ten pokręcił głową.

— Cały w tatuażach, a nie może wytrzymać, gdy dziewczyna funduje sobie jeden napis. Za minutę skończę, stary.

Travis zrobił marsową minę.

— Żona. To moja żona.

America wydała stłumiony okrzyk, gdy dotarła do niej treść tej rozmowy.

— Robisz sobie tatuaż? Co się z tobą dzieje, Abby? Nawdychałaś się toksycznych oparów w tym pożarze?

Zerknęłam na swój brzuch, ubrudzony rozmazanym czarnym tuszem, i uśmiechnęłam się.

— Trav wytatuował sobie na nadgarstku napis „Gołąbek". — Wstrzymałam oddech na dźwięk igły. Griffin starł nadmiar tuszu i zaczął znów. — Jesteśmy małżeństwem — dodałam przez zaciśnięte zęby. — Też chciałam coś mieć.

Travis pokręcił głową.

— Nie musiałaś.

— Nie zaczynaj — rzuciłam, mrużąc oczy. — Rozmawialiśmy o tym.

America zaśmiała się.

— Zwariowałaś. Kiedy wrócisz, odstawię cię do zakładu

dla obłąkanych. — Wciąż mówiła ostrym, rozdrażnionym głosem.

— To żadne wariactwo. Kochamy się. Praktycznie od roku mieszkamy razem. Więc czemu nie?

— Bo masz raptem dziewiętnaście lat, idiotko! Bo uciekłaś, nikomu nic nie mówiąc, i mnie tam nie ma! — zawołała.

— Przepraszam cię, Mare, muszę kończyć. Zobaczymy się jutro, dobrze?

— Nie wiem, czy chcę cię widzieć jutro. A Travisa to już w ogóle — odpaliła.

— Do jutra, Mare. Na pewno zechcesz zobaczyć mój pierścionek.

— I tatuaż — dopowiedziała, nieco udobruchana.

Zatrzasnęłam klapkę komórki i oddałam ją Travisowi. Znów zabrzęczała igła. Skupiłam uwagę na piekącym bólu, lecz już po chwili odetchnęłam z ulgą. Griffin wytarł resztki tuszu. Travis schował telefon do kieszeni, ujął moją rękę w obie dłonie i przywarł do mnie czołem.

— Kiedy sobie robiłeś tatuaże, też się tak denerwowałeś? — spytałam, rozbawiona jego zaniepokojoną miną.

Skrzywił się, jakby odczuwał mój ból tysiąckrotnie bardziej niż ja.

— Nie, ale to co innego. Tym razem jest o wiele, wiele gorzej.

— Gotowe! — oznajmił Griffin z taką samą ulgą w głosie, jaka odmalowała się na twarzy Travisa.

Odrzuciłam głowę do tyłu.

— Bogu dzięki!

— Bogu dzięki! — westchnął Travis, poklepując mnie po dłoni.

Przyjrzałam się pięknym czarnym liniom na zaczerwienionej, podrażnionej skórze:

PANI MADDOX

— No, no — powiedziałam, podnosząc się na łokciu, żeby lepiej widzieć.

Travis uśmiechnął się triumfalnie.

— Wygląda pięknie.

Griffin pokręcił głową.

— Gdybym brał dolara od każdego wytatuowanego, świeżo upieczonego męża, który przyprowadzałby tu żonę i znosił to gorzej od niej... cóż... nie musiałbym więcej pracować.

— Dobra, mądralo, ile jestem winien? — wymamrotał Travis.

— Wypiszę rachunek przy kasie — odparł Griffin z rozbawieniem.

Rozejrzałam się po gabinecie, gdzie w błyszczących chromowanych ramach wisiały obrazki przykładowych tatuaży, a po chwili przeniosłam wzrok na swój brzuch. Moje nowe nazwisko, wypisane grubymi, zgrabnymi czarnymi literami... Travis przyjrzał mi się z dumą, po czym zerknął na swoją obrączkę z tytanu.

— Zrobiliśmy to, skarbie — powiedział ściszonym głosem. — Wciąż nie mogę uwierzyć, że jesteś moją żoną.

— Radzę ci uwierzyć — odparłam z uśmiechem.

Pomógł mi wstać z fotela. Dżinsy obcierały podrażnioną skórę; musiałam uważać na każdy ruch. Travis wyjął portfel, szybko zapłacił kartą, po czym wziął mnie za rękę i zaprowadził do czekającej na zewnątrz taksówki. Ponownie zabrzęczała moja komórka, lecz widząc, że dzwoni Mare, nie odebrałam.

— Znów będzie wzbudzać w tobie poczucie winy. — Travis zmarszczył czoło.

— Kiedy zobaczy zdjęcia, będzie się dąsać przez dobę. Potem jej przejdzie.

Przyjrzał mi się z psotną miną.

— Jest pani pewna, pani Maddox?

— Już zawsze będziesz tak do mnie mówił? Powtórzyłeś to sto razy, odkąd wyszliśmy z kaplicy.

Pokręcił głową, otwierając drzwi taksówki.

— Przestanę, kiedy wreszcie do mnie dotrze, że to stało się naprawdę.

— Ależ tak. Mam nawet wspomnienia z nocy poślubnej.

Nachylił się do mnie i przesunął nosem po delikatnej skórze mojej szyi.

— Ja też — wyszeptał mi do ucha.

— Au! — syknęłam, kiedy dotknął bandaża.

— O cholera. Przepraszam, Gołąbku.

— Wybaczam — odparłam z uśmiechem.

Dojechaliśmy na lotnisko, trzymając się za ręce. Śmiałam się, widząc, jak Travis gapi się na swoją obrączkę. Na jego twarzy malował się błogi spokój, do którego powoli się przyzwyczajałam.

— Kiedy wrócimy do domu, może wreszcie to do mnie dotrze i przestanę się zachowywać jak osioł.

— Obiecujesz?

Pocałował mnie w rękę i położył ją sobie na kolanach.

— Nie.

Roześmiałam się, opierając głowę na jego ramieniu. Gdy taksówka zatrzymała się przed terminalem, znów zadzwoniła Mare.

— Jest uparta. Daj mi ją — powiedział Travis, biorąc ode mnie komórkę. — Halo? — Ze słuchawki popłynął potok ostrych słów. Uśmiechnął się. — Bo jestem jej mężem. Mogę odbierać jej telefony. — Spojrzał na mnie, otworzył drzwi taksówki i wyciągnął rękę. — Jesteśmy na lotnisku, Mare. Może wyjedziecie po nas z Shepem? W drodze do domu będziecie mogli oboje na nas pokrzyczeć. Tak, przez całą drogę. Przylatujemy koło trzeciej. Dobrze, Mare. Do zobaczenia. — Skrzywił się i oddał mi telefon. — Miałaś rację. Jest wściekła.

Wręczył napiwek taksówkarzowi, zarzucił sobie torbę na ramię i wyciągnął rączkę mojej walizki na kółkach. Napiął wytatuowany biceps, ciągnąc ją za sobą, a wolną ręką ujął moją dłoń.

— Zgodziłeś się, żeby robiła nam wymówki przez okrągłą godzinę? Nie wierzę — powiedziałam, wchodząc za nim do hali odlotów przez obrotowe drzwi.

— Chyba nie sądzisz, że pozwolę jej krzyczeć na moją żonę.

— Widzę, że z upodobaniem używasz tego słowa.

— Najwyższy czas, żebym się do tego przyznał. Wiedziałem, że zostaniesz moją żoną, właściwie już w pierwszej sekundzie, kiedy cię zobaczyłem. Nie skłamię i nie powiem, że nie czekałem na dzień, kiedy będę mógł to powiedzieć... więc będę trochę nadużywał tego słowa. Powinnaś się przyzwyczaić.

Zabrzmiało to tak rzeczowo, jakby wcześniej przećwiczył tę przemowę.

Zaśmiałam się, ściskając mu dłoń.

— Nie przeszkadza mi to.

— Naprawdę? — spytał, zerkając na mnie kątem oka.

Gdy przytaknęłam, przyciągnął mnie do siebie i pocałował w policzek.

— To dobrze. Za kilka miesięcy będziesz mieć dość, ale na razie daj mi trochę luzu.

Wjechaliśmy schodami na górę. Kiedy Travis przechodził przez bramkę bezpieczeństwa, zapiszczał wykrywacz metalu. Funkcjonariusz ochrony poprosił, żeby zdjął obrączkę, na co Travis zrobił poważną minę.

— Przypilnuję jej — obiecał funkcjonariusz. — To tylko chwila.

— Obiecałem żonie, że nigdy jej nie zdejmę — syknął Travis przez zęby.

Mężczyzna wyciągnął otwartą dłoń, cierpliwie czekając. Uśmiechnął się ze zrozumieniem, lekko rozbawiony.

Travis niechętnie zdjął obrączkę, cisnął mu ją na dłoń i z westchnieniem przeszedł przez bramkę. Tym razem nic nie zapiszczało, ale wciąż był poirytowany. Ja także ściągnęłam z palca obrączkę i bez przeszkód podążyłam za nim. Travis dąsał się jeszcze chwilę, lecz kiedy nas przepuszczono, nieco się rozluźnił.

— Nie denerwuj się, kochanie. Masz ją z powrotem na palcu. — Rozśmieszyła mnie jego reakcja.

Pocałował mnie w czoło i przytulił. Napotykając wzrok innych pasażerów, zastanawiałam się, czy widzą w nas nowożeńców, czy tylko bawi ich rozanielony uśmiech na twarzy Travisa — jaskrawy kontrast z ogoloną głową, wytatuowanymi ramionami i potężnymi mięśniami.

Na lotnisku roiło się od podnieconych turystów, automaty do gier brzęczały i dzwoniły, tłumy pasażerów wędrowały we wszystkich kierunkach. Uśmiechnęłam się na widok pary młodych ludzi, którzy trzymali się za ręce i sprawiali wrażenie równie podekscytowanych i zdenerwowanych jak ja i Travis, kiedy wylądowaliśmy w Vegas. Nie wątpiłam, że wracając do domu, będą odczuwać ulgę i zdumienie, podobnie jak my teraz.

W poczekalni, przeglądając czasopismo, delikatnie dotknęłam kolana Travisa, które podrygiwało nerwowo. Przestał nim ruszać. Uśmiechnęłam się, zerkając na zdjęcia celebrytów. Widziałam, że coś go trapi, ale czekałam, aż sam mi o tym powie, kiedy pozbiera myśli. Po paru minutach znów zaczął ruszać kolanem, lecz tym razem przestał sam z siebie i osunął się na krzesło.

— Gołąbku?

— Tak?

Minęła dłuższa chwila. Travis westchnął.

— Nic.

Czas mijał szybko. Wydawało się, że dopiero co usiedliśmy, gdy wywołano nasz lot. Natychmiast ustawiła się kolejka. Wstaliśmy, szykując bilety do kontroli, po czym ruszyliśmy długim korytarzem do samolotu, który miał nas zabrać do domu.

— Nie mogę się pozbyć tego uczucia — wyznał Travis z wahaniem.

— Jakiego? Masz jakieś złe przeczucia? — Nagle się zaniepokoiłam.

Odwrócił się do mnie ze zmartwioną miną.

— Mam takie okropne wrażenie, że kiedy wrócimy do domu, nagle się obudzę. Że to nie dzieje się naprawdę.

Objęłam go w pasie i przesunęłam palcami po mięśniach pleców.

— To tym się martwisz?

Spojrzał na nadgarstek, a potem na obrączkę na palcu.

— Po prostu nie mogę się pozbyć uczucia, że ta bańka zaraz pęknie, a ja będę w łóżku sam, tylko o tobie marząc.

— No i co ja z tobą zrobię, Trav? Dla ciebie dwa razy rzuciłam innego faceta. Dwa razy pojechałam z tobą do Vegas. Dosłownie przeszłam przez piekło i wróciłam, wyszłam za ciebie i wytatuowałam sobie twoje nazwisko. Nie mam więcej pomysłów, jak udowodnić ci, że jestem twoja.

Uśmiechnął się nieznacznie.

— Uwielbiam, kiedy to mówisz.

— Że jestem twoja? — Nachyliłam się do niego i pocałowałam go w usta. — Jestem. Twoja. Pani Maddox. Już na zawsze.

Uśmiech zniknął mu z twarzy. Spojrzał ku wyjściu.

— Schrzanię to, Gołąbku. Będziesz miała mnie dość.

Roześmiałam się.

— Już mam dość. Mimo to wyszłam za ciebie.

— Sądziłem, że kiedy się pobierzemy, przestanę się bać, że cię stracę. A teraz myślę, że kiedy wsiądę do tego samolotu...

— Travis? Kocham cię. Wracajmy do domu.

Ściągnął brwi.

— Ale nie zostawisz mnie, prawda? Nawet jeśli będę nie do wytrzymania?

— Przysięgałam przed Bogiem... i Elvisem... że cię nie zostawię, tak?

Uniósł brew.

— To jest na zawsze?

Uśmiechnęłam się przekornie.

— Poczujesz się lepiej, jeśli się założymy?

Wokół nas przechadzali się powoli inni pasażerowie. Przyglądali się, nieco zdziwieni naszym zachowaniem. Czułam na sobie ich ciekawskie spojrzenia, ale tym razem mi nie przeszkadzały. Myślałam tylko o tym nadzwyczajnym spokoju, który zagościł we wzroku Travisa.

— Jaki byłby ze mnie mąż, gdybym ryzykował własne małżeństwo?

Uśmiechnęłam się.

— Głupi. Nie posłuchałeś taty? Zabronił ci się ze mną zakładać!

Travis uniósł brwi.

— Taka jesteś pewna? Dobrze. Założymy się?

Zarzuciłam mu ręce na szyję.

— Założę się o nasze pierwsze dziecko. Tak bardzo jestem pewna.

I wtedy wrócił spokój.

— Niemożliwe, żebyś była aż tak pewna.

W jego głosie nie usłyszałam obawy.

Zmrużyłam oczy i uśmiechnęłam się do niego.

— Chcesz się założyć?

Podziękowania

Jestem niesamowicie wdzięczna mojej najlepszej przyjaciółce i siostrze — Beth. Bez zachęty z jej strony nigdy nie wyruszyłabym w tę podróż. Tylko dzięki jej entuzjazmowi i wsparciu realizuję swoje marzenie. Brak mi słów, żeby wyrazić wdzięczność. Dziękuję moim dzieciom za bezbrzeżną cierpliwość, uściski i wyrozumiałość.

Mojej matce Brendzie za pomoc, jakiej udzielała mi, ilekroć o to prosiłam. Dziękuję pisarzom i przyjaciołom, a są wśród nich Jessica Park, Tammara Webber, Tina Reber, Stephanie Campbell, Abbi Glines, Liz Reinhardt, Elizabeth Reyes, Nichole Chase, Laura Bradley Rede, Elizabeth Hunter, Killian McRae, Colleen Hoover, Eyvonna Rains, Lani Wendt Young, Karly Blakemore-Mowle, Michele Scott, Tracey Garvis-Graves, Angie Stanton oraz E.L. James — dziękuję im wszystkim za entuzjastyczne wsparcie, miłość i rady. Bez was moje pisanie nie miałoby sensu. Naprawdę.

Dziękuję mojej agentce Rebecce Watson, równie błyskotliwej, jak zabawnej, oraz agentom z Intercontinental Literary Agency za gorliwość i ciężką pracę.

Jestem ogromnie wdzięczna Judith Curr z Atria Books za niezachwianą wiarę we mnie i mojej redaktorce Amy Tannenbaum, która od samego początku gorąco popierała pomysł napisania tej książki. Dziękuję, że uwierzyłyście w tę historię. Wyrazy wdzięczności dla wszystkich innych z Atria Books, którzy sprawili, że ta powieść ukazała się tak szybko. Są to: Peter Borland, Chris Lloreda, Kimberly Goldstein, Samantha Cohen, Paul Olsewski, Isolde Sauer, Dana Sloan, Jessica Chin, Benjamin Holmes, Michael Kwan, James Pervin, Susan Rella i James Walsh.

Dziękuję doktorowi Rossowi Vanhooserowi za nieocenione rady i za to, że uwierzył w mój talent, zanim w ogóle wiedziałam, że go mam.

Dziękuję Maryse i Lily z portalu Maryse.net i czytelniczce Nikki Estep — tak bardzo spodobała się im historia Travisa i Abby, że postanowiły się nią podzielić.

Na koniec pragnę wyrazić bezgraniczną miłość i wdzięczność mojemu ukochanemu mężowi, który niezmiennie mnie wspiera, obdarza cierpliwością i kocha nawet wtedy, gdy zaniedbuję go dla moich fikcyjnych bohaterów. Jest dla mnie wszystkim i bez niego nigdy nie podjęłabym się tego zadania... Nie chciałabym. To dzięki niemu potrafię pisać o wielkiej miłości. Jeff, dziękuję, że jesteś właśnie taki, jaki jesteś.

Spis treści